Gabriu.

INTIMIDATION

DU MÊME AUTEUR

Ne le dis à personne…, Belfond, 2002 et 2006 ; Pocket, 2003
Disparu à jamais, Belfond, 2003 ; Pocket, 2004
Juste un regard, Belfond, 2005 ; Pocket, 2006
Innocent, Belfond, 2006 ; Pocket, 2007
Promets-moi, Belfond, 2007 ; Pocket, 2008
Dans les bois, Belfond, 2008 ; Pocket, 2009
Sans un mot, Belfond, 2009 ; Pocket, 2010
Sans laisser d'adresse, Belfond, 2010 ; Pocket, 2011
Sans un adieu, Belfond, 2010 ; Pocket, 2011
Faute de preuves, Belfond, 2011 ; Pocket, 2012
Remède mortel, Belfond, 2011 ; Pocket, 2012
Sous haute tension, Belfond, 2012 ; Pocket, 2013
Ne t'éloigne pas, Belfond, 2013 ; Pocket, 2014
Six ans déjà, Belfond, 2014 ; Pocket, 2015
Tu me manques, Belfond, 2015 ; Pocket, 2016
Une chance de trop, Belfond, 2004 et 2015 ; Pocket, 2005

Vous pouvez consulter le site de l'auteur
à l'adresse suivante :
www.harlancoben.com

HARLAN COBEN

INTIMIDATION

Traduit de l'américain
par Roxane Azimi

belfond

Titre original :
THE STRANGER
Publié par Dutton, un membre de Penguin Group (USA) Inc.,
New York.

Retrouvez-nous sur
www.belfond-noir.fr
ou www.facebook.com/belfond

Éditions Belfond,
12, avenue d'Italie, 75013 Paris.
Pour le Canada,
Interforum Canada, Inc.,
Bureau 1100,
Montréal, Québec, H2L, 4S5.

ISBN : 978-2-7144-5806-3

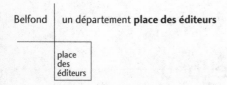

Belfond un département **place des éditeurs**

place
des
éditeurs

À la mémoire de mon cousin
Stephen Reiter,
Avec toute mon affection

Et en l'honneur de ses enfants,
David, Samantha et Jason

« Ô, mon âme, prépare-toi à la venue de l'Inconnu.
Prépare-toi pour celui qui sait poser les questions.
Lui qui se souvient du chemin qui mène à ta porte :
La vie tu peux fuir, mais la Mort tu ne fuiras pas. »

T. S. ELIOT

1

NON, SA VIE NE BASCULA PAS dès les premières paroles de l'inconnu.

C'est ce qu'Adam Price se dit par la suite, mais il se mentait. Il avait su tout de suite, dès la première phrase, que c'en était fini de sa paisible existence d'homme marié et de père de famille. C'était une phrase toute simple pourtant, mais le ton entendu, empreint de sollicitude presque, lui fit comprendre que rien ne serait plus comme avant.

— Vous n'étiez pas obligé de rester avec elle, lui dit l'inconnu.

Ils étaient à l'American Legion Hall de Cedarfield, New Jersey, une ville peuplée de banquiers, de gestionnaires de fonds de placement et autres génies de la finance. Ils aimaient venir boire une bière à l'American Legion, histoire de s'encanailler sans prendre de risques, de se la jouer brave gars comme dans la pub pour le pick-up Dodge... un rôle de composition, s'il en était.

Debout devant le comptoir poisseux, Adam tournait le dos au panneau du jeu de fléchettes. Les néons avaient beau vanter la Miller Lite, lui avait une Budweiser à la main. Il pivota vers l'homme qui s'était faufilé jusqu'à lui et, même s'il connaissait déjà la réponse, lui demanda :

— C'est à moi que vous parlez ?

Le type était plus jeune que la moyenne des pères de famille, plus maigre, presque décharné, avec de grands yeux bleus perçants. Ses bras étaient blancs et grêles, avec un tatouage qui dépassait de l'une des manches courtes. Il portait une casquette de base-ball. Un look pas franchement hipster, plutôt vaguement intello, comme quelqu'un qui bosserait dans les nouvelles technologies et ne verrait jamais la lumière du jour.

Les yeux bleus perçants fixaient Adam avec une intensité qui le mit mal à l'aise.

— Elle vous a dit qu'elle était enceinte, n'est-ce pas ?

Adam sentit ses doigts se crisper sur la bouteille.

— C'est pour ça que vous êtes resté. Corinne vous a dit qu'elle était enceinte.

Il eut l'impression qu'on actionnait un interrupteur dans sa poitrine, comme si un compte à rebours s'était mis en marche, un minuteur de bombe de cinéma. Tic tac, tic tac, tic tac.

— Je vous connais ?

— Corinne vous a dit qu'elle était enceinte, insista l'inconnu. Puis qu'elle avait perdu le bébé.

La clientèle de l'American Legion Hall se composait de chefs de famille en T-shirt de base-ball blanc aux manches trois-quarts assorti d'un bermuda ou d'un jean informe. La plupart étaient aussi affublés d'une casquette. C'était la soirée de sélection pour les équipes de lacrosse des dix-douze ans. Si on veut étudier les joueurs de catégorie A dans leur habitat naturel, pensait Adam, il n'y a qu'à observer les géniteurs lorsqu'ils se mêlent du recrutement. Cela méritait bien un documentaire sur Discovery.

— Vous vous êtes senti obligé de rester, n'est-ce pas ? reprit l'homme.

— Mais d'où diable… ?

— Elle a menti, Adam.

Il s'exprimait avec conviction, comme si non seulement il tenait son information de source sûre, mais qu'il agissait surtout et avant tout dans l'intérêt d'Adam.

— Corinne a tout inventé. Elle n'a jamais été enceinte.

Les paroles continuaient à pleuvoir comme des coups, sapant sa résistance, le laissant hébété, abasourdi, presque à terre. Il aurait voulu riposter, attraper l'autre par le cou et le jeter dehors pour avoir insulté sa femme. Mais il ne le fit pas pour deux raisons.

Primo, parce qu'il n'en avait pas la force.

Secundo, l'homme semblait si sûr de lui qu'il ne serait peut-être pas déraisonnable de le laisser parler.

— Qui êtes-vous ? demanda Adam.

— Ça change quelque chose ?

— Évidemment.

— Je suis l'inconnu, déclara-t-il. L'inconnu qui sait. Corinne vous a menti, Adam. Elle n'était pas enceinte. C'était juste une ruse pour vous garder.

Adam secoua la tête, s'efforçant de s'éclaircir les idées.

— J'ai vu le test de grossesse.

— C'était un faux.

— J'ai vu l'échographie.

— Encore un faux.

Il arrêta Adam d'un geste de la main.

— Tout comme le ventre, d'ailleurs. Ou les ventres, devrais-je dire. Quand Corinne a commencé à s'arrondir, vous ne l'avez plus jamais vue nue, n'est-ce pas ? A-t-elle prétexté des nausées ou quoi que ce soit, pour ne plus avoir de rapports ? C'est ce qui arrive la plupart du temps. Du coup, avec le recul, on se dit que c'était une grossesse à problèmes depuis le début.

Une voix tonna à travers la salle :

— O.K., les gars, reprenez une bière et on y va.

C'était Tripp Evans, président de la ligue de lacrosse, ancien publiciste dans une boîte sur Madison Avenue, et globalement un chic type. Les autres allèrent chercher des chaises en alu, de celles qu'on utilise pour les spectacles scolaires, et les disposèrent en cercle. Tripp Evans regarda Adam, remarqua sa pâleur et, inquiet, fronça les sourcils. Adam l'ignora et se tourna vers l'inconnu.

— Mais qui êtes-vous, à la fin ?

— Considérez-moi comme votre sauveur. Ou comme un ami venu vous libérer d'une prison affective.

— Franchement, c'est du grand n'importe quoi.

Presque toutes les conversations s'étaient interrompues dans la salle. On n'entendait plus que des murmures étouffés et le raclement des chaises sur le sol. Les hommes arboraient une mine impassible, ce qui avait le don d'horripiler Adam. En fait, il n'était même pas censé être là. C'est Corinne qui était la trésorière de la ligue, mais on lui avait avancé la date de son colloque de profs à Atlantic City et, bien que ce soit le jour J du lacrosse à Cedarfield – la raison principale de son engagement –, Adam s'était vu contraint de la remplacer.

— Vous devriez me remercier, dit l'homme.

— De quoi ?

Pour la première fois, l'homme sourit. C'était, nota Adam malgré lui, un bon sourire, un sourire de guérisseur, de quelqu'un qui veut bien faire.

— Vous êtes libre, répondit l'inconnu.

— Vous mentez.

— Vous dites ça, Adam, mais vous ne le pensez pas.

— Adam ? lança Tripp Evans à travers la salle.

Il se retourna. Tout le monde était assis maintenant, sauf l'inconnu et lui.

— Il faut que j'y aille, chuchota l'inconnu. Mais si

vous voulez des preuves, jetez un œil sur les relevés de votre carte Visa. Un prélèvement en faveur de Novelty Funsy.

— Attendez…

— Une dernière chose.

L'homme se pencha plus près.

— Si j'étais vous, je ferais faire un test ADN à vos deux garçons.

Tic tac, tic tac… boum.

— Quoi ?

— Je n'ai pas d'infos là-dessus, mais quand une femme est prête à mentir sur ces choses-là, il y a des chances que ce ne soit pas la première fois.

Et, après avoir porté l'estocade, il se hâta vers la sortie.

2

LORSQU'IL EUT RECOUVRÉ l'usage de ses jambes, Adam se précipita pour le rattraper.

Trop tard.

L'inconnu s'était engouffré dans une Honda Accord grise. La voiture démarra. Adam courut derrière pour essayer d'entrevoir le numéro de la plaque, mais tout ce qu'il parvint à distinguer, c'est qu'elle était immatriculée dans le New Jersey. La Honda tourna pour sortir du parking, et alors il vit autre chose.

C'était une femme qui conduisait.

Une femme jeune aux longs cheveux blonds. À la lueur du réverbère, il croisa son regard. Un regard empli d'inquiétude. Et d'empathie.

La voiture s'éloigna en trombe. Quelqu'un l'appela. Adam fit demi-tour et regagna la salle.

On commença par constituer l'équipe qui allait jouer à domicile.

Adam avait beau se concentrer, les sons lui parvenaient comme à travers l'équivalent d'une paroi de douche opaque. Corinne lui avait simplifié la tâche. Elle avait classé tous les garçons qui postulaient pour la classe de sixième, et il n'avait plus qu'à choisir parmi ceux qui restaient. Le véritable enjeu – la vraie raison de sa présence ici – était de s'assurer que leur fils Ryan soit pris dans la meilleure équipe, celle qui jouerait à l'extérieur. Thomas, leur aîné, aujourd'hui en seconde, avait loupé la sélection en son temps, faute de motivation suffisante de la part de ses parents. Du moins, c'est ce que pensait Corinne, et Adam ne la contredisait pas. La plupart des papas n'étaient pas là tant par amour du sport que pour défendre les intérêts de leur progéniture.

Y compris Adam. Pitoyable, mais que voulez-vous ?

Il tenta de chasser de son esprit ce qu'il venait d'apprendre – d'où il sortait, ce type ? –, mais n'y parvint pas. Les « notes de repérage » de Corinne se brouillaient devant ses yeux. Avec une précision quasi obsessionnelle, elle avait classé les garçons par ordre décroissant, du meilleur au moins bon. Dès que l'un d'eux était sélectionné, Adam rayait machinalement son nom. Il examina l'écriture impeccable de Corinne, à l'exemple de ces lettres modèles que la maîtresse épinglait au tableau à l'école primaire. C'était tout elle. Le genre de fille qui arrive en classe en se plaignant qu'elle va tout rater, qui termine le contrôle la première et décroche un A. Elle était intelligente, dynamique, belle et…

Menteuse ?

— Passons aux équipes à l'extérieur, les gars, dit Tripp.

À nouveau, les pieds des chaises raclèrent le sol. Toujours groggy, Adam rejoignit les quatre hommes chargés de constituer les équipes A et B qui joueraient à l'extérieur. Là, c'était du lourd. Les équipes à domicile restaient sur place. Les meilleurs joueurs intégraient les équipes A et B et se déplaçaient pour disputer des matchs à travers tout l'État.

Novelty Funsy. Pourquoi ce nom ne lui était-il pas inconnu ?

L'entraîneur principal des sixièmes se nommait Bob Baime, mais en son for intérieur Adam l'appelait Gaston, en référence au personnage du dessin animé *La Belle et la Bête*. Bob était une sorte de gros patapouf au sourire béat qui faisait penser au ravi de la crèche. Il était bruyant, vantard, bête et méchant, et quand on le voyait passer, bombant le torse, les bras ballants, on entendait presque la chanson de la bande-son : « *Le plus fort, c'est Gaston, le plus sport, c'est Gaston…* »

Laisse tomber, se dit Adam. *Ce type t'a fait marcher, c'est tout…*

Constituer les équipes était un jeu d'enfant. Chaque garçon était noté de un à dix selon différents critères : maniement de la crosse, force, vitesse, qualité de ses passes et tout le bataclan. On additionnait les chiffres et on obtenait une moyenne. En théorie, il suffisait de consulter la liste, de mettre les dix-huit premiers en A, les dix-huit suivants en B, et le reste au rebut. Sauf que chacun voulait que son fils intègre l'équipe qu'il était chargé d'entraîner.

Bon, ça, c'était fait.

Venait ensuite le classement. Tout se déroula sans encombre jusqu'à ce qu'ils en arrivent au choix du dernier joueur de l'équipe B.

— Ça devrait être Jimmy Hoch, décréta Gaston.

Bob Baime avait tendance à s'exprimer sur un ton déclamatoire.

Un de ses assistants – un type falot dont Adam ignorait le nom – hasarda :

— Mais Jack et Logan sont tous les deux mieux classés que lui.

— Exact, opina Gaston. Mais je connais ce garçon,

Jimmy Hoch. Il est meilleur joueur que ces deux-là. Il a juste raté l'épreuve de sélection.

Il toussa dans son poing.

— Et puis, Jimmy a eu une année difficile. Ses parents viennent de divorcer. On devrait lui donner sa chance et l'intégrer dans l'équipe. Donc, si personne n'y voit d'objection…

Et il entreprit d'écrire le nom de Jimmy.

Adam s'entendit dire :

— Si, moi.

Tous les regards se braquèrent sur lui.

Gaston pointa son menton à fossette dans sa direction.

— Pardon ?

— Moi, j'ai une objection, répéta Adam. Jack et Logan ont de meilleures notes. Lequel des deux arrive en premier ?

— Logan, répondit l'un des assistants.

Adam parcourut la liste à la recherche des résultats.

— Oui, c'est ça. Donc, c'est Logan qui devrait faire partie de l'équipe. Il a une meilleure place au classement, et ses notes sont plus élevées.

Les coachs assistants retinrent leur souffle. Gaston n'avait pas l'habitude qu'on lui tienne tête. Se penchant en avant, il montra ses grandes dents.

— Sauf ton respect, tu es là juste pour remplacer ta femme.

Il mit l'accent sur *femme*, comme si, ce faisant, Adam avait perdu son statut de vrai homme.

— Tu n'es même pas entraîneur.

— Certes, acquiesça Adam, mais je sais lire les chiffres, Bob. La note générale de Logan est de six virgule sept. Celle de Jimmy, six virgule quatre. Même avec les nouvelles maths, six virgule sept reste supérieur à six virgule quatre. Je peux te faire un dessin, si tu veux.

Gaston ne releva pas le sarcasme.

— Comme je viens de l'expliquer, il a des circonstances atténuantes.

— Le divorce de ses parents ?

— Exactement.

Adam regarda les coachs assistants, soudain fascinés par les nœuds du plancher.

— Mais au fait, tu connais la situation familiale de Jack et de Logan ?

— Je sais que leurs parents sont ensemble.

— C'est donc ça, notre critère de sélection ? demanda Adam. Toi, tu es heureux en ménage, hein, Ga...

Il avait failli l'appeler Gaston.

— ... Bob ?

— Quoi ?

— Toi et Melanie, vous êtes le couple le plus soudé que je connaisse.

Melanie était une petite blonde pétillante qui avait la manie de cligner des yeux comme si elle venait de se prendre une claque. Gaston adorait lui mettre la main aux fesses en public, pas tant pour manifester son affection ni même sa concupiscence que pour montrer qu'elle lui appartenait. Se laissant aller en arrière, il sembla choisir soigneusement ses mots.

— Nous sommes heureux ensemble, mais...

— Eh bien, voilà de quoi retirer au moins un demi-point à la note de ton fils. Du coup, Bob junior redescend à... voyons voir, six virgule trois. L'équipe B. Car si on relève la note de Jimmy à cause de ses problèmes familiaux, ne devrait-on pas abaisser celle de ton fils, vu que ça baigne chez vous ?

— Tu es sûr que ça va, Adam ? s'enquit l'un des assistants.

Adam tourna brusquement la tête dans sa direction.

— Ça va très bien.

Gaston se mit à serrer et à desserrer les poings.

Corinne a tout inventé. Elle n'a jamais été enceinte.

Adam soutint son regard sans ciller. *Allez, vas-y, mon grand.* Le moment était bien choisi. Gaston, c'était M. Muscle pour la frime. Par-dessus son épaule, Adam aperçut Tripp Evans qui le regardait d'un air surpris.

— On n'est pas au tribunal ici, fit Gaston en souriant de toutes ses dents. Tu te trompes d'endroit.

Adam n'avait pas mis les pieds dans un tribunal depuis plusieurs mois, mais il ne prit pas la peine de le corriger. Il brandit les feuilles de papier.

— Les évaluations sont là pour une raison, Bob.

— Nous aussi, rétorqua Gaston, passant la main dans sa crinière brune. En tant qu'entraîneurs. Ces mômes, nous les suivons depuis des années. C'est nous qui prenons les décisions. Et moi notamment, en ma qualité d'entraîneur principal. Jimmy a une bonne attitude. Ça compte aussi. On n'est pas des machines. On utilise tous les outils à notre disposition pour choisir les gamins les plus méritants.

Il écarta ses énormes paluches pour tenter de ramener Adam à de meilleurs sentiments.

— Allez, quoi, on parle du dernier joueur de l'équipe B. Ce n'est pas une affaire d'État, que je sache.

— À mon avis, ça l'est pour Logan.

— Je suis l'entraîneur principal. C'est moi qui décide.

La salle commençait à se vider. Adam ouvrit la bouche pour protester, mais à quoi bon ? Il n'aurait pas le dernier mot, et d'ailleurs, quelle importance ? Il n'avait jamais vu le Logan en question. C'était juste une distraction, histoire de ne plus penser au chaos que l'inconnu avait laissé en partant. Il se leva de sa chaise.

— Où tu vas ? fit Gaston en avançant le menton comme une invitation à lui mettre une beigne.

— Ryan est dans l'équipe A, non ?

— Tout à fait.

C'est pour ça qu'il était venu, pour plaider la cause de son fils, si besoin était. Voilà qui était fait. Le reste ne l'intéressait pas.

— Bonne soirée, les gars.

Adam retourna au comptoir. Il fit signe à Len Gilman, le chef de police qui aimait bien tenir le bar, une façon comme une autre de limiter le nombre des contraventions qu'il distribuerait pour conduite en état d'ivresse. Len hocha la tête et glissa vers lui une bouteille de Bud. Adam la décapsula d'un geste un peu trop ostentatoire. Tripp Evans se joignit à lui. Len posa une autre Bud sur le comptoir. Tripp trinqua avec Adam, et les deux hommes burent en silence pendant que la réunion se terminait. Gaston se leva, théâtral – il adorait se donner en spectacle – et fusilla Adam du regard. En réponse, Adam leva sa bouteille. Gaston sortit en trombe.

— On s'est fait des copains ? remarqua Tripp.

— Je suis sociable de nature.

— Tu sais qu'il est vice-président de la ligue, n'est-ce pas ?

— La prochaine fois, je penserai à m'agenouiller, répondit Adam.

— Et que, moi, j'en suis le président.

— Dans ce cas, il me faudra des genouillères.

Tripp acquiesça : la réponse lui avait plu.

— Bob traverse une passe difficile en ce moment.

— Bob est un abruti.

— C'est vrai. Tu sais pourquoi je reste président ?

— Ça aide avec les filles ?

— Aussi. Mais surtout, parce que, si je démissionne, c'est Bob qui prendra ma place.

— Brrr.

Adam voulut reposer sa bière.

— Il faut que j'y aille.

— Il est au chômage.

— Qui ?

— Bob. Il a perdu son boulot il y a plus d'un an.

— Désolé pour lui, dit Adam. Mais ce n'est pas une excuse.

— Il a un chasseur de têtes qui l'assiste dans sa recherche d'emploi... un type important, une pointure.

Adam posa sa bière.

— Et ?

— Ce chasseur de têtes est en train de lui chercher un nouveau travail.

— Tu te répètes.

— Son nom est Jim Hoch.

Adam s'immobilisa.

— Serait-ce le père de Jimmy Hoch ?

Tripp estima qu'il n'avait pas besoin de répondre.

— C'est pour ça qu'il veut recruter le fiston ?

— Tu crois vraiment que Bob se soucie du bien-être des enfants de divorcés ?

Adam se borna à secouer la tête.

— Et toi, tu ne dis rien ?

Tripp haussa les épaules.

— Personne n'est parfait, pas même moi. Des fois, on choisit un gosse parce que c'est celui de nos voisins. Ou parce qu'il a une jolie maman qui s'habille sexy pour assister aux matchs...

— Tu parles en connaissance de cause ?

— J'avoue. Et des fois, on choisit un gosse parce que

son papa peut vous aider à trouver du boulot. C'est une bonne raison, non ?

— Tu es d'un cynisme pour un publiciste !

— Je sais, sourit Tripp. Mais n'est-ce pas ce qu'on dit toujours ? Jusqu'où irait-on pour protéger les siens ? Tu ne ferais de mal à personne. Moi non plus. Mais si quelqu'un menaçait ta famille, s'il s'agissait de sauver ton enfant…

— On serait prêts à tuer, tu veux dire ?

— Regarde autour de toi, mon ami.

Tripp désigna la salle d'un geste circulaire.

— Cette ville, ces écoles, ces gamins, ces familles… je n'en crois pas notre chance. Nous sommes en train de vivre un rêve, tu comprends.

Adam comprenait ce que Tripp voulait lui dire. Pour pouvoir s'offrir ce rêve, il avait troqué sa fonction sous-payée d'avocat commis d'office contre celle, surpayée, d'avocat en droit de l'expropriation. Mais avait-il gagné au change ?

— Même si c'est Logan qui doit en payer le prix ?

— Depuis quand la vie est-elle équitable ? Un de mes clients est un gros constructeur automobile. Tu vois de qui je veux parler. On a lu récemment dans la presse qu'ils avaient dissimulé un gros souci avec leurs colonnes de direction. Il y a eu pas mal de blessés et de morts. Ces gars-là, à la base, ils sont gentils. Normaux. Alors comment est-ce arrivé ? Comment ont-ils laissé des gens mourir avec leurs calculs de coût-bénéfice à la con ?

Adam devinait où il voulait en venir, mais, avec Tripp, on en avait toujours pour son argent.

— Parce que ce sont des salopards et des pourris ?

Tripp fronça les sourcils.

— Tu sais bien que ce n'est pas vrai. C'est comme les salariés de l'industrie du tabac. Sont-ils mauvais ? Et les

religieux qui ont couvert les scandales de l'Église ou…,
je ne sais pas, les pollueurs de rivières ? Sont-ils tous des
salopards et des pourris ?

C'était tout Tripp, ça… un philosophe de la classe
moyenne.

— Et toi, qu'en penses-tu ?

— Que c'est une question de point de vue, Adam.

Tripp ôta sa casquette pour lisser ses cheveux clairsemés.

— Nous autres humains ne voyons pas clair. Nous
ne sommes pas objectifs. Nous cherchons avant tout à
défendre nos propres intérêts.

— Il y a une chose que je remarque dans tous ces
exemples…, fit Adam.

— Laquelle ?

— L'argent.

— C'est la racine de tous les maux, mon ami.

Adam songea à l'inconnu. À ses deux fils qui devaient
être à la maison, en train de faire leurs devoirs ou de
jouer à des jeux vidéo. Il songea à sa femme partie assister à un colloque de profs à Atlantic City.

— Pas de tous, non, répondit-il.

3

LE PARKING DE L'AMERICAN LEGION était plongé dans le noir. Seules les lumières s'échappant des portières ouvertes des voitures et les lueurs fugaces des smartphones trouaient l'obscurité. Adam s'installa au volant et ne bougea plus. Les portières claquaient. Les moteurs vrombissaient. Il était comme pétrifié.

Vous n'étiez pas obligé de rester avec elle...

Il sentit son téléphone vibrer dans sa poche. Sûrement un texto de Corinne. Elle devait être impatiente de connaître le résultat des sélections. Il sortit le téléphone, consulta le message. Oui, c'était bien Corinne.

Comment ça s'est passé ce soir ?

Adam fixait le texto comme s'il dissimulait un sens caché quand quelqu'un tambourina à la vitre, le faisant sursauter. La grosse tête de Gaston remplit tout l'espace. Il sourit et lui fit signe de baisser la vitre. Adam mit le contact, appuya sur le bouton.

— Sans rancune, vieux, fit Gaston. On n'était pas du même avis, c'est tout. Pas vrai ?

— Oui.

Gaston lui tendit la main par la fenêtre, et Adam la serra.

— Bonne chance pour la saison, fit Gaston.

— Et bonne chance pour ta recherche de boulot.

Gaston se figea brièvement. Puis il dégagea sa pogne et s'éloigna.

Bouffon, va.

Le téléphone se remit à bourdonner. Corinne, encore.

```
Alors ?!?
```

Adam l'imaginait, trépignant devant l'écran. N'étant pas du genre à la faire mariner, il tapa :

```
Ryan est en A.
```

Sa réponse fut immédiate :

```
Yess!!! T'appelle dans une demi-heure.
```

Il rangea le téléphone, mit le moteur en marche et démarra. Il y avait exactement 4,1 km entre ici et la maison : Corinne avait mesuré la distance avec son podomètre quand elle s'était mise à la course à pied. Il passa devant le nouveau Baskin-Robbins dans South Maple et tourna à gauche après la station Sunoco. Il était tard lorsqu'il arriva chez lui, mais, comme d'habitude, toutes les lumières étaient encore allumées. Malgré le temps qu'on consacrait en classe aux économies d'énergie et au développement durable, ses deux garçons n'avaient toujours pas appris à éteindre la lumière quand ils quittaient une pièce.

En arrivant à la porte, il entendit Jersey, leur border collie, aboyer dans l'entrée. Elle l'accueillit comme s'il était un prisonnier de guerre de retour au logis après des années de camp. Adam nota au passage que son bol à eau était vide.

— Ohé !

Pas de réponse. Ryan était probablement déjà au lit. Et Thomas devait être en train de finir ses devoirs. Il n'était jamais en plein travail ou au milieu d'un jeu vidéo… Adam avait le don de l'interrompre juste au *moment* où il venait de terminer ses devoirs et *commençait* une partie sur son ordinateur portable.

Il remplit le bol à eau.

— Ohé ?

Thomas parut en haut de l'escalier.

— Salut.

— Tu as sorti Jersey ?

— Pas encore.

En langage ado, ça voulait dire *non*.

— Vas-y maintenant.

— J'ai un truc à finir avant.

Une autre façon de dire *non*, en langage ado.

Adam allait répéter « Maintenant » – dialogue classique parent-enfant – quand il sentit ses yeux s'embuer. Il regarda son fils. Thomas était son portrait craché. Tout le monde le disait. Même démarche, même rire, le pied grec comme celui de son père.

Non, impossible que Thomas ne soit pas de lui. Quoi qu'en dise l'inconnu…

Depuis quand tu te fies à la parole d'inconnus ?

Il repensa à toutes les fois où Corinne et lui avaient mis les garçons en garde contre les étrangers : ne pas se montrer trop prévenants, attirer l'attention sur soi si jamais un adulte les abordait, créer un mot de passe sécurisé. Thomas avait pigé tout de suite. Ryan, lui, était d'une nature plus confiante. Corinne se méfiait des individus qui traînaient du côté des terrains de sport, des nostalgiques qui ne pouvaient s'empêcher d'assister aux entraînements même après que leurs gosses avaient grandi ou, pire, même s'ils n'avaient pas d'enfants du tout. Adam était plus décontracté de ce côté-là… peut-être parce que, louche ou pas, il ne faisait confiance à personne quand il s'agissait de ses fils.

Thomas vit l'expression de son père, grimaça et dégringola les marches comme si une main invisible l'avait poussé dans le dos et que ses pieds peinaient à le rattraper.

— O.K., j'y vais.

Il attrapa la laisse. Blottie devant la porte, Jersey n'attendait que ça. Comme tous les chiens, elle était toujours prête pour la promenade. Elle le manifestait en se plantant devant la porte de sorte qu'on ne puisse pas l'ouvrir. Ah les clebs…

— Où est Ryan ? demanda Adam.

— Au lit.

Adam jeta un coup d'œil sur l'horloge du micro-ondes. 22 h 15. Ryan était censé se coucher à 22 heures, même s'il avait le droit de lire jusqu'à l'extinction des feux à 22 h 30. Comme Corinne, c'était quelqu'un de discipliné. Nul besoin de lui rappeler que c'était l'heure. Le matin, il se levait dès que le réveil sonnait. Il se douchait, s'habillait, préparait lui-même son petit déjeuner. Thomas était différent. Souvent Adam songeait à investir dans un aiguillon pour le faire avancer le matin.

Novelty Funsy…

La porte moustiquaire se referma sur Thomas et Jersey. Adam gravit l'escalier pour aller voir Ryan. Il s'était endormi, la lumière allumée, le dernier roman de Rick Riordan sur la poitrine. Adam entra sur la pointe des pieds, prit le livre, trouva le marque-page, le plaça au bon endroit. Il allait éteindre la lampe quand Ryan remua.

— Papa ?

— Oui ?

— J'ai été pris en A ?

— On recevra le mail demain, bonhomme.

Les entraîneurs étaient tenus au secret jusqu'à l'annonce officielle par courrier électronique, afin que tout le monde apprenne la nouvelle en même temps.

— O.K.

Ryan ferma les yeux et se rendormit avant même que sa tête ait touché l'oreiller. Adam l'observa un moment. Physiquement, Ryan tenait de sa mère. Jusqu'ici, Adam n'y avait accordé aucune importance – c'était plutôt un atout, en fait –, mais, ce soir, il se posait des questions. Oui, bon… et après ? En contemplant Ryan, il éprouva le sentiment qui le submergeait quelquefois quand il regardait ses fils : un mélange de joie indicible, de crainte quant à ce qui pourrait leur arriver dans ce monde cruel, de souhaits et d'espoirs aussi. C'était la seule chose ici-bas qui atteignait à la pureté absolue. Une pureté née d'un amour vrai, inconditionnel.

Dieu qu'il aimait Ryan.

S'il découvrait que son petit dernier n'était pas de lui, serait-ce la fin de tout ? Au fond, cela changeait-il quelque chose ?

Adam secoua la tête. Un hurluberlu lui avait servi une histoire abracadabrante de fausse grossesse. À force de côtoyer le milieu judiciaire, il avait appris à faire la part des choses. Avant tout, il fallait se renseigner. Souvent, les idées préconçues volaient en éclats au contact de la réalité.

D'accord, son instinct lui soufflait que l'inconnu disait

la vérité, mais, justement, c'est quand on se fiait à son instinct qu'on tombait le plus facilement dans le panneau.

Il n'avait qu'à chercher. Comment ? Pour commencer, du côté de Novelty Funsy.

L'ordinateur familial avait d'abord trouvé sa place dans le séjour. C'était une idée de Corinne. Comme ça, personne n'irait surfer en cachette (lire : regarder des vidéos porno) sur le Net. Mais Adam se rendit vite compte de l'absurdité de ce stratagème. Les garçons pouvaient tout trouver, y compris du porno, sur leurs téléphones. Ils pouvaient aller chez des copains. Sans parler des ordinateurs portables et autres tablettes qui traînaient dans la maison.

Il y avait aussi un problème purement matériel. Si on voulait se servir de l'ordinateur pour étudier ou faire ses devoirs, la télé et les bruits de la cuisine empêchaient forcément de se concentrer. Du coup, Adam avait déménagé l'ordinateur dans un recoin pompeusement baptisé « bureau », qui servait à tout et n'importe quoi. Les copies à corriger de Corinne s'empilaient à droite. Les devoirs des garçons jonchaient la table en désordre, et il y avait toujours une feuille de brouillon abandonnée dans l'imprimante, tel un soldat blessé sur le champ de bataille. Les factures s'entassaient sur la chaise en attendant leur paiement en ligne.

Le moteur de recherche était ouvert à la page d'un musée. L'un des garçons devait étudier l'Antiquité grecque. Adam consulta l'historique pour voir les sites qu'ils avaient visités, même s'ils étaient trop malins maintenant pour laisser des choses compromettantes derrière eux. Mais on ne sait jamais. Un jour, Thomas avait oublié de fermer sa page Facebook. Assis devant l'écran, Adam avait combattu l'irrésistible tentation de jeter un œil sur les messages de son fils.

Bataille perdue d'avance.

Il n'était pas allé bien loin. Son fils ne courait aucun danger – c'était le principal –, mais ce qu'il avait fait là constituait une violation de sa vie privée. Il avait appris des choses qu'il n'était pas censé savoir. Rien de dramatique. Peut-être qu'il devrait en discuter avec Thomas, mais ce serait admettre qu'il avait mis le nez dans ses affaires. Il avait hésité à en parler à Corinne ; finalement, à la réflexion, il avait considéré qu'il n'avait rien vu d'anormal, que lui-même avait caché des choses à ses parents durant son adolescence, et que, s'ils l'avaient espionné, cela n'aurait fait qu'envenimer leurs rapports.

Il avait laissé tomber.

Ce soir, il n'y avait rien de spécial dans l'historique récent. Quelqu'un – Ryan, probablement – s'était vraiment plongé dans la Grèce antique, ou alors c'était le bouquin de Riordan. Adam trouva des liens pour Zeus, Hadès, Héra, Icare. Mythologie grecque donc, plus précisément. Il examina l'historique de la veille et tomba sur l'itinéraire pour se rendre à l'hôtel Borgata à Atlantic City. Logique, c'était là que Corinne était descendue. Elle avait aussi consulté le programme du colloque.

C'était à peu près tout.

Bon, assez perdu de temps.

Il ouvrit la page d'accueil de sa banque. Corinne et lui avaient deux cartes Visa : une pour les dépenses personnelles et l'autre pour un usage « professionnel », comme par exemple ce colloque à Atlantic City.

Adam alla sur le compte personnel et tapa le mot *novelty*. Rien. Il fit alors la même chose sur le compte professionnel.

C'était bien là.

Un prélèvement datant de plus de deux ans au profit

d'une société nommée Novelty Funsy pour un montant de 387,83 dollars.

L'ordinateur ronronnait doucement.

Comment l'inconnu savait-il pour ce prélèvement ?

Mystère.

Adam l'avait vu passer à l'époque, il en était certain. Il fouilla sa mémoire à la recherche de bribes de souvenirs. Oui, il avait été assis à cette même place, en train de vérifier les comptes. Il avait posé la question à Corinne. Elle avait répondu, désinvolte, que c'était du matériel pour décorer sa salle de classe. La somme lui avait paru élevée. Corinne avait dit que le lycée la rembourserait.

Novelty Funsy. À première vue, cela n'avait pas l'air bien méchant.

Adam ouvrit une nouvelle fenêtre et tapa Novelty Funsy sur Google. Qui lui répondit aussi sec :

`Pas de résultats pour Novelty Funsy`

Hmm. Voilà qui était bizarre. Car rien n'échappait à Google. Même pas une seule occurrence ? C'était une vraie entreprise, on le voyait bien sur le prélèvement. Ils devaient vendre des articles de décoration ou des gadgets genre farces et attrapes.

Adam se mordilla la lèvre. Il était largué. Un inconnu l'aborde pour lui annoncer que sa femme lui a menti – un mensonge élaboré, semble-t-il – au sujet de sa présumée grossesse. Qui est ce type ? Pourquoi a-t-il fait ça ?

O.K., oublions ces questions et concentrons-nous sur l'essentiel : était-ce vrai ?

Adam était tenté de dire non et de tourner la page. Quels que soient leurs problèmes de couple, quelles que soient les cicatrices laissées par dix-huit ans de mariage, il faisait confiance à sa femme. Bien des choses s'étaient

dissoutes avec le temps ou, dans un langage plus opti-
miste, avaient évolué, changé, mais la seule chose qui
était demeurée intacte, et s'était même renforcée au fil
des ans, c'était le lien familial. Vous et votre conjoint,
vous formez une équipe. Vous êtes du même côté, embar-
qués sur le même bateau. Vos victoires sont les siennes.
Vos échecs aussi.

Adam avait une confiance aveugle en Corinne. Et
pourtant…

Il l'avait constaté mille fois dans son travail. On est
toujours le pigeon de quelqu'un. Ce serait tellement plus
simple de fermer les yeux… d'enfouir sa tête dans le
sable. Sauf que le doute qui s'était insinué dans son esprit
ne partirait jamais complètement.

À moins d'être fixé une bonne fois pour toutes.

Adam se devait – et le devait à Corinne aussi – d'aller
jusqu'au bout de sa recherche. Il composa le numéro gra-
tuit de Visa. Guidé par une voix préenregistrée, il tapa le
numéro de sa carte, la date d'expiration, le cryptogramme
au dos. La machine tenta de lui fournir des informations,
puis lui demanda s'il souhaitait parler à un conseiller. Il
répondit positivement et entendit le téléphone sonner.

Lorsqu'elle prit la communication, la conseillère lui
fit répéter les mêmes informations – qu'est-ce qu'ils ont
tous à faire ça ? –, plus les quatre derniers chiffres de
son numéro de sécurité sociale, ainsi que son adresse.

— En quoi puis-je vous aider, monsieur Price ?

— Ma carte Visa a été débitée au profit d'une société
appelée Novelty Funsy.

Elle lui demanda d'épeler *Funsy*. Puis :

— Avez-vous le montant et la date de la transaction ?

Adam pensait qu'elle allait tiquer lorsqu'il lui indique-
rait la date – ça remontait à plus de deux ans –, mais
elle ne fit aucun commentaire.

— Que désirez-vous savoir, monsieur Price ?

— Je ne me souviens pas d'avoir acheté quelque chose à une société nommée Novelty Funsy.

— Mmm, fit la conseillère.

— Mmm ?

— Certaines sociétés ne facturent pas sous leur véritable nom. Par souci de discrétion. Comme quand vous allez à l'hôtel… on vous promet que le titre du film ne figurera pas sur votre facture.

Elle parlait de pornographie ou de quelque chose en rapport avec le sexe.

— Ce n'est pas le cas ici.

— Eh bien, voyons ça de plus près.

On entendit cliqueter les touches d'un clavier.

— Novelty Funsy est répertoriée comme une société de vente en ligne. Ça veut dire généralement qu'ils pratiquent une politique de confidentialité. Ça vous éclaire ?

Oui et non.

— Y a-t-il moyen de leur demander une facture détaillée ?

— Certainement. Ça peut prendre plusieurs heures.

— Pas de problème.

— Nous avons une adresse mail à votre nom.

Elle la lui lut.

— Vous voulez qu'on vous l'envoie à cette adresse ?

— Ce serait formidable.

La conseillère lui demanda si elle pouvait l'aider pour autre chose. Il répondit que non. Elle lui souhaita une bonne soirée. Il raccrocha et fixa l'écran. Novelty Funsy. À la réflexion, ça ressemblait bien à une appellation discrète pour un sex-shop.

— Papa ?

C'était Thomas. Adam éteignit précipitamment l'écran comme un ado surpris en train de regarder un film X.

— Oui ? fit-il, image même de la décontraction. C'est à quel sujet ?

Si Thomas trouva son comportement bizarre, il n'en laissa rien paraître. À cet âge-là, on ne s'intéresse guère à ce qui se passe autour de soi. En un sens, tant mieux.

— Tu peux m'emmener chez Justin ?

— Maintenant ?

— Il a mon short.

— Quel short ?

— Le short d'entraînement. Pour mon entraînement demain.

— Tu n'en as pas d'autre ?

Thomas dévisagea son père comme s'il lui avait poussé une corne sur le front.

— Le coach veut qu'on mette le short d'entraînement pour s'entraîner.

— Et Justin ne peut pas te l'apporter en classe demain ?

— Il était censé l'apporter aujourd'hui. Il a oublié.

— Comment as-tu fait, alors ?

— Kevin en avait un en rab. Celui de son frère. Il est trop grand pour moi.

— Tu ne peux pas appeler Justin pour lui dire de le mettre dans son sac ?

— Si, je peux, mais il ne le fera pas. Il y en a pour cinq minutes. Et puis comme ça, je pourrai conduire.

Thomas avait réussi son certificat de conduite accompagnée la semaine dernière… l'équivalent d'un test d'effort pour les parents, l'électrocardiogramme en moins.

— O.K., j'arrive.

Adam effaça l'historique et descendit. Jersey, qui espérait une nouvelle promenade, les regarda passer d'un air piteux, comme si elle ne parvenait pas à croire qu'ils sortent sans elle. Thomas prit les clés et s'installa au volant.

Adam avait fini par devenir plus détendu quand il s'asseyait à la place du passager. Corinne, elle, était trop dans le contrôle. Elle n'arrêtait pas de hurler des instructions et des mises en garde. Elle en était presque à écraser une pédale de frein imaginaire de son côté. Tournant la tête, Adam examina le profil de son fils. Ses joues bourgeonnaient par endroits. Une vague pilosité poussait sur les côtés de son visage, façon Abraham Lincoln en moins dru. Néanmoins, il devait se raser à présent. Pas tous les jours. Une fois par semaine, mais quand même. Thomas portait un bermuda. Ses jambes étaient poilues. Il avait de beaux yeux, son fils. Tout le monde s'accordait à le dire. Des yeux bleu glacier.

Thomas s'engagea dans l'allée, frôlant le trottoir.

— J'en ai pour deux secondes.

— O.K.

Il courut vers la porte d'entrée. Ce fut la maman de Justin, Kristin Hoy, qui l'ouvrit – Adam aperçut sa crinière blonde –, et cela le surprit. Kristin enseignait dans le même lycée que Corinne. Les deux femmes s'étaient liées d'amitié. Il la croyait elle aussi à Atlantic City. Puis il se souvint que le colloque portait sur l'histoire et les langues. Kristin était prof de maths.

Elle sourit et lui adressa un signe de la main. Thomas s'engouffra dans la maison, tandis qu'elle se dirigeait vers la voiture. Aussi politiquement incorrect que cela puisse sembler, Kristin Hoy était une bombe. Adam l'avait entendu de la bouche des copains de Thomas, même s'il n'avait pas besoin d'eux pour s'en rendre compte. Elle avançait d'une démarche ondulante, vêtue d'un jean délavé et d'un top blanc moulant. Kristin participait à des concours de bodybuilding ; elle était même passée « pro » dans sa catégorie, Adam ne savait pas bien laquelle. Pour sa part, il n'aimait guère les femmes tout en muscles, style haltérophiles d'antan. Sur certaines de ses photos, Kristin paraissait effectivement un peu trop noueuse et anguleuse. Ses cheveux étaient un brin trop blonds, son sourire trop éclatant, son bronzage trop orange, mais en chair et en os, elle était à tomber.

— Salut, Adam.

Il hésita à descendre de voiture et finalement resta sur son siège.

— Salut, Kristin.

— Corinne est toujours là-bas ?

— Ouais.

— Mais elle rentre demain, n'est-ce pas ?

— Normalement.

— O.K., je la contacterai. Il faut qu'on s'entraîne. J'ai une compète inter-États dans quinze jours.

Sur sa page Facebook, elle affirmait être « fitness model » et « WBFF pro ». Corinne enviait son corps. Elles avaient commencé à s'entraîner ensemble récemment. Comme souvent, l'agréable passe-temps du début avait plus ou moins tourné à l'obsession.

Thomas revint avec le short.

— Bye, Thomas.

— Au revoir, madame Hoy.

— Passez une bonne nuit, les garçons. N'en profitez pas trop en l'absence de maman.

Et elle regagna la maison de son pas chaloupé.

— Elle m'énerve un peu, fit Thomas.

— Ce n'est pas gentil, ça.

— Tu verrais leur cuisine.

— Qu'est-ce qu'elle a, leur cuisine ?

— Il y a des photos d'elle en bikini sur le frigo, répondit Thomas. C'est relou.

Difficile d'argumenter contre ça. Pendant que Thomas bifurquait dans la rue, un petit sourire joua sur ses lèvres.

— Quoi ? fit Adam.

— Kyle l'appelle PDF.

— Qui ?

— Mme Hoy.

Était-ce un nouveau synonyme de canon ?

— Pourquoi PDF ?

— Pas de face.

Adam secoua la tête en réprimant un sourire. Il allait admonester son fils quand son portable sonna. C'était Corinne. Il coupa la communication. Il préférait se concentrer sur la conduite de Thomas… Corinne comprendrait. Il allait ranger le téléphone quand celui-ci se mit à vibrer. C'était rapide pour un message vocal, pensa-t-il, mais non, c'était un mail de sa banque. Avec des liens pour les factures détaillées, mais Adam y fit à peine attention.

— Ça va, papa ?

— Regarde la route, Thomas.

Il verrait les détails plus tard, à la maison. En attendant, le mail lui apprenait quelque chose qu'il aurait préféré ignorer.

Novelty Funsy est l'intitulé de facturation de la société de vente en ligne suivante : Grossesse-Bidon.com

4

UNE FOIS À LA MAISON, dans le coin bureau, Adam cliqua sur le lien pour afficher la page d'accueil du site.

Grossesse-Bidon.com.

Il s'efforça de garder son calme. Certes, Internet fournissait de quoi satisfaire tous les goûts et caprices, même ceux défiant l'imagination, mais un site consacré au simulacre de grossesse, il y avait là de quoi baisser les bras et abjurer sa foi en l'humanité.

Sous les grosses lettres roses, en plus petits caractères, il était écrit : DES GAGS À MOURIR DE RIRE !

Des gags ?

Il cliqua sur l'historique des produits achetés. En premier venait le « TOUT NOUVEAU Test de grossesse bidon ! » Adam secoua la tête. Le prix initial de 34,95 dollars était barré d'un trait rouge ; en solde, le test ne valait plus que 19,99 dollars, avec la légende : *Économisez 15 $!*

Super, merci pour l'économie. J'espère seulement que ma femme ne l'a pas payé plein pot.

L'article était expédié dans les vingt-quatre heures « sous emballage discret ». Plus bas, on lisait :

Même usage qu'un vrai test de grossesse !
Urinez sur la bandelette et voyez le résultat !
Il sera positif à tous les coups !

Adam en avait la bouche sèche.

Flanquez la frousse à votre petit copain,
vos beaux-parents, votre cousin ou votre professeur !

Cousin… professeur ? Qui diable voudrait faire croire à son cousin ou son professeur… Il préférait ne pas y penser.

En bas de page figurait un avertissement en tout petits caractères.

ATTENTION : Cet article présente le risque
potentiel d'un usage irresponsable. En rem-
plissant le formulaire ci-dessous, vous vous
engagez à ne pas utiliser ce produit à des fins
illicites, immorales, frauduleuses ou préju-
diciables à autrui.

On croit rêver ! Adam cliqua sur l'image de l'article. Le test se présentait sous forme d'une bandelette blanche avec une croix rouge indiquant une grossesse. Était-ce celui que Corinne avait utilisé ? Il ne se rappelait plus. Avait-il seulement pris la peine de regarder ? Au fond, tous ces tests étaient pareils, non ?

Il se souvint en revanche que Corinne avait fait le test quand il était à la maison.

C'était plutôt inhabituel. Pour Thomas et Ryan, elle l'avait accueilli à la porte afin de lui annoncer la nouvelle avec un grand sourire. Mais cette fois, elle avait tenu à ce qu'il soit là. Il se revit allongé sur le lit, en train de zapper d'une chaîne à l'autre. Corinne était dans la salle de bains. Il pensait que cela prendrait quelques minutes, mais elle était ressortie en courant avec la bandelette.

— Adam, regarde ! Je suis enceinte !

Était-ce la même bandelette ?

Impossible de s'en souvenir.

Adam cliqua sur le lien suivant et se prit la tête dans les mains.

FAUX VENTRES EN SILICONE !

Ils existaient en plusieurs tailles : premier trimestre (1-12 semaines), deuxième trimestre (13-27 semaines), troisième trimestre (28-40 semaines). Plus un format extra-large, et aussi pour des jumeaux, des triplés et même des quadruplés. Une photo représentait une belle femme contemplant amoureusement son ventre arrondi. Vêtue de blanc telle une mariée, elle tenait un bouquet de lis à la main.

L'accroche disait :

```
Être enceinte, le meilleur moyen de deve-
nir le centre de l'attention !
```

Et au-dessous, en moins subtil :

```
À vous les plus beaux cadeaux !
```

L'article était fabriqué en « silicone médical » que le site qualifiait de « matière qui se rapproche le plus de la peau ». Plus loin, il y avait des vidéos avec les témoignages de « vrais clients ». Une jolie brune souriait à la caméra : « Bonjour ! J'adore mon ventre en silicone. Il est si naturel ! » Elle expliquait ensuite qu'il avait été livré en seulement deux jours ouvrables (pas aussi vite que le test de grossesse, mais en même temps, c'était moins urgent), qu'elle et son mari avaient entamé une procédure d'adoption et qu'ils ne voulaient pas que leurs amis le sachent. Une deuxième femme – cette fois une rousse maigrichonne – avouait qu'elle et son mari avaient fait appel à une mère porteuse et qu'ils préféraient que leurs amis l'ignorent. Adam espérait pour eux que leurs amis n'étaient pas assez pervers pour aller sur ce site et découvrir leur secret. Le dernier témoin était une femme qui s'était servie du faux ventre pour faire une « blague tordante » à ses copines.

Elle devait avoir de drôles de fréquentations.

Adam cliqua à nouveau sur le panier. L'article final était… oh, nom de Dieu… une fausse échographie.

2D ou 3D ! À vous de choisir !

Les fausses échographies étaient vendues 29,99 dollars pièce. En mat, brillant et même transparent. Avec des champs pour taper le nom du médecin, la clinique ou l'hôpital et la date de l'échographie. On pouvait choisir le sexe du fœtus ou la simple probabilité (« Masculin – 80 % de certitude »), sans mentionner l'âge, la gémellité, en veux-tu en voilà. Pour 4,99 dollars de plus, on pouvait ajouter un hologramme à l'écho pour faire plus authentique.

Adam avait le cœur au bord des lèvres. Corinne avait-elle pris l'option hologramme ? Il n'en avait pas le moindre souvenir.

Le site persistait à traiter l'affaire sur le mode de la plaisanterie. « Idéal pour les soirées entre célibataires ! » Hilarant, oui. « Idéal pour les anniversaires et les gags de

Noël ! » Gags de Noël ? Faites un paquet avec un faux test de grossesse et déposez-le sous le sapin pour papa et maman. Fou rire garanti.

Évidemment, toute cette histoire de « gags » avait pour but d'éviter les poursuites judiciaires. Ils ne pouvaient pas ignorer que les gens utilisaient leurs produits pour tromper leur monde.

C'est ça, Adam. Continue à jouer la vertu outragée. Continue à te voiler la face.

Il se sentait à nouveau groggy. De toute façon, il ne pouvait rien faire de plus ce soir. Il allait se coucher et réfléchir calmement. L'enjeu était trop important pour prendre une décision précipitée.

Adam passa devant les chambres de ses deux fils pour se rendre dans la sienne. La maison tout entière lui semblait soudain aussi fragile qu'une coquille d'œuf. S'il n'y prenait pas garde, cette rencontre avec l'inconnu risquait de l'amener à tout broyer.

Il pénétra dans leur chambre à coucher. Un livre de poche, premier roman d'une auteure pakistanaise, était posé sur la table de chevet de Corinne. À côté, il y avait un magazine aux pages cornées. Une paire supplémentaire de lunettes de lecture. Corinne, qui n'avait pas de gros problèmes de vue, n'aimait pas les porter en public. Le radio-réveil servait aussi de station d'accueil pour son iPhone. Adam et Corinne avaient les mêmes goûts musicaux. Tous deux étaient fans de Springsteen. Ils l'avaient vu en concert une bonne dizaine de fois. Adam, lui, avait tendance à se lâcher, tellement pris par la musique qu'il perdait tout contrôle de lui-même. Tandis que Corinne restait concentrée. Elle se levait et peut-être bougeait un peu, mais sans quitter la scène des yeux.

Il passa dans la salle de bains pour se brosser les dents. Corinne utilisait une brosse à dents supersonique dernier cri qui ressemblait à un engin de la NASA. Adam, pour sa part, restait vieille école. Il flottait dans l'air une vague odeur de teinture chimique. Corinne avait dû retoucher ses cheveux avant de partir. Ses cheveux blancs semblaient sortir sous forme d'une seule longue mèche. Au début, elle les arrachait et les examinait de près. Puis, fronçant les sourcils :

— Ç'a la couleur et la texture de la paille de fer.

Son portable sonna. Il jeta un œil sur l'écran, même s'il savait déjà qui c'était. Il recracha le dentifrice, se rinça rapidement la bouche et répondit :

— Hello !

— Adam ?

C'était Corinne, évidemment.

— J'ai déjà appelé tout à l'heure.

On sentait une note de panique dans sa voix.

— Pourquoi n'as-tu pas décroché ?

— Thomas était au volant. Je ne voulais pas me déconcentrer.

— Ah…

Il y avait un bruit de fond, de la musique, des rires. Elle devait être dans un bar avec ses collègues.

— Alors, comment ça s'est passé ce soir ?

— Bien. Il a été pris dans l'équipe.

— Et Bob ?

— Quoi, Bob ? C'est un bouffon, là-dessus il ne changera pas.

— Il faut être gentil avec lui, Adam.

— Certainement pas.

— Il veut mettre Ryan milieu de terrain pour qu'il ne fasse pas de l'ombre à Bob junior. Ne lui en fournis pas le prétexte.

— Corinne, il est tard, et j'ai une grosse journée demain. On en reparle à ton retour, O.K. ?

45

Quelqu'un en arrière-plan – un homme – partit d'un grand éclat de rire.

— Tout va bien ? s'enquit-elle.

— Mais oui.

Après avoir raccroché, Adam rinça sa brosse à dents et se lava le visage. Deux ans plus tôt, quand Thomas avait quatorze ans et Ryan dix, Corinne s'était retrouvée enceinte. Ce fut une surprise. Avec l'âge, Adam rencontrait un problème de baisse du taux de spermatozoïdes, si bien que leur contraception tenait plus de la méthode du vœu pieux. C'était, bien sûr, irresponsable de leur part. À l'époque, Corinne et lui n'avaient jamais abordé le fait qu'ils n'auraient pas d'autres enfants. Cela semblait couler de source.

Adam surprit son reflet dans le miroir. La petite voix revint le harceler. Il sortit dans le couloir à pas de loup, se rassit devant l'ordinateur et tapa *test ADN*. Il y en avait chez Walgreens. Il allait cliquer sur *commander en ligne*, puis se ravisa. Quelqu'un d'autre risquait d'ouvrir le paquet. Il irait en chercher un dans la matinée.

De retour dans la chambre, il s'assit sur le lit. L'odeur de Corinne, puissante phéromone même après tant d'années, semblait imprégner la pièce, ou alors son imagination lui jouait des tours.

La voix de l'inconnu résonna à ses oreilles.

Vous n'étiez pas obligé de rester avec elle.

Adam posa la tête sur l'oreiller, cilla et se laissa bercer par les bruits familiers de la maison endormie.

5

IL SE RÉVEILLA À 7 HEURES pour trouver Ryan sur le pas de la porte.

— Papa… ?

— Ouais.

— Tu peux regarder les mails pour voir les résultats de la sélection ?

— C'est fait. Tu es dans l'équipe A.

Ryan n'exulta pas. Ce n'était pas son genre. Il hocha la tête en se retenant de sourire.

— Je peux aller chez Max après les cours ?

— Et vous allez faire quoi par cette belle journée ?

— Rester dans le noir et jouer à des jeux vidéo.

Adam fronça les sourcils. Mais non, Ryan le faisait marcher.

— Jack et Colin viennent aussi. On va jouer au lacrosse.

— O.K.

Adam fit basculer ses jambes par-dessus le bord du lit.

— Tu as pris ton petit déjeuner ?

— Pas encore.

— Tu veux que je te fasse une omelette à papa ?

— Seulement si tu promets de ne pas l'appeler comme ça.

Adam sourit.

— Ça roule.

L'espace d'un instant, il oublia la soirée de la veille, sa rencontre avec l'inconnu, Novelty Funsy et Grossesse-Bidon.com. Tous ces événements avaient pris un caractère irréel, à se demander s'il n'avait pas rêvé. Il savait que non, bien sûr. C'était plus de l'ordre du refoulement. Il avait même réussi à dormir. Adam dormait bien en général, laissant les angoisses et les nuits blanches à Corinne. Avec le temps, il avait appris à ne pas s'inquiéter pour les choses qu'il ne maîtrisait pas. Une attitude saine, mais en l'occurrence ne relevait-elle pas plutôt du déni ?

Il descendit préparer le petit déjeuner. L'« omelette à papa » consistait en des œufs battus avec du lait, de la moutarde et du parmesan. Quand il avait six ans, Ryan adorait ça, mais, en grandissant, comme tous les enfants, il décida que c'était « naze » et se jura de ne plus y toucher. Sauf que, récemment, un nouveau coach lui avait conseillé de commencer la journée par un petit déjeuner protéiné, et l'omelette à papa était revenue à la mode, telle une vieille comédie musicale aux accents nostalgiques.

En regardant son fils attaquer férocement son assiette, Adam essaya de l'imaginer à six ans, en train de manger le même plat dans cette même cuisine. Mais rien ne lui vint.

Comme un copain passait prendre Thomas, Adam accompagna Ryan à l'école. Ils firent le trajet dans un silence confortable, entre père et fils. Ils dépassèrent un Baby Gap et le club de karaté de Tiger Schulmann. Un Subway s'était ouvert au carrefour, à l'emplacement « maudit », comme il y en a dans toutes les villes, où rien ne marche. Il y avait déjà eu une sandwicherie, une bijouterie, une chaîne de literie haut de gamme et un Blimpie… autre version de Subway.

— Salut, papa. Merci.

Ryan se glissa hors de la voiture sans même un baiser sur la joue. Depuis quand avait-il cessé de l'embrasser ? Adam ne s'en souvenait plus.

Il tourna dans Oak Street, passa devant la supérette 7-Eleven et aperçut le Walgreens. En soupirant, Adam se gara sur le parking et resta quelques minutes dans la voiture. Un vieillard sortit en clopinant, un sac de médicaments serré dans sa main rabougrie par-dessus son déambulateur. Il regarda Adam d'un œil torve, ou peut-être était-ce sa façon de regarder le monde en général.

Adam entra, attrapa un petit panier. Ils avaient besoin de dentifrice et de savon antibactérien, mais ça, c'était pour la galerie. Il repensa à sa jeunesse, lorsqu'il remplissait un panier similaire d'articles de toilette pour ne pas attirer l'attention du vendeur sur les capotes, capotes qui restaient dans son portefeuille jusqu'à ce qu'elles se craquellent de vieillesse.

Les tests ADN se trouvaient à côté du rayon pharmacie. Adam s'approcha d'un pas nonchalant, regarda à gauche, à droite. Il prit la boîte et lut au dos :

TRENTE POUR CENT DES « PÈRES » QUI EFFECTUENT CE TEST VONT DÉCOUVRIR QUE L'ENFANT QU'ILS ÉLÈVENT N'EST PAS LE LEUR.

Il laissa tomber la boîte et rebroussa chemin à la hâte comme si elle risquait de le retenir. Arrivé à la caisse, il prit un paquet de chewing-gums, régla ses achats et sortit. Il emprunta la route 17, dépassa plusieurs autres magasins de literie (mais qu'est-ce qu'ils avaient dans le New Jersey, à vendre autant de matelas ?) et s'arrêta à la salle de sport. Là, il se changea et alla directement sur le banc de musculation. Adam avait tout essayé dans sa vie d'adulte – yoga (pas assez souple), Pilates (trop compliqué), boot camp (autant s'enrôler dans l'armée), zumba (on oublie), aquagym (il avait failli se noyer), spinning (mal aux fesses) – avant d'en revenir au banc de musculation. Certains jours, il adorait forcer ses muscles et n'imaginait pas fonctionner autrement. À d'autres moments, il redoutait l'effort, et la seule chose qu'il avait envie de soulever, c'était le gobelet de milk-shake au beurre de cacahuètes qu'il s'offrait après l'exercice.

Il enchaîna les mouvements, prenant soin de contracter les muscles sans les relâcher tout de suite après. Le seul moyen, avait-il appris, de parvenir à des résultats. On soulève la charge, on la laisse en suspens une seconde en serrant les biceps, on redescend. Puis il se doucha, enfila sa tenue de travail et se rendit à son cabinet dans Midland Avenue à Paramus. Celui-ci était situé dans un immeuble de trois étages entièrement vitré… un immeuble de bureaux semblable à des milliers d'autres.

— Yo, Adam, tu as une seconde ?

C'était Andy Gribbel, son meilleur assistant juridique. À ses débuts au cabinet, on l'avait surnommé le Duc à cause de son allure débraillée rappelant celle de Jeff Bridges dans *The Big Lebowski*. Plus vieux que la plupart de ses collègues – plus âgé qu'Adam, même –, il aurait pu facilement passer son diplôme d'avocat pour accéder au barreau. Mais comme il l'avait dit un jour : « C'est pas ma tasse de thé, mec. »

— Oui, fit Adam, pourquoi ?

— C'est le vieux Rinsky.

Adam était spécialisé en droit de l'expropriation, une procédure qui permettait à l'État de confisquer votre terrain pour construire écoles, autoroutes et ainsi de suite. Dans le cas présent, la ville de Kasselton essayait de s'approprier la maison de Rinsky pour un projet de réhabilitation. En clair, tout le secteur était poliment catalogué comme « indésirable », autrement dit « la zone », et la municipalité avait trouvé un promoteur prêt à raser les habitations existantes pour construire de nouvelles maisons pimpantes, des commerces et des restaurants.

— Eh bien ?

— On a rendez-vous chez lui.

— O.K., parfait.

— Dois-je sortir… euh, l'artillerie lourde ?

Cela faisait partie de leur arsenal juridique.

— Pas encore, répondit-il. Autre chose ?

Se renversant sur sa chaise, Gribbel posa ses godillots sur la table.

— J'ai un concert ce soir. Tu viens ?

Adam secoua la tête.

Andy Gribbel jouait des reprises des années soixante-dix avec un groupe qui se produisait dans les salles les plus prestigieuses du nord du New Jersey.

— Je ne peux pas.

— Il n'y aura aucune chanson des Eagles, promis.

— Vous n'avez jamais repris les Eagles.

— J'suis pas trop fan, dit Gribbel. Mais on en a une nouvelle, *Please Come to Boston*. Tu t'en souviens ?

— Bien sûr.

— Et qu'en penses-tu ?

— J'suis pas trop fan, répliqua Adam.

— Non, c'est vrai ? C'est une chanson triste, mec. Tu aimes les chansons tristes.

— Ce n'est pas une chanson triste.

Gribbel chanta :

— *Hey, ramblin' boy, why don't you settle down ?*[1]

— Sans doute parce que sa copine l'énerve, fit Adam.

---

1. Eh, jeune vagabond, pourquoi ne te poses-tu pas ? (*N.d.T.*)

Le gars lui demande de l'accompagner dans une autre ville. Et elle, c'est toujours non. En plus, elle pleure pour qu'il reste dans le Tennessee.

— C'est parce qu'elle kiffe les hommes du Tennessee.

— Peut-être qu'il n'a pas besoin qu'elle le kiffe. Peut-être qu'il a besoin d'une compagne et d'une amante.

Gribbel caressa sa barbe.

— Je vois ce que tu veux dire.

— Lui, tout ce qu'il dit, c'est : « S'il te plaît, viens à Boston au printemps. » Au printemps. Ce n'est pas comme s'il lui demandait de quitter définitivement le Tennessee. Et elle, c'est non. Non, point barre. Pas de dialogue, aucune écoute. Gentiment, il suggère alors Denver ou même L.A. La réponse est toujours la même : non, non, non. Lâche-toi un peu, ma grande. Vis, quoi.

Gribbel sourit.

— Tu es cinglé, mec.

Mais Adam était lancé :

— Puis elle déclare que, dans ces grandes villes – Boston, Denver, Los Angeles –, il n'y a personne comme elle. Un ego surdimensionné.

— Adam ?

— Quoi ?

— Tu en fais trop, mon frère.

Adam hocha la tête.

— C'est vrai.

— Tu as souvent tendance à en faire trop.

— C'est vrai aussi.

— C'est pour ça que tu es le meilleur.

— Merci, dit Adam. Et, non, tu ne pourras pas partir plus tôt pour ton concert.

— Allez, quoi. Ne sois pas comme ça.

— Désolé.

— Comme le gars dans la chanson. Le vagabond qui lui demande de venir à Boston.

— Hein ?

— Ne sois pas injuste avec la fille.

— Comment ça ?

— Il lui dit qu'elle pourra vendre ses tableaux sur le trottoir, devant le café où il espère bosser bientôt.

Gribbel écarta les mains.

— Tu parles d'un plan de financement.

— Touché, répondit Adam avec un petit sourire. Ils feraient peut-être mieux de rompre, après tout.

— Nan. C'est du sérieux. Ça s'entend dans sa voix.

Haussant les épaules, Adam se dirigea vers son bureau. L'espace de quelques instants, ce badinage lui avait changé les idées. Maintenant, il était de retour à la case départ, un endroit tout sauf confortable. Il passa quelques coups de fil, reçut deux clients avec qui il avait rendez-vous, fit le point avec ses assistants sur le suivi des dossiers en cours. La vie continuait, ce qui était un affront en soi. Adam l'avait appris à l'âge de quatorze ans, à la mort de son père, terrassé par une crise cardiaque. Assis dans la grosse limousine noire à côté de sa mère, il avait regardé les gens vaquer à leurs occupations. Les enfants se rendaient à l'école. Les parents allaient travailler. Les voitures klaxonnaient. Le soleil brillait. Son père n'était plus. Et rien n'avait changé.

Aujourd'hui, il se trouvait à nouveau confronté à cette simple vérité : le monde se soucie comme d'une guigne de nos petits problèmes. On a du mal à l'admettre. Notre existence vient de basculer… cela devrait se voir, non ? Non. Aux yeux des autres, Adam était comme d'habitude. On s'énerve contre quelqu'un qui nous coupe la route, qui met du temps à nous servir au Starbucks ou qui ne réagit pas exactement comme on l'aurait voulu, et on ne se doute pas que, derrière leur façade, ces gens-là vivent peut-être un drame. Qu'ils ont peut-être été frappés par un terrible malheur, et leur raison ne tient qu'à un fil.

Mais nous, on s'en fiche. On ne voit rien. On continue à râler.

Sur le chemin de la maison, Adam zappa d'une station radio à une autre pour s'arrêter finalement sur un débat sportif à deux balles. Dans un monde divisé, en proie à des conflits sanglants, ça faisait du bien d'entendre des gars se chamailler pour un match de NBA.

En arrivant chez lui, il fut surpris de trouver la Honda Odyssey de Corinne dans l'allée. Le concessionnaire avait défini sans sourciller le coloris comme « cerise nocturne nacré ». Sur le hayon arrière, il y avait une décalco aimantée ovale avec le nom de leur ville en caractères noirs, signe d'appartenance quasi incontournable – équivalent d'un tatouage tribal – dans les banlieues d'aujourd'hui. Et aussi un sticker rond avec deux crosses croisées sur lequel on lisait PANTHER LACROSSE, et un autre avec un W géant, comme Willard, le collège de Ryan.

Corinne était rentrée d'Atlantic City plus tôt que prévu.

Voilà qui perturbait quelque peu ses plans. Toute la journée, il avait répété mentalement leur confrontation à venir. La scène tournait en boucle dans sa tête. Il avait essayé plusieurs approches, mais aucune n'était la bonne. Du reste, planifier ne servait à rien. Une fois cette grenade dégoupillée, il n'avait pas la moindre idée de la façon dont Corinne allait réagir.

Nierait-elle ?

Possible. Adam était prêt à lui accorder le bénéfice du doute. Il se gara à côté de la Honda. Ils avaient bien un garage pour deux voitures, mais il était rempli de vieux meubles et de matériel de sport. Du coup, il leur restait l'allée.

La pelouse était brunie par endroits. Corinne ne manquerait pas de le remarquer pour s'en plaindre. Elle avait du mal à se laisser aller, à profiter simplement de la vie. Il fallait toujours qu'elle rectifie, améliore. Adam était plus coulant, ce que d'aucuns considéraient comme de la paresse. Chez leurs voisins, les Bauer, le gazon aurait pu accueillir un tournoi de golf professionnel. Corinne ne pouvait s'empêcher de comparer. Adam, lui, s'en fichait éperdument.

La porte d'entrée s'ouvrit. Thomas sortit en tenue pour les matchs à l'extérieur, son sac de lacrosse à l'épaule. Son protège-dents pendouillait au coin de sa bouche. Il sourit à son père, et Adam sentit une bouffée de chaleur familière dans sa poitrine.

— Salut, papa.

— Tu vas où comme ça ?

— J'ai un match, tu as oublié ?

En effet, Adam avait complètement oublié. D'un autre côté, cela expliquait pourquoi Corinne avait tenu à rentrer de bonne heure.

— Vous jouez contre qui ?

— Glen Rock. Maman m'emmène. Tu viendras ?

— Bien sûr.

Lorsque Corinne parut à la porte, le cœur d'Adam plongea dans ses chaussettes. Elle était belle comme au premier jour, comme cette jeune femme ravissante de vingt-trois ans dont il était tombé amoureux. Certes, en y regardant de plus près, on distinguait les pattes-d'oie et un certain ramollissement dû à l'âge ; mais peut-être parce qu'il l'aimait ou qu'il la côtoyait tous les jours, Adam ne la voyait pas vieillir.

Elle avait les cheveux mouillés au sortir de la douche.

— Bonjour, chéri.

Il ne bougea pas.

— Bonjour.

Se penchant, elle déposa un baiser sur sa joue. Ses cheveux sentaient délicieusement le lilas.

— Tu pourras aller chercher Ryan ?

— Où est-il ?

— À un goûter chez Max.

Thomas fit la moue.

— Arrête de dire ça, maman.

— Quoi ?

— Un goûter. Il est au collège. Le goûter, c'est pour les moins de six ans.

Corinne poussa un soupir, mais elle souriait.

— O.K., d'accord, il est en rendez-vous d'affaires chez Max.

Elle croisa le regard d'Adam.

— Tu passes le prendre avant d'aller au match ?

Adam hocha la tête presque malgré lui.

— Bien sûr. On se retrouve là-bas. C'était comment, Atlantic City ?

— Sympa.

— Dites, interrompit Thomas, vous ne pourriez pas causer de tout ça plus tard ? Le coach est vénère si on n'arrive pas au moins une heure avant.

— Ça marche.

Adam se tourna vers Corinne, s'efforçant de garder un ton léger.

— On pourra… euh, causer plus tard.

Corinne hésita une fraction de seconde.

— O.K., pas de problème.

Debout sur le perron, il les suivit des yeux. Corinne appuya sur la télécommande du minivan, et le hayon arrière s'ouvrit telle une gueule béante. Thomas jeta son sac dans le coffre et s'installa à l'avant. La gueule se referma, avalant le sac et son contenu. Corinne adressa un signe de la main à Adam, qui fit de même.

Tous deux s'étaient connus à Atlanta, durant le stage de formation de LitWorld, une organisation humanitaire qui envoyait des enseignants aux quatre coins du monde pour donner des cours d'alphabétisation. C'était bien avant que les jeunes ne se ruent pour construire des huttes en Zambie, histoire de le faire figurer dans leurs dossiers de candidature au moment d'entrer à la fac. À l'époque, la plupart des bénévoles avaient déjà bouclé leur premier cycle d'études supérieures. Ils étaient sincères, peut-être même un peu trop, mais, au moins, ils avaient le cœur placé au bon endroit.

Corinne et lui ne s'étaient pas rencontrés sur le campus, mais dans un bar où les étudiants âgés de plus de vingt et un ans pouvaient boire un coup et draguer en toute tranquillité aux sons d'une mauvaise musique country. Elle était avec une bande de copines, lui avec une bande de copains. Il cherchait l'aventure d'un soir. Corinne cherchait autre chose. Les deux groupes s'étaient mêlés lentement, comme dans une séquence chorégraphiée. Adam avait demandé à Corinne s'il pouvait lui offrir un verre. Elle avait accepté en précisant que ça ne l'avancerait pas à grand-chose. Sans désarmer, il avait répondu par une remarque très fine du style : « On a toute la nuit devant nous. »

On leur avait servi à boire. Ils s'étaient mis à parler. Tard dans la soirée, peu avant la fermeture, Corinne lui avait confié qu'elle avait perdu son père très tôt. Alors Adam, qui ne l'avait encore dit à personne, lui avait raconté la mort de son père et l'indifférence du monde extérieur.

Ce fut ce deuil paternel qui les rapprocha. Et c'est ainsi que tout avait commencé.

Après leur mariage, ils s'étaient installés dans un appartement calme pas loin de Newark. Adam travaillait encore comme avocat commis d'office, au service des gens. Corinne enseignait dans les quartiers difficiles de Newark. À la naissance de Thomas, il avait fallu chercher une maison plus conforme à leur nouveau statut. C'était dans la logique des choses. Habiter ici ou là indifférait Adam. Une maison moderne ou plus ancienne, comme celle-ci. Il désirait le bonheur de Corinne, pas parce qu'il était un mari idéal, mais parce que, pour lui, tout ça n'avait guère d'importance. Du coup, elle avait choisi cette ville pour des raisons évidentes.

Il l'avait laissée choisir la maison qu'elle voulait. La ville. La maison. Le garage. Les voitures. Les garçons.

Et Adam, que voulait-il ?

Il n'en savait trop rien, sauf que cette maison – ce quartier – était un gouffre financier. Il avait abandonné son travail pour un poste grassement rémunéré au cabinet Bachman, Simpson & Feagles. N'était-ce pas le chemin tout tracé que les hommes comme lui finissaient par emprunter ? Un endroit sûr pour élever ses enfants, une belle maison de cinq pièces, un garage pour deux voitures, un panier de basket dans l'allée, un barbecue à gaz sur la terrasse en bois donnant sur le jardin.

Joli, non ?

Tripp Evans, nostalgique, avait appelé ça « vivre un rêve ». Le rêve américain. Corinne aurait approuvé.

Vous n'étiez pas obligé de rester avec elle...

Certainement pas. Un rêve, c'est fragile et ça n'a pas de prix. On ne peut pas le briser comme ça. Quel égoisme, quelle ingratitude, quel aveuglement, de ne pas se rendre compte de la chance que l'on a !

Il poussa la porte, alla dans la cuisine et découvrit un bazar indescriptible sur la table. Le manuel d'algèbre de Thomas était ouvert à une page où il lui était demandé de compléter le carré dans la fonction du second degré f définie par $f(x) = 2x^2 - 6x = 4$. Un crayon numéro deux était coincé dans la gouttière du livre. Des feuilles de papier quadrillé étaient éparpillées partout ; il y en avait même sur le sol.

Adam les ramassa, les remit sur la table.

Vas-y doucement, se dit-il. D'autres rêves que le sien ou celui de Corinne étaient en jeu ici.

6

LE MATCH VENAIT JUSTE DE COMMENCER quand Adam et
Ryan arrivèrent au stade. Ryan chuchota :

— À plus, papa.

Et fila rejoindre les autres petits frères pour ne pas se
laisser repérer en compagnie d'un parent. Adam se dirigea vers la gauche, zone réservée aux familles des joueurs
de Cedarfield.

Il n'y avait pas de gradins, et certains parents avaient
apporté des fauteuils pliants pour pouvoir s'asseoir.
Corinne en gardait quatre dans son minivan, en maille,
équipés de porte-gobelets de part et d'autre (a-t-on déjà
vu quelqu'un prendre deux boissons en même temps ?)
et d'un pare-soleil. Mais, dans l'absolu, elle préférait rester debout. Kristin Hoy était à côté d'elle, en débardeur
et minishort tellement mini qu'on en venait à douter de
son existence.

Adam salua quelques parents au passage. Tripp
Evans se tenait dans un coin avec d'autres papas ; bras
croisés et lunettes noires, on aurait dit des agents des
services secrets plutôt que de simples spectateurs. Sur
leur droite, Gaston ricanait avec son cousin Daz (tout
le monde l'appelait comme ça), patron de CBW Inc.,
une boîte d'investigation spécialisée dans les enquêtes

sur les salariés et leur passé. Le cousin Daz enquêtait également sur les antécédents de tous les entraîneurs de la ligue pour s'assurer qu'ils n'avaient pas de casier judiciaire. Gaston avait imposé CBW Inc. et ses tarifs exorbitants, alors que les mêmes vérifications auraient coûté beaucoup moins cher sur Internet… mais la famille, ça sert à quoi, sinon ?

Corinne aperçut Adam et s'éloigna de Kristin.

— Thomas n'est pas sur le terrain, chuchota-t-elle, paniquée.

— Les joueurs tournent, répondit-il. Il n'y a pas de quoi s'affoler.

Mais affolée, elle l'était.

— C'est Pete Baime qui est entré à sa place.

Le fils de Gaston. Voilà pourquoi il ricanait.

— Il n'est même pas entièrement remis de son traumatisme. Comment se fait-il qu'il soit déjà de retour ?

— Je ne suis pas son médecin, Corinne.

— Allez, Tony ! cria une femme. Fonce !

Inutile de dire que la femme en question devait être la maman de Tony. On reconnaît le parent qui interpelle son rejeton à l'exaspération dans sa voix. Personne ne veut l'admettre – chacun pense qu'il échappe au cliché –, mais tous les autres l'entendent.

Comme dit le vieux proverbe croate qu'Adam avait appris à la fac : « Le bossu voit la bosse chez les autres… jamais la sienne. »

Trois minutes passèrent. Thomas n'avait toujours pas été appelé sur le terrain. Adam risqua un coup d'œil en direction de Corinne. Les mâchoires serrées, elle fixait la ligne de touche comme pour obliger l'entraîneur, par la seule force de son regard, à faire entrer Thomas en jeu.

— Ça va aller, dit Adam.

— Il est toujours sur le terrain à ce stade du match. Qu'est-ce qui s'est passé, à ton avis ?

— Je n'en sais rien.

— Pete ne devrait pas être là.

Adam ne prit pas la peine de répondre. Pete intercepta la balle et la passa à un autre joueur de son équipe de la façon la plus banale possible. De l'autre côté du terrain, Gaston hurla :

— Ouais, bien joué, Pete !

Et il tapa dans la main du cousin Daz.

— C'est un nom, ça, pour un adulte ? marmonna Adam.

— Quoi ?

— Rien.

Corinne mâchonnait sa lèvre inférieure.

— On a eu une ou deux minutes de retard. On était là cinquante-cinq minutes avant le match, et le coach avait dit une heure.

— Je doute que ce soit ça.

— On aurait dû partir plus tôt de la maison.

Adam faillit lui rétorquer qu'ils avaient un problème bien plus grave à résoudre, mais, d'un autre côté, il n'était pas mécontent de cette diversion. L'autre équipe marqua. Les spectateurs gémirent et cherchèrent quelle faute la défense avait pu commettre pour laisser marquer ce but.

Thomas entra en courant sur le terrain.

Adam sentit sa femme se détendre. Elle lui sourit.

— Et le boulot, ç'a été ?

— C'est maintenant que tu me le demandes ?

— Désolée. Tu sais l'effet que ça me fait.

— Oui.

— C'est un peu pour ça que tu m'aimes.

— Un peu.

— Ça, dit-elle, et mes fesses.

— Exactement.

— J'ai toujours de belles fesses, non ?

— Première catégorie, classe A, label Excellence… cent pour cent pavé de rumsteck sans aucun remplissage.

— Ben, fit-elle avec un sourire trop large pour être honnête, un peu de remplissage peut-être, de temps à autre.

Dieu qu'il aimait ces instants, trop rares, quand elle se lâchait et allait même jusqu'à faire sa coquine. Une fraction de seconde, il en oublia sa rencontre avec l'inconnu. Une fraction de seconde seulement. Pourquoi maintenant ? se demanda-t-il. Ce genre de remarque, elle s'y risquait deux ou trois fois par an, pas plus. Alors pourquoi maintenant ?

Il coula un regard dans sa direction. Corinne portait les petites boucles d'oreilles en diamant qu'il lui avait offertes pour leurs quinze ans de mariage. Ils avaient fêté ça dans un chinois, le Bamboo House. Au départ, Adam avait prévu de les planquer dans un petit gâteau porte-bonheur – Corinne adorait les ouvrir, même si elle ne les mangeait pas –, mais il ne réussit pas à concrétiser son plan. Pour finir, le serveur les lui présenta simplement sur une assiette recouverte d'une cloche en acier. Pas très original, mais Corinne avait été aux anges. Elle avait fondu en larmes et l'avait serré de toutes ses forces dans ses bras.

Depuis, elle les enlevait seulement pour dormir et pour aller nager, car elle craignait que le chlore n'attaque la monture. Ses autres boucles d'oreilles restaient dans sa petite boîte à bijoux à l'intérieur de la penderie, comme si le fait de les porter aurait constitué une trahison. Elles représentaient quelque chose pour elle. Elles représentaient l'engagement, l'amour, le respect… Franchement, était-ce le genre de femme à jouer la comédie de la grossesse ?

Corinne avait les yeux rivés sur le terrain. La balle était dans la zone d'attaque où se trouvait Thomas. Adam la sentait se raidir chaque fois que la balle passait à proximité de leur fils.

Thomas réussit soudain un très beau coup : il dégagea la balle de sous la crosse d'un défenseur, s'en empara et fonça vers le but.

On a beau dire, en toutes circonstances, on ne regarde que son propre enfant. Lors d'un match, d'un concert ou de quoi que ce soit d'autre, on ne voit que lui. Tout le reste est brouhaha, toile de fond. Chaque parent a le projecteur braqué sur sa progéniture, sans se douter de ce que cet amour obsessionnel peut avoir de malsain, voire de néfaste.

Se heurtant aux attaquants de l'autre camp, Thomas passa la balle à Paul Williams. Terry Zobel était en place pour marquer, mais, avant qu'il ne tire, l'arbitre donna un coup de sifflet et jeta le drapeau jaune sur le gazon. Freddie Friednash, milieu dans l'équipe de Thomas, écopa d'une pénalité pour coup de bâton. Les papas se déchaînèrent dans leur coin.

— C'est une blague, hein ?
— N'importe quoi !
— T'es aveugle, mec ?
— Faut pas déconner !
— Mauvaise pioche !

Les entraîneurs se joignirent à eux. Même Freddie, qui était en train de partir au petit trot, ralentit et secoua la tête à l'adresse de l'arbitre.

— Tu l'as vu, le coup de bâton ? demanda Corinne.
— Je regardais ailleurs.

Becky Evans, la femme de Tripp, s'approcha d'eux.

— Salut, Adam. Salut, Corinne.

À cause de la pénalité, la balle était dans la zone de défense maintenant, loin de Thomas. Du coup, ils se tournèrent tous deux vers Becky. Mère de cinq enfants, elle affichait toujours une bonne humeur quasi surhumaine, jamais à court d'un sourire ou d'un mot gentil. Adam se méfiait de ces mamans béatement heureuses ; il les observait, guettait la faille, le moment où le sourire vacillerait, se figerait. La plupart du temps, ça ne ratait pas. Pas avec Becky, cependant. On la croisait constamment avec ses mômes dans sa Dodge Durango, le sourire lumineux, du matériel de sport empilé sur la banquette arrière ; au lieu de l'épuiser, ces corvées quotidiennes semblaient lui redonner des forces.

— Salut, Becky, dit Corinne.

— Il fait un temps idéal pour jouer, hein ?

— Tout à fait, acquiesça Adam.

Que voulez-vous dire d'autre ?

Nouveau coup de sifflet… nouvelle pénalité contre l'équipe de Cedarfield. Les jurons se mirent à pleuvoir. Adam fronça les sourcils, surpris de constater que l'instigateur de la fronde était le binoclard Cal Gottesman. Cal, dont le fils Eric était une étoile montante de la défense, travaillait dans une compagnie d'assurances à Parsipanny. D'ordinaire calme et bienveillant, il se comportait de plus en plus bizarrement, et ce changement d'attitude était directement proportionnel aux progrès accomplis par son fils. Eric avait pris quinze centimètres en un an ; les recruteurs universitaires commençaient à lui faire de l'œil, et Cal, d'habitude si réservé sur la ligne de touche, avait tendance maintenant à faire les cent pas en marmonnant dans sa barbe.

Becky se pencha plus près.

— Vous avez su, pour Richard Fee ?

Richard Fee était leur gardien de but.

— Il a été recruté par Boston College.

— Mais il est en seconde, dit Corinne.

— Je sais. Bientôt, ils iront les chercher carrément à la maternité !

— C'est ridicule, opina Corinne. Comment peuvent-ils savoir quel genre d'étudiant il va être ? Il vient à peine d'entrer au lycée.

Elles poursuivirent sur le même mode, mais Adam avait déjà décroché. Comme elles ne faisaient plus attention à lui, il en profita pour les laisser ensemble. Les deux femmes se connaissaient depuis l'enfance. Toutes deux étaient nées ici. Becky n'avait jamais quitté Cedarfield.

Corinne n'avait pas eu cette chance.

Adam se chercha une place à l'écart, à mi-chemin entre les mamans et le coin des papas. Croisant son regard, Tripp Evans hocha la tête comme s'il comprenait. Lui non plus n'aimait pas la foule, mais que faire s'il l'attirait ? Qu'il assume donc son statut de célébrité locale, pensa Adam.

Lorsqu'on siffla la fin du premier tiers-temps, il se tourna vers sa femme. Corinne et Becky bavardaient avec animation. Il la dévisagea un instant, angoissé et perdu. Il la connaissait si bien. Et, paradoxalement, parce qu'il la connaissait bien, il savait que les allégations de l'inconnu n'étaient pas une pure invention.

Jusqu'où pouvait-on aller pour protéger sa famille ?

Les joueurs revinrent sur le terrain, et chaque parent s'assura que son fils était bien parmi eux. C'était le cas de Thomas. Becky continuait à parler, mais Corinne s'était tue et hochait la tête sans quitter Thomas des yeux. C'était, à l'origine, ce qui avait séduit Adam chez elle. Corinne savait ce qu'elle voulait et mettait tout en œuvre

66

pour l'obtenir. Au moment de leur rencontre, Adam avait une notion très vague de son avenir : travailler au service des pauvres et des opprimés, ça oui, mais vivre où, comment et avec qui, il n'y avait pas réfléchi une seconde. Cette femme exceptionnelle en revanche, belle et intelligente, savait exactement ce qu'ils allaient faire de leur vie.

Quelque part, on se sentait rassuré à se laisser porter ainsi.

Pendant qu'il songeait aux choix (ou plutôt aux non-choix) qui l'avaient conduit là où il en était maintenant, Thomas cueillit la balle derrière la cage de but, feinta en mimant une passe au milieu, se déplaça à droite, leva sa crosse et tira dans l'angle.

But.

Les parents exultèrent. Les coéquipiers de Thomas vinrent le féliciter avec force tapes amicales sur son casque. Son fils ne broncha pas, mais, derrière son casque, Adam sut qu'il souriait, qu'il était heureux.

Et son rôle en tant que père était de veiller à ce qu'il en soit toujours ainsi.

Sauf que la vie était aussi une affaire de hasard et de chance. Oui, il était prêt à tout pour protéger ses enfants. Mais, au fond de lui, en ce qui concernait les siens, il savait que cela ne suffirait pas, que le hasard et la chance en avaient décidé autrement, et que le bonheur et la sécurité allaient se dissoudre dans la douceur de l'air printanier.

7

THOMAS MARQUA SON SECOND BUT – le but de la victoire ! – vingt secondes à peine avant la fin du match.

Adam en oublia son cynisme et sauta en l'air en brandissant le poing :

— Yesss !

Non, il n'était pas de ces parents qui vivent par procuration à travers leurs gosses ou qui considèrent le lacrosse comme un passeport pour l'université. Il aimait le sport pour une simple et bonne raison : parce que ses fils adoraient ça.

Mais peut-être que tous les parents pensaient la même chose. On en revenait toujours à l'histoire du bossu croate.

Après le match, Corinne rentra avec Ryan pour préparer le dîner. Adam attendit Thomas sur le parking du lycée de Cedarfield. Il aurait pu le ramener dans sa voiture, mais pour des questions d'assurance, les garçons devaient rentrer ensemble en minibus. Du coup, avec les autres parents, il suivit le minibus jusqu'à Cedarfield. Une fois sur le parking, il descendit de voiture et se dirigea vers l'entrée de service du lycée.

— Salut, Adam.

C'était Cal Gottesman. Les deux hommes échangèrent une poignée de main.

— Belle victoire, dit Cal.

— Tu m'étonnes.

— Thomas a joué comme un dieu.

— Eric aussi.

Les lunettes de Cal avaient du mal à tenir en place. Elles glissaient le long de son nez, et il passait son temps à les remonter du bout de l'index pour qu'elles amorcent aussitôt leur descente.

— Tu... euh, tu avais l'air soucieux.

— Hein ?

— Pendant le match.

Cal avait une voix geignarde de nature.

— Oui, tu semblais avoir la tête ailleurs.

— Ah bon ?

Il remonta les lunettes sur son nez.

— Et je t'ai vu aussi faire la moue.

— Je ne vois pas de quoi...

— Quand j'ai repris l'arbitre.

Repris, se dit Adam. Mais il n'avait pas envie d'entrer là-dedans.

— Je ne l'avais même pas remarqué.

— Tu aurais dû. L'arbitre allait sanctionner Thomas.

Adam esquissa une grimace.

— Je ne comprends pas très bien.

— Je fais exprès de leur mettre la pression, lui confia Cal sur un ton de conspirateur. Tu devrais me remercier. Ton fils en a bénéficié ce soir.

— Je vois.

Pour qui il se prenait, celui-là ?

— Et cette charte de sportivité qu'on signe en début de saison ? demanda Adam.

— Laquelle ?

— Celle où l'on s'engage à n'exercer aucune violence

69

verbale à l'encontre des joueurs, des entraîneurs ou des arbitres.

— Tu es naïf, répondit Cal. Tu connais Moskowitz ?

— Celui qui est dans Spenser Place ? Le courtier en obligations ?

— Mais non ! s'exclama Cal impatiemment en faisant claquer ses doigts. Le professeur Tobias Moskowitz de l'université de Chicago.

— Euh… non.

— Cinquante-sept pour cent.

— Hein ?

— Les études montrent que dans cinquante-sept pour cent des cas, la victoire revient à l'équipe qui joue à domicile. On appelle ça l'avantage du terrain.

— Et alors ?

— Ça existe dans tous les sports et sous tous les cieux. Le professeur Moskowitz considère l'avantage du terrain comme une donnée stable et invariable.

— Oui, et alors ? répéta Adam.

— Tu as dû entendre les raisons habituelles. La fatigue du voyage : l'équipe extérieure doit prendre le car ou l'avion, que sais-je. Ou peut-être est-ce la familiarité du terrain. Ou le fait que certains joueurs sont habitués au chaud ou au froid…

— On habite la ville d'à côté, dit Adam.

— Justement, CQFD.

Franchement, il n'était pas d'humeur. Où diable était passé Thomas ?

— Devine, poursuivit Cal. Devine ce qu'a découvert Moskowitz.

— Pardon ?

— Qu'est-ce qui explique l'avantage du terrain, Adam, à ton avis ?

— Je ne sais pas. Le soutien du public.

La réponse plut visiblement à Cal Gottesman.

— Oui. Et non.

Adam ravala un soupir.

— Le professeur Moskowitz et d'autres ont mené des études là-dessus. Ils ne disent pas que la fatigue du voyage ne joue pas, mais il n'y a pas de preuves concrètes... juste quelques faits anecdotiques. Non, un seul facteur repose sur des preuves solides.

Il leva l'index au cas où Adam ne saurait pas ce que signifiait « un seul ».

— Lequel ?

Cal serra le poing.

— Le point de vue de l'arbitre. Ses décisions ont tendance à favoriser l'équipe à domicile.

— Tu es en train de me dire que tous les matchs seraient truqués ?

— Non, pas du tout. C'est ça, le hic. Il ne s'agit pas d'un choix délibéré. C'est totalement inconscient. Question de conformisme social.

Cal avait fermement enfourché son dada.

— En clair, tout le monde veut être aimé. L'arbitre, comme tout être humain, est un individu social qui capte les émotions du public. Alors, de temps à autre, il prend une décision pour leur faire plaisir. Ça t'arrive de regarder le basket ? Les entraîneurs travaillent les arbitres au corps parce qu'ils connaissent la nature humaine mieux que personne. Tu comprends ?

Adam hocha lentement la tête.

— Voilà, Adam.

Cal écarta les mains.

— L'avantage du terrain en bref : le désir humain de se conformer et d'être aimé.

— Donc, si tu engueules l'arbitre...

— À l'extérieur seulement, interrompit Cal. On a

intérêt à garder notre avantage à domicile. Mais lors des matchs à l'extérieur, scientifiquement parlant, oui, ça rétablit l'équilibre. Si tu te tais, ça risque de jouer contre toi.

Adam détourna la tête.

— Quoi ?

— Rien.

— Non, je tiens à l'entendre. Tu es avocat, pas vrai ? Tu travailles dans le contentieux.

— Oui.

— Et tu fais tout pour influencer le juge ou la partie adverse.

— C'est vrai.

— Alors ?

— Rien. J'ai bien compris ton point de vue.

— Mais tu n'es pas d'accord.

— Je n'ai pas très envie de polémiquer.

— Pourtant, les données sont claires.

— Tout à fait.

— Eh bien, c'est quoi, ton problème ?

Adam hésita.

— Ce n'est qu'un jeu, Cal. L'avantage du terrain en fait partie. C'est pour ça qu'on joue la moitié du temps à l'extérieur, et l'autre moitié à domicile. Pour équilibrer. À mon avis – mais ça n'engage que moi –, tu cherches à justifier une mauvaise conduite. Laissons-les jouer, avec ou sans les décisions de l'arbitre. C'est un meilleur exemple pour les garçons que de hurler des insultes. Et si on perd un match ou deux dans l'année, ce dont je doute fort, ce ne sera pas cher payé pour le protocole et la dignité, ne crois-tu pas ?

Cal Gottesman allait monter sur ses grands chevaux quand Thomas émergea du vestiaire. Adam leva la main.

— Il n'y a pas de quoi en faire un fromage, Cal, ce n'est que mon opinion. Tu veux bien m'excuser ?

Il pressa le pas pour regagner sa voiture. Thomas le rejoignit d'un pas élastique, l'ombre d'un sourire aux lèvres. Adam savait qu'il attendait d'être à l'abri des regards pour laisser éclater sa joie. Il salua quelques amis au passage, tel un homme politique accompli. Ryan n'était déjà pas très démonstratif, mais Thomas pouvait leur en remontrer à tous.

Il jeta son sac de lacrosse sur la banquette arrière. La puanteur des protections imbibées de sueur monta à l'assaut de leurs narines. Adam baissa les vitres, mais, après un match par beau temps, ça ne suffisait pas.

Finalement, deux rues plus loin, le visage de Thomas s'illumina.

— Tu as vu mon premier but ?

— Mortel, sourit Adam.

— C'est la deuxième fois seulement que je marque de la gauche.

— Joli. Mais le second but était sympa aussi.

On aurait pu croire qu'il plastronnait, mais non, c'était même tout l'inverse. Avec les entraîneurs et les joueurs de son équipe, Thomas se montrait modeste et généreux. Il mettait toujours les autres en avant – celui qui avait fait la passe, celui qui avait récupéré la balle – et se sentait gêné s'il se retrouvait au centre de l'attention.

En famille, c'était différent. Il aimait se remémorer le match, pas seulement ses propres performances, mais les faits et gestes de chacun, ceux qui avaient bien ou mal joué. La maison était son refuge… leur refuge à tous. Il pouvait y parler librement, sans craindre de passer pour un ringard ou un frimeur.

— Il est rentré ! cria Corinne dès que Thomas eut franchi la porte.

Il fit tomber son sac de sport de son épaule, et elle se précipita pour le serrer dans ses bras.

— Bravo, chéri ! Tu as été formidable.

— Merci.

Ryan tapa dans le poing de son frère pour le féliciter.

— Qu'est-ce qu'on mange ? s'enquit Thomas.

— Je suis en train de faire griller des tranches de bavette marinées.

— Super.

Thomas adorait la viande de bœuf. Pour ne pas jouer les rabat-joie, Adam embrassa sa femme. Tout le monde alla se laver les mains. Ryan mit la table, ce qui signifiait que Thomas devrait débarrasser. Il y avait de l'eau à volonté, et deux verres de vin pour les adultes. Corinne posa les plats sur l'îlot central, et chacun se servit.

C'était un dîner de famille incroyablement banal et, en même temps, un grand moment de douceur. Adam, cependant, avait l'impression qu'une bombe à retardement était cachée sous la table. Ce n'était plus qu'une question de minutes. Le repas terminé, les garçons fileraient faire leurs devoirs, regarder la télé ou squatter l'ordinateur. Attendrait-il qu'ils soient couchés ? Probablement. Sauf que, depuis un an ou deux, Corinne et lui s'endormaient avant Thomas. Il devrait donc s'assurer que Thomas était dans sa chambre, porte close, avant de parler à sa femme.

Tic tac, tic tac, tic tac.

Thomas tint le crachoir pendant presque tout le dîner. Ryan écoutait, fasciné. Corinne raconta que l'un des profs s'était saoulé à Atlantic City et avait vomi dans le casino. Les garçons étaient ravis.

— Tu as gagné de l'argent ? demanda Thomas.

— Je ne joue pas, répondit Corinne, maman avant tout. Et je ne vous le conseille pas non plus.

Les garçons levèrent les yeux au ciel.

— Quoi ?

— Ce que tu peux être relou quelquefois, dit Thomas.

— Relou, moi ?

— Toujours à nous faire la morale, pouffa Ryan. Laisse tomber.

Corinne se tourna vers Adam.

— Tu entends ça ?

Il haussa les épaules. La conversation roula sur autre chose. Il avait du mal à se concentrer, il lui semblait regarder un montage vidéo de sa propre vie : la famille heureuse que Corinne et lui avaient fondée, en train de dîner, de plaisanter ensemble. Il voyait presque la caméra faire le tour de la table, zoomer sur les visages l'un après l'autre. Tellement ordinaire, tellement familier, tellement parfait…

Tic tac, tic tac, tic tac.

Une demi-heure plus tard, la cuisine était rangée. Les garçons montèrent. Sitôt qu'ils eurent le dos tourné, le sourire de Corinne s'évanouit.

— Qu'est-ce qui ne va pas ?

Incroyable. Voilà dix-huit ans qu'il vivait avec elle. Il connaissait toutes ses humeurs, toutes ses réactions par cœur. Il savait quand il fallait être tendre et quand garder ses distances. Il était capable de terminer ses phrases et même de deviner ses pensées.

Rien ne le surprenait. Pas même les révélations de l'inconnu.

Pourtant, il n'aurait pas cru que Corinne pouvait lire aussi clairement en lui. Malgré tous ses efforts pour paraître normal, elle avait senti qu'il se passait quelque chose, et que c'était grave.

Elle attendait que le couperet tombe. Et elle ne fut pas déçue.

— Ta grossesse, elle était réelle ou pas ?

8

ASSIS DANS UN COIN du Red Lobster à Beachwood, Ohio, juste à la sortie de Cleveland, l'inconnu tripotait son verre de « cocktail maison », un mai tai mangue. Ses beignets de crevettes à l'ail avaient refroidi et ressemblaient maintenant à du mastic pour carrelage. Deux fois, le serveur avait essayé de les retirer, mais l'inconnu l'avait congédié. Assise en face de lui, Ingrid soupira et consulta sa montre.

— Il n'en finit pas, ce déjeuner.

Il hocha la tête.

— Ça fait presque deux heures.

Ils étaient en train de surveiller une table avec quatre femmes qui en étaient à leur troisième « cocktail maison », à même pas 14 h 30. Deux d'entre elles avaient commandé un plateau de fruits de mer de la taille d'une bouche d'égout. La troisième avait pris des linguine aux crevettes à la sauce Alfredo. De la crème stagnait au coin de ses lèvres peintes en rose vif.

C'était la quatrième femme, dont le nom était Heidi Dann, qui expliquait leur présence ici. Heidi avait choisi du saumon grillé au feu de bois. Âgée de quarante-neuf ans, elle était grande et énergique, avec des cheveux blond paille. Elle portait un top imprimé tigre au décolleté plongeant. Heidi avait un rire bruyant, quoique mélodieux. Voilà deux heures que l'inconnu l'écoutait rire. Le son avait quelque chose d'hypnotique.

— Je l'aime bien, dit-il.

— Moi aussi.

Ingrid remonta ses cheveux blonds avec les deux mains pour former une queue-de-cheval éphémère avant de les laisser retomber. C'était une sorte de tic chez elle. Ses cheveux longs et raides lui cachaient constamment le visage.

— Elle a du chien, ajouta-t-elle.

Il voyait très bien ce qu'elle voulait dire.

— Finalement, fit Ingrid, c'est un service qu'on lui rend.

Ça, c'était l'excuse. L'inconnu partageait ce point de vue. Si les fondations sont pourries, il faut démolir toute la maison. Il ne suffit pas de donner un coup de peinture ou de clouer quelques planches. Il le savait. Il le comprenait. Il le vivait.

Non pas qu'il se réjouissait d'être obligé de recourir à l'usage des explosifs. Car c'est à lui qu'il incombait de faire sauter la maison aux fondations défaillantes, mais il ne restait pas pour contrôler la suite des opérations éventuelles de reconstruction.

D'ailleurs, il faisait sauter les murs sans vérifier s'il y avait encore quelqu'un à l'intérieur…

La serveuse apporta l'addition à ces dames. Elles fouillèrent dans leurs sacs pour sortir leur argent. La femme aux linguine fit le calcul pour indiquer avec précision à chacune la part qui lui revenait. Les mangeuses de fruits de mer exhumèrent les billets un à un. Puis elles ouvrirent leurs porte-monnaie comme si c'étaient des ceintures de chasteté rouillées.

Heidi, elle, jeta sur la table des billets de vingt dollars.

Quelque chose dans sa façon de faire – sa désinvolture peut-être – le toucha. Visiblement, les Dann n'avaient pas de soucis financiers, mais allez savoir dans le monde d'aujourd'hui. Heidi et Marty Dann étaient mariés depuis vingt ans. Ils avaient trois enfants. L'aînée, Kimberly, était étudiante à l'université de New York. Les deux garçons, Charlie et John, étaient encore au lycée. Heidi était vendeuse en cosmétiques chez Macy's à University Heights. Son mari était directeur de marketing chez TTI Floor Care à Glenwillow. TTI commercialisait des aspirateurs. Ils possédaient les marques Hoover, Oreck, Royal et celle dont Marty s'était occupé ces onze dernières années, Dirt Devil. Il voyageait beaucoup pour son travail et se rendait souvent à Bentonville, Arkansas, où se trouvait le siège de Walmart.

Ingrid scruta le visage de son compagnon.

— Je peux y aller seule, si tu préfères.

Il secoua la tête. C'était son job. Ingrid était là parce qu'il était plus facile d'aborder une femme à deux. Apostropher un homme dans un bar ou, mettons, à l'American Legion Hall, ça ne posait pas de problème. Mais un garçon de vingt-sept ans qui approche une femme de quarante-neuf ans à la sortie du Red Lobster ?

Cela risquait de paraître louche.

Ingrid avait déjà réglé la note ; ils ne perdirent donc pas de temps. Heidi était venue seule, avec sa Nissan Sentra grise. Ingrid et lui avaient garé leur voiture de location deux places plus loin. Ils attendirent, les clés à la main, comme des gens qui s'apprêtaient à monter dans leur véhicule pour partir.

Ils ne tenaient pas à se faire remarquer.

Cinq minutes plus tard, les quatre femmes sortirent du restaurant. Ils espéraient parler à Heidi en tête à tête, mais ce n'était pas gagné d'avance. Une de ses amies pouvait la raccompagner jusqu'à sa voiture, auquel cas ils devraient la suivre chez elle et l'affronter sous son propre toit (ce n'était pas une bonne solution – les victimes se méfiaient davantage) ou alors attendre qu'elle ressorte.

Les femmes s'embrassèrent pour se dire au revoir. Heidi, quand elle serrait quelqu'un dans ses bras, ne le faisait pas à moitié. On voyait bien qu'elle y mettait tout son cœur.

Ses trois amies partirent dans la direction opposée. Tant mieux.

Heidi se dirigea vers sa voiture. Elle portait un pantalon corsaire et, l'alcool aidant, vacillait légèrement sur ses hauts talons, mais cela ne semblait pas la gêner outre mesure. Elle souriait même. Ingrid hocha la tête à l'adresse de l'inconnu. Tous deux s'efforcèrent de prendre un air inoffensif.

— Heidi Dann ?

Il s'exprimait sur un ton qui se voulait amical… au pire neutre. Heidi se retourna, et son sourire s'évanouit comme si on lui avait brusquement coupé le courant.

Elle savait.

Il n'était pas surpris. C'était souvent le cas, même si, face à lui, beaucoup préféraient s'enfoncer la tête dans le sable. Mais Heidi, il la sentait forte et intelligente. Elle avait déjà compris que ce qu'il allait lui dire changerait sa vie à jamais.

— Oui ?

— Il y a un site web qui s'appelle SugarBaby.com.

Inutile de demander à la victime si elle avait deux minutes ou si elle préférait discuter dans un endroit tranquille. Le mieux était d'aller droit au but.

— Pardon ?

— Soi-disant un site de rencontres branché. Sauf que ce n'est pas le cas. Il est destiné aux hommes – de préférence aisés – qui cherchent à entrer en relation avec des jeunes femmes. Ça vous dit quelque chose ?

Heidi le regarda, puis se tourna vers Ingrid qui tenta de la rassurer d'un sourire.

— Vous êtes qui, vous ?

— Aucune importance, répondit-il.

Certaines personnes se rebiffaient. D'autres se rendaient compte que ce serait une perte de temps, compte tenu de l'enjeu. Heidi était de celles-là.

— Non, ça ne me dit rien. Ça doit être comme ces sites pour gens mariés qui cherchent une aventure.

L'inconnu secoua la tête d'un air vague.

— Pas vraiment. Il s'agit plutôt de transactions financières, si vous voyez ce que je veux dire.

— Non, rétorqua Heidi, je ne vois pas.

— Vous devriez vous informer à l'occasion. Ce site vous explique que chaque relation est une transaction et qu'il est important de bien définir les rôles pour savoir ce qu'on attend de vous et de votre partenaire sexuelle.

La couleur déserta le visage d'Heidi.

— Partenaire sexuelle ?

— Voici comment ça marche, poursuivit l'inconnu. Prenons l'exemple d'un homme. Il s'inscrit, ce qui lui donne la possibilité de consulter une liste de femmes, beaucoup plus jeunes que lui généralement. S'il en trouve une qui lui plaît et que celle-ci accepte de le rencontrer, ils entament une négociation.

— Une négociation ?

— On appelle ça une *sugar baby*. D'après les critères du site en question, il peut l'emmener dîner ou bien en déplacement professionnel, quelque chose comme ça.

— Mais la réalité est tout autre, dit Heidi.

— Oui, la réalité est tout autre.

Elle exhala lentement son souffle. Posa ses mains sur ses hanches.

— Continuez.

— Donc, ils négocient.

— Le type riche et sa *sugar baby*.

— Oui. Le site monte un bateau aux filles. Comme quoi, tout est clairement défini. Que dans ce cadre bien défini, il n'y a pas de surprises à craindre. Si les hommes sont riches et sophistiqués, ils traiteront les jeunes filles avec des égards particuliers, les couvriront de cadeaux et les emmèneront en voyage dans des contrées exotiques.

C'était comme si Heidi s'était attendue à sa visite. Elle était tout à fait calme à présent, même s'il la sentait intérieurement dévastée.

— Ils négocient, vous disiez.

— Oui. Dans un cas, par exemple, la jeune femme accepte de voir l'homme cinq fois par mois. Il lui offre huit cents dollars.

— Par rendez-vous ?

— Par mois.

— Ce n'est pas cher payé.

— C'est un début. Elle, de son côté, demande deux mille dollars. La négociation va bon train.

— Et ils arrivent à un compromis ?

Heidi avait les larmes aux yeux.

— Oui, acquiesça l'inconnu. Dans le cas présent, ils s'entendent sur mille deux cents dollars par mois.

— Ça fait quatorze mille quatre cents dollars par an, observa Heidi avec un sourire sans joie. Je suis bonne en calcul mental.

— Exact.

— Et la fille, elle raconte quoi au type ? Elle lui dit qu'elle est étudiante et qu'elle a besoin d'argent pour payer ses études ?

— Dans cet exemple précis, oui.

— Beuh, fit Heidi.

— En l'occurrence, reprit l'inconnu, c'est la vérité.

— Elle est étudiante ?

Heidi secoua la tête.

— Super.

— Dans le cas qui nous intéresse, la fille ne s'arrête pas là. Elle propose différents jours de semaine à plusieurs *sugar daddies.*

— Alors là, ça craint.

— Elle en a un le mardi, un autre le jeudi. Et un troisième le week-end.

— Ça lui fait un sacré paquet. D'argent, j'entends.

— Certainement.

— Sans parler des maladies vénériennes, ajouta Heidi.

— Là-dessus, je n'ai pas de commentaire à faire.

— C'est-à-dire ?

— Nous ignorons si elle exige ou non l'usage de préservatifs. Nous n'avons pas accès à son dossier médical. Nous ne savons même pas exactement ce qu'elle fait avec tous ces hommes.

— Je doute qu'elle joue au rami.

— Moi aussi.

— Pourquoi me parlez-vous de ça ?

L'inconnu regarda Ingrid qui prit la parole à son tour.

— Parce que vous méritez de le savoir.

— C'est tout ?

— C'est tout ce que nous pouvons vous dire, oui, répondit l'inconnu.

— Vingt ans.

Heidi secoua la tête en ravalant ses larmes.

— Le salopard.

— Pardon ?

— Ce salopard de Marty.

— Oh, mais il ne s'agit pas de Marty, fit l'inconnu.

Pour le coup, Heidi parut complètement déboussolée.

— Mais alors de qui me parlez-vous ?

— De votre fille, de Kimberly.

9

CORINNE ACCUSA LE COUP, recula en chancelant, puis se reprit.

— Qu'est-ce que tu racontes ?

— Si on zappait cette partie-là ?

— Comment ?

— La partie où tu fais semblant de ne pas comprendre. On zappe les dénégations, O.K. ? Je sais que tu as pipeauté ta pseudo-grossesse.

Elle fit un effort pour recouvrer son calme.

— Si tu sais, alors pourquoi poses-tu la question ?

— Et les garçons ?

— Hein ? fit-elle, déconcertée.

— Est-ce qu'ils sont de moi ?

Corinne écarquilla les yeux.

— Tu dérailles ?

— Ben, tu m'as fait le coup d'une grossesse bidon. Va savoir de quoi tu es capable.

Corinne restait clouée sur place.

— Eh bien ?

— Bon sang, Adam, regarde-les.

Il ne dit rien.

— Bien sûr qu'ils sont de toi.

— Les tests, ça existe. Les tests ADN. On en trouve même chez Walgreens, figure-toi.

— Alors achètes-en, siffla-t-elle. Tu es leur père, et tu le sais.

Ils se faisaient face de part et d'autre de l'îlot central. Même furieux et désemparé, Adam ne put s'empêcher de la trouver belle. Il n'en revenait pas que, parmi tous ces hommes qui lui tournaient autour, elle l'ait choisi, lui. Du temps de sa jeunesse, ils divisaient bêtement les filles en deux catégories. La première leur évoquait des nuits torrides et des parties de jambes en l'air. La seconde catégorie les faisait penser à des promenades au clair de lune et des vœux nuptiaux. Corinne appartenait définitivement à cette seconde catégorie.

La propre mère d'Adam avait été excentrique jusqu'à la névrose. C'était malheureusement ce qui avait séduit son père en premier lieu. Il la trouvait « pétillante ». Mais, à force de pétiller, elle avait fini par se faire sauter les plombs. Ses hauts et ses bas avaient usé son père, l'avaient vieilli avant l'heure. En réaction, Adam avait épousé une femme qu'il croyait être solide, stable, la tête sur les épaules… comme si la vie pouvait être aussi simple.

— Réponds-moi, dit-il.

— Qu'est-ce qui te fait penser que je t'ai menti ?

— Le prélèvement en faveur de Novelty Funsy. Soi-disant pour décorer ta salle de classe. En fait, c'était l'adresse de facturation de Grossesse-Bidon.com.

Corinne avait l'air perplexe.

— Je ne comprends pas. Pourquoi es-tu allé consulter un prélèvement d'il y a deux ans ?

— Peu importe.

— Mais non. Je veux savoir. Ce n'est pas par hasard que tu as fouillé dans les vieux prélèvements.

— Tu l'as fait, Corinne, oui ou non ?

Elle fixait maintenant le plan de travail en granit. Corinne avait mis des lustres avant de trouver la teinte parfaite, le brun Ontario. Elle repéra une salissure et se mit à gratter la surface du bout de l'ongle.

— Corinne ?

— Tu te souviens quand j'ai eu un trou de deux heures au moment de la pause-déjeuner ?

Le changement de sujet le prit au dépourvu.

— Oui, et alors ?

La salissure se décolla. Corinne cessa de gratter.

— C'est la seule fois de toute ma carrière où j'ai eu une fenêtre horaire aussi large dans mon emploi du temps. On m'a autorisée à aller déjeuner dehors.

— Je m'en souviens.

— J'allais au Book Ends Café. On y servait des paninis de la mort qui tue. J'en prenais un avec du thé ou du café glacé. Puis je m'installais dans un coin pour lire.

Elle sourit légèrement.

— C'était le bonheur.

— Passionnant comme histoire, acquiesça Adam.

— Ne sois pas sarcastique.

— Non, sérieusement, c'est palpitant... et tellement à propos. Je te parle de grossesse bidon, mais ça, c'est beaucoup mieux. Tu préférais quoi, comme panini ? Moi, j'aime bien celui à la dinde et à l'emmental.

Elle ferma les yeux.

— Tu as toujours eu recours au sarcasme, c'est ton mécanisme de défense.

— C'est ça, et toi tu es la reine du timing. C'est bien le moment de me psychanalyser, Corinne.

Sa voix se fit implorante.

— J'essaie de t'expliquer, O.K. ?

Il haussa les épaules.

— Je t'écoute.

Il lui fallut quelques secondes pour se ressaisir, puis elle reprit d'un ton détaché, presque absent :

— J'allais au Book Ends pratiquement tous les jours. J'ai fini par faire partie des habitués. C'était toujours la même bande. Jerry qui était chômeur. Eddie qui fréquentait l'hôpital de jour à Bergen Pines. Debbie qui apportait son ordinateur portable et écrivait...

— Corinne...

Elle leva la main.

— Et il y avait Suzanne, enceinte d'environ huit mois.

Silence.

Corinne se retourna.

— Où est la bouteille de vin ?

— Je ne vois pas où tu veux en venir.

— J'ai juste besoin de boire un verre.

— Je l'ai rangée dans le placard au-dessus de l'évier.

Elle alla ouvrir le placard, attrapa la bouteille et se servit.

— Suzanne Hope devait avoir dans les vingt-cinq ans. C'était son premier bébé. Tu sais comment sont les futures mamans à cet âge-là... toutes radieuses et débordantes de bonheur, comme si leur grossesse était une grande première mondiale. Suzanne était très gentille. Tout le monde lui parlait du futur bébé. Elle nous racontait son régime vitaminé. Elle dressait des listes de prénoms. Elle ne voulait pas savoir si c'était une fille ou un garçon. Elle préférait la surprise. On l'aimait bien.

Ravalant une remarque caustique, Adam opta pour un commentaire plus neutre.

— Je croyais que tu y allais pour pouvoir lire au calme.

— C'est vrai. Mais bon, c'est comme ça que tout a commencé. J'appréciais la compagnie de ces gens-là. Je sais, ç'a l'air ridicule, mais j'étais contente de les retrouver.

En un sens, ils n'existaient que dans cet espace-temps particulier. C'est comme tes matchs de basket improvisés, tu te souviens ? Tu t'entendais à merveille avec les gars qui venaient jouer, mais tu ne savais rien d'eux. Il y en avait un qui était le patron d'un restaurant où on allait manger de temps en temps, et tu ne t'en étais même pas rendu compte.

— Oui, d'accord, Corinne. Mais je ne vois toujours pas le rapport.

— Je veux juste que tu comprennes. Je me suis fait des amis là-bas. Les gens allaient et venaient. Tiens, Jerry, par exemple. Un beau jour, il a disparu. On s'est dit qu'il avait trouvé du travail, mais ce n'était qu'une supposition. Il a simplement cessé de venir. Pareil pour Suzanne. On a pensé qu'elle avait accouché. Elle avait déjà pas mal de retard. Et puis, hélas, au début du second semestre, c'en a été fini de la double pause-déjeuner, et moi aussi j'ai décroché. C'était un turnover permanent.

Adam n'était pas plus avancé, mais il décida de ne pas la brusquer. Quelque part, ça lui laissait le temps d'envisager toutes les options possibles. Il jeta un coup d'œil sur la table de la cuisine où Thomas et Ryan avaient mangé et rigolé, se croyant à l'abri des coups du sort.

Corinne but une grande gorgée de vin. Pour l'encourager à poursuivre, il demanda :

— Et tu ne les as pas revus depuis ?

Elle sourit presque.

— Justement, c'est ça, l'histoire.

— Quoi ?

— J'ai revu Suzanne. Peut-être trois mois plus tard.

— Au Book Ends ?

Elle secoua la tête.

— Non, dans un Starbucks à Ramsey.

— Elle a eu un garçon ou une fille ?

Corinne esquissa un petit sourire triste.

— Ni l'un ni l'autre.

Ne sachant que penser, Adam se contenta d'un simple :

— Ah bon.

Corinne le regarda droit dans les yeux.

— Elle était enceinte.

— Qui ça, Suzanne ?

— Oui.

— Quand tu l'as vue au Starbucks ?

— Oui. Sauf que c'était trois mois après notre dernière rencontre. Et elle était toujours enceinte de huit mois.

Adam hocha la tête. Il avait enfin compris.

— Elle faisait semblant.

— Oui. J'étais allée à Ramsey chercher un nouveau manuel, à l'heure du déjeuner. Suzanne devait penser qu'elle avait peu de chances de croiser quelqu'un de son ancienne bande du Book Ends. J'étais en train de commander un café au comptoir quand j'ai entendu sa voix. C'était bien elle, assise dans un coin, parlant de son régime vitaminé à un groupe de clients captivés.

— Ça me dépasse.

Corinne pencha la tête.

— Vraiment ?

— Pas toi ?

— Non, j'ai tout de suite capté. Je me suis approchée, et là, elle a cessé de rayonner : comment expliquer une grossesse de huit mois à rallonge ? Je suis restée là et j'ai attendu. Elle espérait sûrement que je partirais, mais je n'ai pas bougé. J'ai appelé le lycée pour qu'on me remplace. Je leur ai dit que j'avais crevé.

— Tu as finalement réussi à lui parler ?

— Oui. Elle m'a dit qu'elle habitait à Nyack, dans l'État de New York.

Autrement dit, à une bonne demi-heure à la fois du Book Ends et du Starbucks.

— Elle m'a raconté qu'un jour elle avait accouché d'un enfant mort-né. Je doute que ce soit vrai, mais bon, admettons. Au fond, l'histoire de Suzanne est beaucoup plus simple. Certaines femmes adorent être enceintes. Ce n'est pas une question de poussée hormonale, ni de bébés qui grandissent en elles. Leurs raisons sont plus terre à terre. C'est le seul moment de leur vie où on fait attention à elles. On leur tient la porte. On s'enquiert de leur santé. On leur demande : « C'est pour quand ? » Bref, c'est une forme de célébrité. Suzanne est une fille assez ordinaire. La grossesse lui donnait l'impression d'être quelqu'un. Agissant comme une drogue, quoi.

Adam se rappela l'accroche sur Grossesse-Bidon.com : *Être enceinte, le meilleur moyen de devenir le centre de l'attention !*

— Donc, elle faisait semblant d'être enceinte pour pouvoir continuer à planer ?

— Oui. Elle mettait son faux ventre et allait au café. Succès garanti.

— Mais ça ne pouvait pas durer ! On ne peut être enceinte de huit mois que pendant un mois ou deux, pas plus.

— C'est pour ça qu'elle changeait d'endroit. Va savoir depuis combien de temps elle faisait ça… ou si elle ne le fait pas encore. Elle m'a dit que son mari ne s'intéressait pas à elle. Après le boulot, il allait s'installer direct devant la télé ou alors il restait au bar avec des copains. Ça aussi, j'ignore si c'est vrai. Mais peu importe. Elle jouait la comédie dans d'autres endroits que le café. Par exemple, au lieu d'aller au supermarché du coin, elle faisait ses courses dans les villes voisines. Les gens lui souriaient. Au cinéma, elle avait toujours une bonne place. Pareil en avion.

— Pfff, fit Adam. C'est glauque.

— Mais tu as compris ?

— Parfaitement. Elle devrait aller voir un psy.

— Je ne sais pas. Elle ne fait de mal à personne.

— Mais à elle, avec son faux ventre ?

Corinne haussa les épaules.

— C'est un peu limite, je l'admets, mais il y a des gens qui attirent l'attention parce qu'ils sont beaux. Ou parce qu'ils ont hérité d'une fortune. Ou parce qu'ils exercent un métier prestigieux.

— Ou parce qu'ils mentent sur leur grossesse, dit Adam.

Silence.

— C'est donc ton amie Suzanne qui t'a parlé de Grossesse-Bidon.com ?

Elle tourna le dos.

— Corinne ?

— C'est tout ce que j'ai à te dire pour l'instant.

— Tu plaisantes ?

— Non.

— Tu cherches à te faire remarquer comme ta Suzanne ? Ce n'est pas une attitude normale, tu le sais bien. Il doit y avoir un trouble mental là-dessous.

— J'ai besoin de réfléchir.

— Réfléchir à quoi ?

— Il est tard. Je suis fatiguée.

— Tu déconnes.

— Arrête.

— Quoi ?

Corinne pivota vers lui.

— Toi aussi, tu le ressens, n'est-ce pas, Adam ?

— De quoi parles-tu ?

— Nous avançons sur un terrain miné, répliqua-t-elle. Comme si on nous avait parachutés là-dedans, et le moindre pas risque de nous faire marcher sur une charge explosive et de tout faire sauter.

Elle le regarda. Il la regarda.

— Ce n'est pas moi qui nous ai parachutés dans un champ de mines, fit-il entre ses dents.

— Je vais me coucher. On en reparlera demain matin.

Adam lui barra le passage.

— Tu n'iras nulle part.

— Tu comptes faire quoi, Adam ? Me frapper ?

— Tu me dois une explication.

Elle secoua la tête.

— Tu ne comprends pas.

— Je ne comprends pas quoi ?

Corinne lui fit face.

— Comment as-tu découvert ça ?

— Peu importe.

— Au contraire, c'est d'une importance capitale, murmura-t-elle. Qui t'a dit d'aller fouiner dans nos anciens relevés bancaires ?

— Un inconnu.

Elle fit un pas en arrière.

— Qui ?

— Un gars. Que je n'avais encore jamais vu. Il m'a abordé à l'American Legion pour me parler de ça.

Corinne se passa la main sur le visage comme pour tenter d'y voir plus clair.

— Je ne comprends pas. Quel gars ?

— Je viens de te le dire. Un inconnu.

— Cela mérite réflexion.

— Non, d'abord tu vas m'expliquer ce qui se passe.

— Pas ce soir.

Elle posa les mains sur ses épaules. Il recula comme si elle l'avait ébouillanté.

— Ce n'est pas ce que tu crois, Adam. Il y a autre chose.

— Maman ?

Adam fit volte-face. Ryan se tenait en haut de l'escalier.

— Est-ce que l'un de vous deux peut m'aider à faire mon devoir de maths ?

Sans hésiter, Corinne plaqua un sourire sur son visage.

— J'arrive, chéri.

À Adam, elle chuchota :

— Demain. C'est trop grave. S'il te plaît, donne-moi jusqu'à demain.

10

QUE POUVAIT-IL FAIRE ?

Corinne s'était murée dans le silence. Plus tard, seul avec elle dans leur chambre, il essaya la colère, les supplications, l'insistance, les menaces. Il fit appel à l'amour, à la dérision, à l'orgueil, au remords. Elle ne réagit pas. C'était extrêmement frustrant.

À minuit, Corinne retira soigneusement ses dormeuses en diamant et les posa sur la table de chevet. Elle éteignit la lumière, souhaita une bonne nuit à Adam et ferma les yeux. Éperdu, Adam fut à deux doigts de recourir à la force – genre lui arracher la couverture –, mais à quoi bon ? Il avait envie de la secouer pour la faire parler ou du moins lui faire entendre raison. Mais, à douze ans, Adam avait vu son père porter la main sur sa mère. Elle l'avait provoqué... c'était dans son caractère, hélas. Elle l'insultait, mettait en doute sa virilité, et, un soir, il avait fini par craquer. Il l'avait saisie par le cou et avait commencé à l'étrangler.

Bizarrement, ce n'était pas tant la crainte ni l'horreur que ce geste lui inspirait, mais la pitié. Pitié de voir son père réduit à un état de faiblesse tel qu'il avait dû se livrer à cet acte contre nature. Un acte qui ne lui ressemblait pas.

Jamais Adam ne lèverait la main sur une femme. Pas seulement parce que c'était mal. Mais à cause des conséquences que cela aurait sur lui.

Ne sachant que faire, il se glissa dans le lit à côté de Corinne. Il tapa sur son oreiller pour lui donner la forme voulue, posa la tête dessus et ferma les yeux. Dix minutes passèrent. C'était peine perdue. Il descendit, l'oreiller sous le bras, et essaya de dormir sur le canapé.

Il mit le réveil à 5 heures pour être sûr de remonter avant que les garçons ne soient levés. Précaution inutile. Si le sommeil l'avait visité, ce fut une visite trop brève pour qu'il s'en rende compte. Lorsqu'il eut regagné leur chambre, Corinne dormait profondément. À en juger par sa respiration, elle ne faisait pas semblant. Il se souvint avoir lu quelque part que les flics évaluaient la culpabilité d'un suspect à la qualité de son sommeil. Un innocent laissé seul en garde à vue restait éveillé à cause de son désarroi et de l'angoisse d'être accusé à tort. Un coupable n'avait aucun mal à s'endormir. Adam n'y avait jamais cru : certes la théorie était séduisante, mais peu plausible. Et cependant lui, l'innocent, n'arrivait pas à fermer l'œil, alors que sa femme – la coupable ? – dormait comme un nouveau-né.

Il fut tenté de la réveiller pour lui extorquer la vérité dans cet état intermédiaire entre le rêve et la conscience, mais il savait que ça ne marcherait pas. Corinne était quelqu'un de prudent. Elle ne parlerait que quand elle l'aurait décidé. Et il serait déraisonnable de pousser le bouchon trop loin.

Mais alors, que faire ?

La vérité, il la connaissait déjà. Avait-il réellement besoin de l'entendre confirmer qu'elle avait simulé sa grossesse et la fausse couche ? Si ce n'était pas le cas, elle se serait empressée de nier. Corinne cherchait à gagner du temps… pour trouver une explication qui tienne la route ou peut-être pour qu'il se calme et réfléchisse à ce qu'il allait faire.

Et que pouvait-il faire ?

Était-il prêt à prendre la porte ? À demander le divorce ?

Il n'avait pas la solution. Debout au pied du lit, Adam la regardait dormir. Qu'éprouvait-il pour elle ? Si c'était vrai, l'aimerait-il toujours, voulait-il passer le reste de sa vie avec elle ?

Ses sentiments étaient mitigés, mais d'instinct, il avait envie de répondre par l'affirmative.

Le mensonge était énorme, sans aucune discussion possible. Énorme.

Mais était-ce suffisant pour briser leur vie… ? Chaque famille cache un squelette dans un placard. Pourrait-il cohabiter avec ce squelette-là ?

Adam n'en savait rien. Il devait donc marcher sur des œufs. Se montrer patient. Écouter ses arguments, aussi fallacieux soient-ils.

Ce n'est pas ce que tu crois, Adam. Il y a autre chose.

Peut-être, mais il ne voyait pas quoi. Il se faufila sous les couvertures, ferma les yeux un instant.

Il les rouvrit trois heures plus tard. L'épuisement avait eu raison de sa résistance. Il tourna la tête : la place à côté de lui était vide. Il bascula ses jambes hors du lit. Ses pieds heurtèrent le plancher avec un bruit sourd. La voix de Thomas lui parvint d'en bas. Des deux frères, c'était toujours le même qui parlait, et l'autre qui écoutait.

Où était Corinne ?

Adam regarda par la fenêtre. Son minivan était dans l'allée. Il descendit sans bruit… pourquoi, il n'aurait su le dire. Peut-être pour tenter de la surprendre avant qu'elle ne parte travailler. Les garçons étaient à table. Corinne

97

avait préparé son casse-croûte préféré – décidément, elle se mettait en frais côté cuisine –, un bagel au sésame avec œuf, bacon et fromage. Ryan était en train de manger un bol de Reese's Puffs, petit déjeuner santé, en lisant religieusement le dos de la boîte.

— Salut, les gars.

Deux grognements. Aucun des garçons n'avait envie de converser avec ses parents pendant le petit déjeuner.

— Où est maman ?

Deux haussements d'épaules.

Il pénétra dans la cuisine et jeta un œil par la fenêtre. Corinne était dans le jardin, le dos tourné, un téléphone collé à l'oreille.

Adam sentit son visage s'empourprer.

L'entendant sortir, Corinne pivota et leva le doigt pour lui demander de patienter une seconde. Il n'en fit rien. Il fonça vers elle. Elle raccrocha et glissa le téléphone dans sa poche.

— Qui c'était ?

— Le lycée.

— Mon œil. Fais voir le téléphone.

— Adam…

Il tendit la main.

— Donne-le-moi.

— Pas d'esclandre devant les garçons.

— Arrête tes conneries, Corinne. Je veux savoir ce qui se passe.

— On n'a pas le temps. Je dois être au lycée dans dix minutes. Ça ne t'ennuie pas d'accompagner les garçons ?

— Tu es sérieuse ?

Elle fit un pas vers lui.

— Il est trop tôt pour te dire ce que tu veux savoir.

Il faillit la frapper. Il faillit lever le poing et…

— À quoi tu joues, Corinne ?

— Et toi ?

— Hein ?

— Quel est le pire scénario, d'après toi ? demanda-t-elle. Réfléchis-y. Et si c'est vrai, as-tu l'intention de nous quitter ?

— Nous ?

— Tu m'as comprise.

Il mit une seconde à recouvrer l'usage de la parole.

— Je ne peux pas vivre avec quelqu'un en qui je n'ai pas confiance.

Elle inclina la tête.

— Et tu n'as pas confiance en moi ?

Il ne dit rien.

— Tout le monde a des secrets. Même toi, Adam.

— Je ne t'ai jamais caché une chose pareille. Mais clairement, j'ai ma réponse.

— Non.

Se penchant au plus près de lui, elle le regarda dans les yeux.

— Mais tu l'auras bientôt. Je te le promets.

— Quand ?

— Allons dîner dehors ce soir. 19 heures, chez Janice. La table du fond. On en discutera là-bas.

11

DES FIGURINES EN PORCELAINE s'alignaient sur l'étagère du haut. Une petite fille avec un âne, trois enfants jouant à « Jacques a dit », un garçonnet avec une chope de bière et un autre poussant une fillette sur une balançoire.

— Eunice adore ça, dit le vieil homme à Adam. Moi, je peux pas les blairer. Ça me donne la chair de poule. Je les verrais bien dans un film d'horreur, tiens. À la place du clown effrayant ou du korrigan. Imaginez un peu, si ces trucs-là s'animaient.

Les murs de la cuisine étaient couverts de vieux lambris. Un magnet *Viva Las Vegas* décorait le frigo. Il y avait une boule à neige avec trois flamants roses sur la corniche au-dessus de l'évier. Avec l'inscription en caractères fleuris : *Miami, Fla.* Le « Fla », c'était sans doute pour qu'on sache qu'il s'agissait bien de Miami en Floride. Sur le mur de droite étaient accrochées des assiettes de la collection *Le Magicien d'Oz* et une horloge en forme de chouette qui bougeait les yeux. Le mur de gauche était tapissé de plaques et certificats défraîchis retraçant la longue et honorable carrière du lieutenant-colonel à la retraite Michael Rinsky.

Suivant la direction de son regard, Rinsky marmonna :

— C'est Eunice qui a tenu à ce qu'on les accroche là.

— Elle est fière de vous.

— Mais oui, c'est ça.

Adam se retourna vers lui.

— Parlez-moi de la visite du maire.

— Rick Gusherowski. Je l'ai coincé deux fois quand il était au lycée, une fois pour conduite en état d'ébriété.

— Il a été condamné ?

— Non, il a appelé son vieux pour qu'il vienne le chercher. Il y a trente ans de ça au moins. On était plus coulants en ce temps-là. La conduite en état d'ivresse était considérée comme un délit mineur. Quelle ânerie.

Adam hocha la tête pour montrer qu'il l'approuvait.

— Maintenant, les règles sont beaucoup plus strictes. Ça fait moins de morts. Bref, Rick vient frapper à ma porte. Monsieur le maire. Costume et drapeau américain à la boutonnière. Pas la peine de faire son service militaire, de venir en aide aux plus défavorisés… un petit drapeau à la boutonnière, et hop, on est un patriote.

Adam dissimula un sourire.

— Voilà donc mon Rick qui débarque toutes dents dehors en bombant le torse. « Les promoteurs vous offrent beaucoup d'argent », qu'il me dit. Et de me bassiner avec leur générosité à la gomme.

— Qu'avez-vous répondu ?

— Rien. Je l'ai regardé, c'est tout. Pendant qu'il pérorait.

Il désigna la table de la cuisine, l'invitant à s'asseoir. Adam ne voulait pas prendre la place d'Eunice, ça le gênait.

— Je me mets où ? demanda-t-il.

— N'importe.

Ils s'assirent. La toile cirée qui recouvrait la table était vieille et le dessus un peu collant, comme beaucoup de toiles cirées. Les chaises étaient toujours au nombre de cinq, bien que les trois garçons qu'Eunice et lui avaient élevés sous ce même toit aient grandi et quitté le nid.

— Ensuite, il me sort l'argument de l'intérêt public. « Vous barrez la route au progrès. Des gens vont perdre leurs emplois à cause de vous. La criminalité va augmenter. » Vous connaissez la chanson.

— Je connais, opina Adam.

Il l'avait entendue maintes fois, et il n'y était pas totalement hermétique. Au fil des ans, ce quartier du centre-ville s'était vidé de ses habitants. Un promoteur, bénéficiant d'abattements fiscaux faramineux, avait racheté tous les bâtiments de la rue. Il voulait raser les maisons, les immeubles et les commerces délabrés et les remplacer par des résidences flambant neuves, des magasins Gap et des restaurants classieux. Ce n'était pas une si mauvaise idée. On pouvait railler le phénomène de boboïsation, mais une ville avait aussi besoin de sang neuf.

— Et le voilà parti à disserter sur un Kasselton tout nouveau tout beau, comme quoi le quartier serait sécurisé, les gens reviendraient et patati et patata. Et, cerise sur le gâteau, le promoteur a construit une nouvelle résidence pour seniors dans la ville haute. Là-dessus, il a le culot de se pencher par-dessus la table et de me regarder avec des yeux de merlan frit. « Pensez à Eunice », qu'il me sort.

— Ouille, fit Adam.

— Comme vous dites. Et donc je devrais accepter cette offre, car la prochaine sera moins favorable, et ils pourront me jeter dehors. C'est vrai, ça ?

— Ils pourraient, oui.

— On a acheté cette maison en 1970 grâce au prêt que j'ai eu en quittant l'armée. Eunice... elle va bien, mais des fois son esprit déraille. Les lieux inconnus, ça lui fait peur. Elle se met à pleurer, à trembler, mais quand

102

elle rentre à la maison, elle voit la cuisine, ses horribles figurines ou le vieux frigo, et ça va tout de suite mieux. Vous comprenez ?

— Je comprends.

— Pouvez-vous nous aider ?

Adam se renversa sur sa chaise.

— Je pense que oui.

Rinsky le scruta brièvement. Il avait le regard perçant. Adam changea de position. Ce type-là avait dû être un flic d'exception.

— Vous faites une drôle de tête, monsieur Price.

— Appelez-moi Adam. Quel genre de tête ?

— Je suis un vieux flic, rappelez-vous.

— Je ne l'ai pas oublié.

— Je me targue de savoir déchiffrer les expressions.

— Et la mienne, elle vous dit quoi ?

— Que vous êtes en train de mijoter un sale coup.

— Possible, répliqua Adam. Je crois pouvoir boucler votre affaire rapidement, si vous avez le cœur bien accroché.

Le vieil homme sourit.

— Ai-je l'air de quelqu'un qui craint la bagarre ?

12

QUAND ADAM ARRIVA CHEZ LUI à 18 heures, la voiture de Corinne n'était pas dans l'allée.

Cela ne le surprit qu'à moitié. D'habitude, elle rentrait avant lui, mais peut-être que, redoutant un nouvel esclandre, elle avait sagement décidé de le retrouver directement chez Janice. Il suspendit sa veste, posa sa mallette dans un coin. Les sacs à dos et les sweat-shirts des garçons jonchaient le sol comme des débris après une catastrophe aérienne.

— Ohé ! cria-t-il. Thomas ? Ryan ?

Pas de réponse. Il fut un temps où ç'aurait pu être un mauvais signe, mais avec les jeux vidéo, les casques et le goût immodéré des ados pour les « douches » – sans doute un euphémisme ? –, il n'y avait plus matière à s'alarmer. Adam gravit les marches. Effectivement, on entendait la douche couler. Ce devait être Thomas. La porte de la chambre de Ryan était fermée. Il tambourina brièvement et la poussa sans attendre. Si la musique dans le casque était suffisamment forte, Ryan n'entendrait pas frapper ; d'un autre côté, s'il ouvrait la porte sans s'annoncer, il aurait l'impression de violer l'intimité de son fils. Frapper et entrer semblait être une solution acceptable à ce dilemme parental.

Allongé sur le lit, un casque sur la tête, Ryan était en train de tripatouiller son iPhone. Il retira les écouteurs, se rassit.

— Salut, papa.

— Salut, toi.

— Qu'est-ce qu'on mange ? demanda Ryan.

— Bien, merci. Beaucoup de boulot, mais, globalement, je dirais que j'ai passé une bonne journée. Et toi ?

Ryan se borna à le dévisager. C'était une autre de ses manies.

— Tu as vu ta mère ? questionna Adam.

— Non.

— On va chez Janice ce soir, elle et moi. Tu veux que je vous commande une pizza ?

Existe-t-il une question plus rhétorique que de demander à votre enfant s'il veut une pizza pour son dîner ? Ryan ne prit même pas la peine d'acquiescer. Il passa directement à :

— On peut l'avoir au poulet mariné ?

— Ton frère aime le chorizo, répondit Adam, alors on va faire moitié-moitié.

Ryan fronça les sourcils.

— Quoi, qu'est-ce qu'il y a ?

— Une seule pizza ?

— Vous n'êtes que deux.

Mais Ryan n'avait pas l'intention de céder.

— Si vous avez encore faim, il y a des chipwichs à la crème glacée en dessert au congélateur, dit Adam. Ça te va ?

À contrecœur :

— Ouais.

Adam alla dans sa chambre, s'assit sur le lit et appela la pizzeria pour passer la commande. Il y fit rajouter des bâtonnets au fromage. Franchement, nourrir deux ados, c'était comme remplir une baignoire avec une cuillère à café. Corinne se plaignait constamment – avec bonne humeur, la plupart du temps –, mais il est vrai qu'elle allait faire les courses au moins un jour sur deux.

— Salut, p'pa.

Thomas portait une serviette autour de la taille. De l'eau gouttait de ses cheveux. Il sourit et demanda :

— Il y a quoi au dîner ?

— Je viens de vous commander une pizza.

— Au chorizo ?

— Moitié chorizo, moitié poulet mariné.

D'un geste, Adam coupa court à toute tentative d'objection.

— Et des bâtonnets au fromage.

Thomas leva les pouces.

— Super.

— Vous n'êtes pas obligés de tout manger. Pensez juste à ranger les restes au frigo.

Thomas prit un air perplexe.

— C'est quoi, des restes ?

Adam secoua la tête en s'esclaffant.

— Tu m'as laissé de l'eau chaude ?

— Un peu.

— Parfait.

En d'autres circonstances, il n'aurait pas forcément pris une douche, mais il avait du temps devant lui, et il ne tenait pas en place. Il se doucha rapidement, utilisant ce qui restait d'eau chaude, et rasa sa barbe de cinq heures à la Homer Simpson. Du fond de l'armoire de toilette, il sortit l'after-shave que Corinne aimait bien. Il n'en mettait plus depuis un moment déjà. Il n'aurait pas su dire pourquoi. Pas plus qu'il ne savait pourquoi il en avait mis ce soir.

Il enfila une chemise bleue, car le bleu, disait Corinne,

106

se mariait bien avec ses yeux. Aussitôt, il se sentit bête et faillit se changer. Oh, et puis zut. En sortant, il jeta un œil sur la chambre qui était la leur depuis si longtemps. Le grand lit était fait avec soin. Il y avait trop d'oreillers dessus – depuis quand empilait-on autant d'oreillers sur un lit ? –, mais Corinne et lui avaient passé de longues années ici. Un fait simple, anodin. C'était juste une chambre. Juste un lit.

Une petite voix souffla à Adam que, selon la façon dont se passerait le dîner, Corinne et lui ne dormiraient peut-être plus jamais dans ce lit.

On sonna à la porte. Aucune réaction de la part des garçons. Ils ne réagissaient à rien. À croire qu'ils avaient été entraînés à ne pas répondre au téléphone (ce n'était jamais pour eux) ni à aller ouvrir la porte (c'était généralement un livreur). Sitôt qu'Adam eut payé, ils dévalèrent l'escalier comme un troupeau de percherons lâchés dans la nature.

— Assiettes en carton, ça ira ? lança Thomas.

Ryan et lui utilisaient les assiettes en carton uniquement parce que ça leur faisait moins de boulot, mais ce soir, les parents étant absents, le message était clair : si Adam les obligeait à prendre de vraies assiettes, ils les trouveraient dans l'évier à leur retour. Corinne se plaindrait ; il crierait aux garçons de descendre ranger leurs assiettes dans le lave-vaisselle. Ils répondraient qu'ils allaient le faire – mais oui, bien sûr –, et qu'ils en avaient pour cinq (lire : quinze) minutes, le temps que leur émission se termine. Cinq (lire : quinze) minutes plus tard, Corinne se plaindrait à nouveau de leur attitude je-m'en-foutiste, et Adam les rappellerait en haussant le ton.

Les joies de la vie de famille.

— Les assiettes en carton, c'est parfait, répondit le père de famille.

Ses deux fils se jetèrent sur la pizza comme s'ils répétaient la scène finale du *Jour du fléau*. Entre deux bouchées, Ryan regarda son père avec curiosité.

— Quoi ? dit Adam.

Ryan déglutit avec effort.

— Je croyais que vous alliez juste dîner chez Janice.

— C'est bien ce qui est prévu.

— Alors pourquoi tu t'es mis sur ton trente et un ?

— Je suis habillé tout à fait normalement.

— C'est quoi, cette odeur ? renchérit Thomas.

— Tu t'es parfumé ?

— Beurk ! Ça gâche le goût de la pizza.

— Lâchez-moi les baskets, fit Adam.

— J'échange une part de chorizo contre une part de poulet, O.K. ?

— Non.

— Allez, juste une part.

— Plus un bâtonnet.

— Sûrement pas. La moitié d'un.

Adam n'attendit pas la fin des tractations.

— Nous ne rentrerons pas tard, dit-il en se dirigeant vers la porte. Faites vos devoirs et n'oubliez pas de mettre la boîte de pizza dans la poubelle de recyclage.

Il passa devant la nouvelle école de yoga dans Franklin Avenue et trouva une place juste en face du bistrot de Janice. Il avait cinq minutes d'avance. Il chercha des yeux la voiture de sa femme et ne la vit pas, mais elle avait dû se garer sur le parking de derrière.

David, le fils de Janice, l'accueillit à l'entrée et l'escorta vers la table du fond. Pas de Corinne. Il était le premier, et alors ? Deux minutes plus tard, Janice émergea de la cuisine. Adam se leva pour lui faire la bise.

— Vous avez votre vin ? s'enquit-elle.

Chez elle, on apportait toujours sa propre boisson.

Adam et Corinne venaient généralement avec une bouteille de vin.

— J'ai oublié.

— Peut-être que Corinne y aura pensé.

— Ça m'étonnerait.

— Je peux envoyer David chez Carlo Russo.

Carlo Russo était un magasin de vins et spiritueux un peu plus loin dans la rue.

— Ça ira.

— Ce n'est pas un problème. Ce soir, c'est calme. David ?

Janice se retourna vers Adam.

— Vous prendrez quoi ?

— Sûrement des escalopes de veau à la milanaise.

— David, va chercher une bouteille de Paraduxx Z pour Adam et Corinne.

David revint peu après. Corinne n'était toujours pas là. Il déboucha la bouteille, remplit leurs verres. À 19 h 15, Adam sentit une boule grossir au creux de son estomac. Il envoya un SMS à Corinne. Pas de réponse. À 19 h 30, Janice vint lui demander si ça allait. Il l'assura que oui. Corinne avait dû être retenue… une réunion de parents d'élèves, à tous les coups.

Adam fixa le téléphone, le sommant de vibrer. À 19 h 45, l'appareil bourdonna enfin. C'était un SMS de Corinne.

ON DEVRAIT PEUT-ÊTRE FAIRE UN BREAK.
PRENDS SOIN DES ENFANTS. N'ESSAIE PAS
DE ME CONTACTER. TOUT IRA BIEN.

Puis :

LAISSE-MOI JUSTE QUELQUES JOURS. S'IL TE PLAÎT.

13

POUR ESSAYER D'AVOIR UNE RÉPONSE, Adam envoya plusieurs SMS désespérés du style : Ce n'est pas une façon de procéder ; Appelle, s'il te plaît ; Où es-tu ? ; Combien de jours ?, etc. Il se montra tour à tour gentil, méchant, calme, énervé.

Mais sans aucun résultat.

Et s'il lui était arrivé quelque chose ?

Il inventa une excuse bidon pour Janice... Corinne était coincée, et ils étaient obligés d'annuler. Elle insista pour qu'il reparte avec les deux escalopes à la milanaise. Adam voulut protester, mais à quoi bon ?

En arrivant dans sa rue, il espéra vaguement que, peut-être, Corinne avait changé d'avis et était rentrée à la maison. Lui en vouloir était une chose, mais le faire payer aux garçons ? Sauf que sa voiture n'était pas dans l'allée, et la première phrase de Ryan quand il ouvrit la porte fut :

— Où est maman ?

— Elle a été retenue au boulot, répondit Adam brièvement, sur un ton absent.

— J'ai besoin de ma tenue pour les matchs à domicile.

— Et alors ?

— Je l'avais mise au sale. Tu sais si maman a fait la lessive ?

— Non. Tu as regardé dans le panier à linge ?

— Oui.

— Et dans tes tiroirs ?

— Aussi.

Souvent, on repère les défauts de son conjoint chez l'un ou l'autre de ses enfants. Ryan avait hérité de Corinne une tendance à s'angoisser pour des broutilles. Les gros soucis – paiement de la maison, maladies, catastrophes, accidents – ne la dérangeaient pas. Elle gérait ça d'une main de maître. Pour compenser peut-être le fait qu'elle se laissait miner par les mille petits tracas ordinaires du quotidien. Ou parce que, en véritable sportive de haut niveau, Corinne assurait face aux épreuves.

Bien sûr, pour être tout à fait juste, la question était d'importance pour Ryan.

— Si ça se trouve, elle est dans la machine à laver ou dans le sèche-linge, fit Adam.

— J'ai déjà vérifié.

— Alors je ne sais pas quoi te dire, mon grand.

— Elle rentre à quelle heure, maman ?

— Aucune idée.

— Vers dix heures ?

— Quel mot tu ne comprends pas dans « Aucune idée » ?

Il avait involontairement haussé le ton. Tout comme sa mère, Ryan était hypersusceptible.

— Je ne voulais pas…, commença Adam.

— Je vais lui envoyer un SMS.

— Parfait. Oh, et tu me diras ce qu'elle t'aura répondu.

Ryan hocha la tête et se mit à pianoter sur son iPhone.

Corinne ne répondit pas tout de suite. Ni une heure plus tard. Ni même deux heures après. Adam improvisa une explication sur une réunion de parents-profs qui se serait prolongée. Les garçons le crurent, vu qu'ils ne réfléchissaient pas beaucoup à ces choses-là. Il promit à Ryan de retrouver sa tenue avant le match.

Pendant ce temps, il ne se posait pas les vraies questions. Était-il arrivé malheur à Corinne ? Devait-il prévenir la police ?

Non, ce serait ridicule. Les flics entendraient parler de leur dispute, liraient le SMS de Corinne et l'enverraient paître. Et d'ailleurs, était-ce si surprenant que sa femme veuille prendre du recul après ce qu'il venait de découvrir ?

Adam dormit d'un sommeil haché, consultant constamment son téléphone au cas où Corinne lui aurait envoyé un message. Rien. À 3 heures, il se glissa dans la chambre de Ryan pour jeter un œil sur le téléphone de son fils. Rien. Cela n'avait aucun sens. Bon, d'accord, elle cherchait à éviter Adam. Elle était peut-être en colère, elle avait peur ou elle se sentait piégée. Cela expliquait pourquoi elle aurait voulu s'éloigner pour quelques jours.

Mais les garçons ?

Corinne les aurait-elle abandonnés comme ça, sans un mot, du jour au lendemain ?

… Prends soin des enfants. N'essaie pas de me contacter…

C'était quoi, ce délire ? Pourquoi ne devait-il pas la contacter ? Et qu'en était-il de… ?

Il se dressa sur le lit au moment où le soleil filtrait par les fenêtres. Au fait… !

Corinne pouvait le laisser tomber. L'obliger même à s'occuper des garçons.

Mais quid de ses élèves ?

Elle prenait ses fonctions d'enseignante, comme tout ce qui la touchait de près, très à cœur. Étant un peu maniaque sur les bords, elle ne supportait pas de laisser sa classe à quelque remplaçant mal préparé, ne serait-ce qu'une journée. C'est drôle, maintenant qu'il y pensait. En quatre ans, Corinne n'avait manqué les cours qu'une seule fois.

Le lendemain de sa « fausse couche ».

Un jeudi soir, de retour chez lui, Adam l'avait trouvée au lit en pleurs. Quand les contractions avaient commencé, elle avait pris la voiture pour aller chez le médecin. Trop tard, mais de toute façon, avait-elle expliqué, le médecin n'aurait rien pu faire. Ce sont des choses qui arrivent, lui avait-il dit.

— Pourquoi ne m'as-tu pas appelé ? avait demandé Adam.

— Je ne voulais pas t'inquiéter ni que tu te précipites ici. Ça n'aurait rien changé.

Et il l'avait crue.

Corinne avait voulu retourner travailler le lendemain, mais Adam s'y était fermement opposé. Elle avait vécu un événement traumatique. On ne se lève pas le lendemain pour aller au travail, comme si de rien n'était. Il lui avait apporté le téléphone.

— Appelle le lycée. Dis-leur que tu ne pourras pas venir.

Elle s'était exécutée à contrecœur, annonçant qu'elle reviendrait le lundi suivant. Sur le coup, Adam avait pensé que c'était typique de Corinne. Aller de l'avant. Ne pas s'appesantir sur le passé. Il avait même été épaté par la rapidité avec laquelle elle s'en était remise.

Mon Dieu, ce qu'il avait pu être naïf !

D'un autre côté, qui irait soupçonner sa femme dans un moment aussi douloureux ? Encore maintenant, il avait du mal à comprendre pourquoi Corinne aurait commis un acte aussi… malveillant ? Insensé ? Désespéré ? Retors ?

Mais peu importait. L'essentiel, pour l'instant, c'est

113

que Corinne serait au lycée. Quelles que soient ses raisons, elle n'en avait aucune pour manquer les cours.

Les garçons étaient assez grands pour se préparer tout seuls. Adam réussit à éviter la confrontation directe à coups de réponses laconiques depuis sa chambre et en prétextant une longue douche matinale.

Une fois ses fils partis, il se rendit au lycée. La cloche avait dû sonner depuis peu. Ça tombait bien. Il pourrait coincer Corinne au moment où elle sortirait de sa classe pour se rendre à son premier cours. Sa salle portait le numéro 233. Il l'attendrait à la porte.

Bâti dans les années soixante-dix, le lycée à l'architecture jadis moderne, voire futuriste, ressemblait maintenant au décor défraîchi d'un vieux film de science-fiction, genre *L'Âge de cristal*. Comme il n'y avait aucune place libre sur le parking, Adam se gara sur un emplacement interdit – parfois, il faut savoir prendre des risques dans la vie – et se dirigea vers le bâtiment gris à la bordure bleu-vert décoloré. La porte latérale était verrouillée. Adam n'était encore jamais venu ici dans la journée, mais il savait que, à la suite des récentes fusillades et autres explosions de violence, tous les établissements scolaires avaient pris des mesures de sécurité drastiques. Il fit le tour : l'entrée principale était fermée, elle aussi. Il appuya sur le bouton de l'interphone.

Une caméra bourdonna doucement avant de se braquer sur lui, et une voix féminine lui demanda avec lassitude qui il était.

Adam afficha son sourire le plus désarmant.

— Je suis Adam Price. Le mari de Corinne.

La porte s'ouvrit. Sur un panneau on lisait : INSCRIVEZ-VOUS À L'ACCUEIL. Il hésita. S'il se signalait, on voudrait savoir pourquoi il était là et on appellerait probablement Corinne. Or il préférait la surprendre. L'accueil était situé

114

sur la droite. Adam allait tourner à gauche lorsqu'il aperçut un agent de sécurité armé. Il lui sourit. L'homme lui rendit son sourire. Maintenant, il n'avait plus le choix. Il bifurqua à droite, passa la porte et zigzagua entre les mères d'élèves massées là. Il y avait un énorme panier à linge au milieu de la pièce, où les parents déposaient les déjeuners que leurs gamins avaient oublié d'emporter.

L'horloge murale égrenait bruyamment les secondes. Il était 8 h 17. Trois minutes avant le début des cours. La feuille de présence réservée aux visiteurs était posée sur le comptoir. Adam prit le stylo le plus nonchalamment possible et signa rapidement, d'une écriture illisible. Puis il prit un badge. Les deux femmes derrière le comptoir étaient occupées et ne firent pas attention à lui.

Il s'engagea dans le couloir, brandissant son badge à l'adresse de l'agent de sécurité. Comme dans de nombreux lycées, on avait construit ici des extensions au fil du temps, ce qui rendait la traversée de ce labyrinthe quelque peu compliquée. Cependant, quand la cloche retentit, Adam était déjà en position pour surveiller la porte de la salle 233.

Les élèves se bousculaient et obstruaient les couloirs comme dans un documentaire médical sur les maladies coronariennes. Il attendit que leur flot tarisse. Quelques secondes plus tard, un jeune homme – tout juste la trentaine, peut-être moins – sortit de la salle et tourna à gauche.

Un remplaçant…

Adam se plaqua contre le mur. Était-ce une surprise ? Pas vraiment. Il repensa à la série d'événements – la fausse grossesse, l'inconnu, l'altercation – qui avaient poussé sa femme à prendre la clé des champs pendant plusieurs jours.

Tout ça n'avait ni queue ni tête.

Que faire ?

Rien. Pour l'instant du moins. Aller travailler. Vaquer à ses affaires. Réfléchir. Il lui manquait des éléments. Corinne l'avait dit elle-même.

Ce n'est pas ce que tu crois, Adam. Il y a autre chose.

Le couloir se vida. Adam rebroussa chemin. Perdu dans ses pensées, il sentit soudain une poigne d'acier lui agripper le bras. C'était Kristin Hoy.

— C'est quoi, ce bordel ? chuchota-t-elle.

— Qu'est-ce que tu dis ?

Ses muscles n'étaient clairement pas que de la gonflette. Elle l'entraîna dans une salle de chimie vide et ferma la porte. Il y avait là des postes de travail, des éprouvettes, des éviers munis de robinets à long col. Un tableau périodique des éléments occupait presque un pan entier du mur.

— Où est-elle ? demanda Kristin.

Ne sachant quelle attitude adopter, Adam opta pour la franchise.

— Je ne sais pas.

— Comment ça, tu ne sais pas ?

— Nous devions dîner ensemble hier soir. Elle n'est pas venue.

— Elle n'a pas… ?

Kristin secoua la tête, abasourdie.

— Tu as appelé la police ?

— Quoi ? Non.

— Pourquoi ?

— Je ne sais pas. Elle a envoyé un SMS dans lequel elle me disait avoir besoin de faire un break.

— Par rapport à quoi ?

Adam se borna à la regarder.

Kristin dit :

— Toi ?

— J'en ai bien l'impression.

— Oh, pardon.

Elle recula, penaude.

— Mais alors, qu'est-ce que tu fais ici ?

— Je voulais m'assurer qu'elle allait bien. Je pensais la trouver au collège.

Kristin parut réfléchir.

— Vous vous disputiez beaucoup, ces derniers temps.

Adam n'avait guère envie de se laisser entraîner dans ce genre de discussion, mais avait-il le choix ?

— On a eu un problème récemment, répondit-il d'une voix neutre.

— Ça ne me regarde pas, je suppose.

— En effet.

— Mais quelque part si, quand même, parce que Corinne a fait en sorte de m'impliquer.

— Que veux-tu dire ?

Kristin soupira, porta la main à sa bouche. En dehors du boulot, elle choisissait des tenues qui mettaient en valeur son corps sculpté. Des chemisiers sans manches, des shorts ou des minijupes, même quand la météo ne s'y prêtait pas. Ici, dans ces murs, son chemisier était plus sage, sans toutefois dissimuler les muscles du cou et des trapèzes.

— Moi aussi, j'ai reçu un message, fit-elle.

— Elle disait quoi ?

— Écoute, Adam, je ne tiens pas à me mêler de vos histoires de couple. Tu comprends ? Vous avez des problèmes. Ça, je m'en suis rendu compte.

— Nous n'avons pas de problèmes.

— Mais tu viens de dire…

— On a *un* problème, un seul, et c'est tout récent.

— Ça fait combien de temps ?

— Qu'on a ce problème ?

117

— Oui.

— Depuis avant-hier.

— Ah...

— Pourquoi « Ah » ?

— C'est que... je trouve Corinne bizarre depuis un peu plus d'un mois.

Adam s'efforça de ne rien laisser paraître.

— Bizarre comment ?

— Je ne sais pas, moi... changée. Elle a l'esprit ailleurs. Elle a manqué un cours ou deux et m'a demandé de la couvrir. Elle n'est pas venue aux séances d'entraînement et m'a dit...

Kristin se tut.

— Dit quoi ?

— Que... si quelqu'un la cherchait, il fallait répondre qu'elle était là, avec moi.

Silence.

— Elle parlait de moi, Kristin ?

— Elle n'a jamais dit ça, non. Bon, je te laisse. Il faut que j'aille en cours.

Adam se planta devant elle.

— Que disait-elle dans son SMS ?

— Comment ?

— Elle t'a envoyé un SMS hier. Pour te dire quoi ?

— Corinne est mon amie, tu comprends ?

— Je ne te demande pas de trahir une confidence.

— La raison, elle te l'a donnée. Peut-être qu'elle a besoin d'un break.

— C'est ce que dit son message ?

— Plus ou moins, oui.

— Elle l'a envoyé quand ?

— Hier après-midi.

— Après la classe ?

— Non, répondit Kristin lentement. Pendant.

— À quelle heure ?

— Je ne sais plus. Vers 14 heures.

— Elle n'était pas en cours ?

— Non.

— Hier non plus ?

— Non, fit Kristin. Je l'ai croisée dans la matinée. Elle était un peu perturbée. À cause de votre dispute, j'imagine.

Adam ne dit rien.

— Elle était censée surveiller l'étude pendant la pause-déjeuner, mais elle m'a demandé de la remplacer. Je l'ai vue partir en courant vers sa voiture.

— Pour aller où ?

— Je ne sais pas. Elle ne me l'a pas dit.

Silence.

— Est-elle revenue au lycée ?

Kristin secoua la tête.

— Non, Adam, on ne l'a plus revue.

14

L'INCONNU AVAIT COMMUNIQUÉ À HEIDI le lien du site SugarBaby.com, ainsi que l'identifiant de sa fille et son mot de passe. Le cœur lourd, Heidi se connecta et constata que tout était vrai.

L'inconnu ne lui avait pas révélé la vérité par bonté (ou noirceur) d'âme. Il réclamait de l'argent, bien sûr. Dix mille dollars. Si elle ne payait pas dans un délai de trois jours, le « passe-temps » de Kimberly ferait le tour des réseaux sociaux.

Heidi se déconnecta et alla s'asseoir sur le canapé. Elle hésita à se servir un verre de vin. À la place, elle pleura un bon coup. Ensuite, elle passa dans la salle de bains, se débarbouilla et retourna sur le canapé.

O.K., pensa-t-elle, *j'en fais quoi de ça ?*

Sa première décision fut la plus simple : ne rien dire à Marty. Elle n'aimait pas trop faire des cachotteries à son mari, mais si jamais il apprenait les activités annexes de sa fille chérie, il risquait de péter un plomb. Marty s'emportait facilement, et Heidi le voyait déjà sauter dans la voiture, foncer à Manhattan et traîner sa fille par les cheveux jusqu'à la maison.

Il n'avait pas besoin d'être au courant. Heidi non plus, d'ailleurs.

Maudits soient ces deux inconnus.

Lorsqu'elle était encore au lycée, Kimberly avait trop bu dans une soirée et s'était laissée aller à faire des choses avec un garçon. Elle n'avait pas été jusqu'au bout, mais tout de même. Une mère d'élève, une sorte de fouille-merde bien intentionnée, avait entendu sa fille parler de l'incident. Elle avait appelé Heidi et lui avait dit : « Désolée de vous annoncer ça, mais si j'avais été à votre place, j'aurais aimé être au courant. »

Heidi en avait informé Marty qui aussitôt était parti en vrille. Les rapports entre le père et la fille n'avaient plus jamais été les mêmes. Au final, ce coup de téléphone leur avait fait plus de mal que de bien. Il avait beaucoup contribué, pensait Heidi, à la décision de Kimberly de partir étudier loin de la maison. Peut-être même qu'il l'avait conduite, et Heidi avec, vers ce site immonde et la nature répugnante de la relation que sa fille entretenait avec trois hommes différents.

Si Heidi n'avait pas voulu y croire, la preuve était là, sous ses yeux, dans les communications « secrètes » entre sa fille et ces hommes plus âgés. Elle avait beau tourner le problème dans tous les sens, il n'en restait pas moins que Kimberly se livrait purement et simplement à la prostitution.

Elle fut tentée de ne rien faire, d'oublier sa rencontre avec ces deux placides inconnus. Sauf qu'elle n'avait plus le choix. C'était un paradoxe parental vieux comme le monde. Elle ne voulait pas savoir, mais elle voulait savoir.

Lorsqu'elle appela sa fille sur son portable, Kimberly répondit, joyeusement essoufflée :

— Salut, maman.

— Bonjour, chérie.

— Ça va ? Tu as une drôle de voix.

Kimberly commença par nier. Normal. Puis elle essaya

de minimiser l'affaire. Tout aussi logique. Ensuite elle accusa sa mère de violer sa vie privée. Ça aussi, c'était à prévoir.

Heidi s'efforça de parler posément, malgré la sourde douleur nichée dans sa poitrine. Elle relata sa rencontre avec les deux inconnus, ce qu'ils lui avaient révélé, ce qu'elle avait découvert par elle-même. Patiemment. Calmement. Du moins en apparence.

Il fallut du temps, mais toutes deux savaient où cette conversation allait les mener. Passé le premier choc, Kimberly, acculée, se mit à table. Financièrement, expliqua-t-elle, elle n'aurait pas pu tenir.

— Tout est si cher ici, tu n'as pas idée !

C'est une copine de fac qui lui avait parlé du site. Elle n'était pas obligée de faire quoi que ce soit avec ces types, lui avait-on dit. Ils recherchaient seulement la compagnie d'une jeune fille, mais Kimberly n'avait pas tardé à découvrir ce qu'il en était réellement.

Au bout de deux heures de discussion, Kimberly demanda à sa mère ce qu'elle devait faire.

— Rompre avec eux. Aujourd'hui. Maintenant.

Kimberly promit. Il s'agissait de savoir ensuite comment procéder. Heidi annonça qu'elle prendrait quelques jours pour venir la voir à New York. Sa fille renâcla.

— Le semestre se termine dans deux semaines. On verra à ce moment-là.

Heidi n'était pas convaincue. Finalement, elles convinrent d'en reparler le lendemain matin. Avant de raccrocher, Kimberly ajouta :

— S'il te plaît, pas un mot à papa.

Heidi se garda bien de lui dire que cela coulait de source. Lorsque Marty rentra à la maison, elle ne lui en parla pas. Il fit griller des hamburgers sur le barbecue. Heidi leur servit à boire. Il parla de sa journée. Elle parla de la sienne. Le secret était là, naturellement. Assis à la table de cuisine, sur la chaise de Kimberly, muet mais bien présent.

Le matin, une fois Marty parti travailler, on frappa à la porte.

— Qui est-ce ?

— Madame Dann ? Je suis le lieutenant John Kuntz de la police de New York. Puis-je vous parler une...

Heidi ouvrit la porte à la volée.

— Oh, mon Dieu, ma fille... ?

— Elle va bien, madame, fit Kuntz rapidement. Écoutez, je m'excuse. J'aurais dû commencer par là. J'imagine bien... votre fille étudiante à New York, et un flic du NYPD qui se pointe chez vous.

Il secoua la tête.

— J'ai des gosses, moi aussi. Je comprends. Ne vous inquiétez pas, Kimberly va bien. Du point de vue santé, j'entends. Il y a d'autres facteurs...

— Facteurs ?

Kuntz sourit. Des dents trop écartées. Des cheveux clairsemés plaqués sur le sommet de son crâne... L'effet était des plus désastreux. Ça donnait envie de saisir une paire de ciseaux, de soulever la mèche et de la couper à ras. Il devait avoir dans les quarante-cinq ans... bedonnant, les épaules voûtées et les orbites creuses de quelqu'un qui mangeait mal ou ne dormait pas assez.

— Je peux entrer une minute ?

Kuntz montra sa plaque. Quoique ignorante en la matière, Heidi n'y vit rien d'anormal.

— C'est à quel sujet ?

— Je pense que vous avez déjà une petite idée là-dessus.

Kuntz hocha la tête en direction de la porte.

— Je peux ?

Heidi s'écarta.

— Je ne vois pas, dit-elle.

— Vous ne voyez pas quoi ?

— Je ne vois pas de quoi vous parlez.

Kuntz pénétra à l'intérieur et regarda autour de lui comme s'il venait visiter la maison dans l'intention de l'acheter. L'électricité statique lui faisait dresser quelques cheveux sur la tête ; il les aplatit de la main.

— Vous avez bien appelé votre fille hier, n'est-ce pas ?

Heidi ne savait que répondre. Il enchaîna sans attendre sa réaction :

— Il se trouve que votre fille s'adonne à une activité qui pourrait être passible de poursuites.

— Comment ça ?

Il s'assit sur le canapé. Elle prit le fauteuil d'en face.

— Je peux vous demander une faveur, madame Dann ?

— Laquelle ?

— C'est un détail, mais franchement, ça simplifierait la vie à tous les intéressés. Laissons tomber les faux-semblants, O.K. ? C'est juste une perte de temps. Votre fille, Kimberly, se livre à la prostitution sur Internet.

Heidi ne broncha pas.

— Madame Dann ?

— Je pense que vous feriez mieux de partir.

— J'essaie de vous aider.

— Ça ressemble plus à des accusations. Je préfère parler à un avocat.

Kuntz repoussa les cheveux échappés de sa mèche.

— Vous m'avez mal compris.

— Soyez plus précis alors.

— Nous nous moquons de ce que votre fille a fait ou n'a pas fait. C'est un délit mineur, et je suis d'accord sur un point : avec tout ce qui circule sur le Net, il est difficile de fixer une frontière entre une relation d'affaires et la prostitution. Au fond, ce n'est pas nouveau. Nous n'avons aucune intention de vous harceler, vous ou votre fille.

— Mais alors, vous voulez quoi ? demanda Heidi.

— Votre coopération. C'est tout. Si vous et Kimberly coopérez, nous sommes prêts à fermer les yeux sur son rôle dans tout ça.

— Tout ça quoi ?

— Procédons dans l'ordre, vous permettez ?

Kuntz sortit un petit carnet de sa poche. Puis un crayon, comme ceux qu'utilisent les golfeurs pour noter leurs scores. Il humecta la pointe du crayon et reporta son attention sur Heidi.

— Tout d'abord, comment avez-vous su que votre fille était inscrite sur le site des *sugar babies* ?

— Quelle importance ?

Kuntz haussa les épaules ?

— Simple question de routine.

Heidi ne dit rien. Le petit picotement à la base de sa nuque s'accrut sensiblement.

— Madame Dann ?

— Je préférerais parler à un avocat.

— Ah…

Kuntz grimaça comme un professeur soudain déçu par sa meilleure élève.

— Dans ce cas, votre fille nous a menti et pour ne rien vous cacher, ça risque de se compliquer pour elle.

Il voulait qu'elle morde à l'hameçon, c'était clair. Le silence entre eux devint si oppressant qu'Heidi arrivait à peine à respirer. N'y tenant plus, elle demanda :

— Pourquoi ma fille aurait-elle menti ?

— Kimberly nous a dit que vous aviez découvert l'existence de ce site de manière totalement légale. D'après elle, deux individus – un homme et une femme – vous

125

auraient abordée à la sortie d'un restaurant pour vous informer de ce qui se passait. Or, si c'est vrai, je ne vois pas pourquoi vous refusez de nous en parler. Ça n'a rien d'illégal.

La tête d'Heidi commençait à lui tourner.

— Je ne comprends rien à toute cette histoire. Vous êtes ici pour quoi, au juste ?

— Bonne question.

Kuntz soupira, se cala dans le canapé.

— Savez-vous ce qu'est la brigade de lutte contre la cybercriminalité ?

— J'imagine que c'est en rapport avec la délinquance sur Internet.

— Tout à fait. C'est un service récent au sein du NYPD, et j'en fais partie. Nous poursuivons tous ceux qui utilisent Internet à des fins frauduleuses, et on soup-çonne les personnes qui vous ont approchée au restau-rant d'appartenir à une organisation criminelle qui sévit sur la Toile et qu'on essaie de coincer depuis un bon moment déjà.

Heidi déglutit.

— Je vois.

— Et nous avons besoin de votre aide pour localiser et identifier les individus susceptibles d'être mêlés à ces crimes. Est-ce plus clair comme ça ? Bon, reprenons. Avez-vous, oui ou non, été abordée par deux personnes sur le parking d'un restaurant ?

La nuque lui picotait toujours ; néanmoins, elle répon-dit par l'affirmative.

— Parfait.

Kuntz montra à nouveau ses dents écartées. Il nota quelque chose, puis la regarda.

— Quel restaurant ?

Elle hésita.

— Madame Dann ?

— Il y a quelque chose qui m'échappe, déclara Heidi lentement.

— Quoi donc ?

— J'ai téléphoné à ma fille hier après-midi.

— Exact.

— Alors quand lui avez-vous parlé ?

— Hier soir.

— Et comment avez-vous fait pour arriver ici aussi vite ?

— C'est une grosse affaire, madame Dann. J'ai pris l'avion à la première heure.

— Mais comment avez-vous su, pour commencer ?

— Pardon ?

— Ma fille n'avait pas l'intention de s'adresser à la police. Alors comment se fait-il que vous soyez au courant… ?

Elle s'interrompit. Son esprit échafaudait plusieurs hypothèses, toutes plus macabres les unes que les autres.

— Madame Dann ?

— Je crois que vous feriez mieux de partir.

Kuntz hocha la tête, puis se remit à tripoter sa mèche, la faisant passer d'une oreille à l'autre.

— Je regrette, dit-il, mais c'est impossible.

Se levant, Heidi se dirigea vers la porte.

— Je ne vous parlerai pas.

— Oh que si.

Toujours assis, Kuntz parut soupirer, puis il sortit son arme, visa avec précision la rotule d'Heidi et appuya sur la détente. La détonation fit moins de bruit qu'elle ne l'aurait cru, mais l'impact fut bien plus violent. Elle s'écroula sur le sol comme une chaise pliante cassée. Il était déjà debout, une main sur sa bouche pour étouffer ses cris. Et, collant ses lèvres contre son oreille :

— Si vous criez, je vous achève lentement, puis j'irai m'occuper de votre fille. Vous avez compris ?

La douleur la submergeait par vagues. Heidi était au bord de l'évanouissement. Kuntz pressa le canon du pistolet contre l'autre genou.

— Vous avez compris, madame Dann ?

Elle hocha la tête.

— Formidable ! Bon, alors on reprend. Quel est le nom de ce restaurant ?

15

ASSIS DANS SON BUREAU, Adam passait et repassait les événements dans sa tête pour la millionième fois lorsqu'une question simple lui vint à l'esprit. Si Corinne avait réellement décidé de se mettre au vert pour quelque temps, où irait-elle ?

Il n'en avait pas la moindre idée.

Ils formaient un couple tellement uni que l'imaginer s'en aller seule, sans lui, sans les siens, frôlait le non-sens. Certes, elle avait des amies. Des femmes qu'elle avait connues à la fac. Elle avait de la famille aussi. Mais il la voyait mal se réfugier chez l'un, ou l'autre, étant donné les circonstances. Corinne était plutôt réservée... sauf avec lui.

Donc, elle était probablement seule.

Elle avait pu louer une chambre d'hôtel. En tout état de cause, elle aurait besoin d'argent, soit en liquide, soit par le biais d'une carte bancaire. Il y aurait forcément des traces de prélèvements ou de retraits au distributeur.

Ben, cherche de ce côté-là, andouille.

Corinne n'étant pas douée pour les finances, Adam gérait leurs comptes bancaires. Cela faisait partie du partage des tâches. Il connaissait tous les identifiants et le moindre mot de passe.

En clair, il pouvait accéder à toutes les transactions financières effectuées par sa femme.

Pendant vingt minutes, il éplucha tous les mouvements sur son compte. Il n'y avait rien aujourd'hui, rien hier. Il remonta quelques jours en arrière à la recherche d'un éventuel indice. Corinne ne dépensait pas beaucoup en liquide. Les cartes bancaires étaient plus simples à utiliser et offraient des points à chaque achat. Elle aimait bien ça.

Toute sa vie – côté dépenses du moins – était là, sans grande surprise. Elle était allée au supermarché, au Starbucks, avait déjeuné chez Baumgart's et récupéré une commande au Sushi Shop de Ho-Ho-Kus. Il y avait les prélèvements automatiques de sa salle de sport et un paiement en ligne à l'ordre de Banana Republic. Les choses du quotidien, quoi. Sa carte lui servait au moins une fois par jour.

Sauf hier et aujourd'hui.

Zéro transaction.

Que fallait-il en conclure ?

Corinne était peut-être novice en matière de gestion, mais elle n'était pas sotte. Elle devait bien se douter qu'il serait facile à Adam de retrouver sa trace grâce à sa carte bancaire.

Seule solution : payer en liquide.

Il consulta ses retraits. Le dernier qu'elle avait effectué datait de quinze jours. Deux cents dollars.

Était-ce suffisant pour partir se cacher quelque part ?

Probablement pas.

Si elle avait décidé de tailler la route, elle serait bien obligée de refaire le plein d'essence. Combien de liquide pouvait-elle avoir sur elle ? Ce n'est pas comme si elle avait prévu de s'enfuir. Elle ignorait qu'il allait la coincer avec cette histoire de fausse grossesse, ou qu'un inconnu lui révélerait la vérité.

À moins que…

Adam se figea.

Corinne aurait-elle mis de l'argent de côté en prévision de ce jour ? Il repensa à leur altercation. Avait-elle été surprise quand il l'avait mise au pied du mur ? Surprise ou… résignée ?

S'attendait-elle à ce que, tôt ou tard, son mensonge lui explose au visage ?

Adam n'était sûr de rien. Dans son SMS, Corinne lui demandait – le suppliait même – de lui laisser quelques jours. C'était peut-être la seule chose à faire : patienter, le temps qu'elle reprenne ses esprits.

D'un autre côté, il était possible que, en rentrant du lycée, elle ait fait une mauvaise rencontre. Peut-être qu'elle connaissait l'inconnu. Elle s'était rendue chez lui, et il l'avait enlevée ou pire. Sauf que ce gars-là n'avait pas l'air dangereux. Et puis il y avait eu les SMS.

Oui, mais n'importe qui aurait pu les envoyer, ces messages.

Même un assassin.

Quelqu'un aurait pu tuer Corinne et se servir de son téléphone pour…

Holà, doucement. Ne nous emballons pas.

Adam sentait son cœur cogner dans sa poitrine. Maintenant qu'il avait mis des mots sur son angoisse, elle s'incrustait tel un pique-assiette qui refuse de débarrasser le plancher. Il relut le message de Corinne :

```
ON DEVRAIT PEUT-ÊTRE FAIRE UN BREAK.
PRENDS SOIN DES ENFANTS. N'ESSAIE PAS
DE ME CONTACTER. TOUT IRA BIEN.
```

Et aussi :

LAISSE-MOI JUSTE QUELQUES JOURS. S'IL TE PLAÎT.

Il y avait quelque chose qui ne collait pas là-dedans, sans qu'il arrive à mettre le doigt dessus. Admettons que Corinne soit véritablement en danger… Il se demanda à nouveau s'il ne devait pas alerter la police. Kristin Hoy lui avait posé la question. Avait-il signalé la disparition de sa femme ? Sauf que sa femme n'avait pas disparu. Elle lui avait envoyé un SMS. En admettant que ce soit elle.

Adam ne savait plus où il en était.

O.K., il irait voir les flics. Et après ? Ils jetteraient un œil sur le SMS et lui conseilleraient d'attendre. Il connaissait presque tout le monde au poste de police. Len Gilman, le chef, avait un fils de l'âge de Ryan. Les deux garçons étaient dans la même classe. Forcément, il y aurait des rumeurs. Adam aurait bien voulu dire qu'il s'en moquait, mais ce n'était pas le cas de Corinne. Cedarfield était sa ville. Elle avait bataillé dur pour la reconquérir, pour s'y faire une place au soleil.

— Salut, mec.

Andy Gribbel était entré dans le bureau, un grand sourire sur son visage barbu. Il portait des lunettes noires, pas tant pour avoir l'air cool que pour cacher ses yeux rougis par le manque de sommeil ou par quelque chose à base de plantes.

— Salut, répondit Adam. Alors, ce concert ?

— On a vraiment déchiré, mec.

Adam se cala dans le fauteuil, content de pouvoir se changer momentanément les idées.

— Vous avez ouvert avec quoi ?

— *Dust in the Wind.* Kansas.

— Hmm, fit Adam.

— Quoi ?

— Ouvrir avec une ballade lente ?

— Peut-être, mais ç'a marché. Pénombre, lumières tamisées, ambiance… et on a enchaîné direct sur *Paradise by the Dashboard Light*. On a mis le feu à la salle, mec.

— Meat Loaf, dit Adam en hochant la tête. Pas mal.

— N'est-ce pas ?

— Attends, depuis quand vous avez une chanteuse ?

— On n'en a pas.

— Mais *Paradise* est un duo homme-femme.

— Je sais.

— Assez violent d'ailleurs, poursuivit Adam, avec tous ces « M'aimeras-tu toujours ? » et lui qui la supplie de lui laisser le temps de la réflexion.

— Je sais.

— Tout ça sans chanteuse ?

— C'est moi qui fais les deux, dit Gribbel.

Adam se redressa, essayant d'imaginer la scène.

— Tu interprètes le duo homme-femme à toi tout seul ?

— Depuis toujours.

— Ça doit être une sacrée performance.

— Tu devrais m'entendre dans *Don't Go Breaking My Heart*. Un moment je suis Elton. L'instant d'après, Kiki Dee. T'en as les larmes aux yeux, sans rire. À ce propos…

— Quoi ?

— Corinne et toi, vous devriez sortir un peu. Enfin, toi surtout. Avec les valises que tu as sous les yeux, tu vas bientôt payer un supplément pour excédent de bagages quand tu prendras l'avion.

Adam fronça les sourcils.

— Je ne vois pas le rapport.

— Moi, si.

— Tout est prêt pour Mike et Eunice Rinsky demain ?

— Justement, je voulais t'en parler.

— Il y a un problème ?

— Non, mais Gush-machin-ski, le maire, veut te causer. Il a une réunion à 19 heures et demande si tu peux passer après. Je t'ai envoyé l'adresse par SMS.

Adam consulta son téléphone.

— O.K., écoutons ce qu'il a à nous dire.

— Je préviens son secrétariat. Allez, bonne soirée à toi, vieux.

Adam regarda sa montre. 18 heures, déjà.

— Bonsoir.

— Tiens-moi au courant pour demain.

— Ça marche.

Resté seul, Adam prêta l'oreille aux bruits étouffés de la rue. Les bureaux étaient en train de se vider lentement. Bon, revenir en arrière. Reprendre les faits dans l'ordre chronologique.

Un, Corinne s'était rendue au lycée hier. Deux, à la pause-déjeuner, Kristin l'avait vue partir avec sa voiture. Trois… il n'y avait pas vraiment de trois, quoique…

Le péage routier.

Si Corinne avait pris la voiture, elle aurait forcément emprunté un péage, ce qui apparaîtrait sur ses relevés d'E-Z Pass. Aurait-elle pensé à emporter son badge ? Probablement pas. C'était le genre de chose qu'on collait sur son pare-brise et qu'on oubliait. C'était valable dans l'autre sens aussi. Il était arrivé à Adam de s'engager sur une voie de télépéage avec une voiture de location en oubliant qu'il n'avait pas son E-Z Pass sur lui.

De toute façon, ça valait la peine d'essayer.

Il trouva le site de télépéage, mais, pour y accéder, il fallait un numéro de compte et un mot de passe. Or il n'avait ni l'un ni l'autre – c'était la première fois qu'il se connectait sur le site d'E-Z Pass –, mais ils devaient figurer sur les factures à la maison. Bon, de toute manière, il était temps de rentrer.

Il attrapa sa veste et descendit sur le parking. Au moment où il s'engageait sur l'interstate 80, son portable sonna. C'était Thomas.

— Où est maman ?

Adam hésita, mais ce n'était pas le moment d'entrer dans les détails.

— Elle est partie.

— Où ça ?

— Je t'expliquerai plus tard.

— Tu rentres dîner ?

— Je suis sur la route. Sois gentil, sors des hamburgers du congélateur pour toi et ton frère. Je vous les ferai griller en arrivant.

— J'aime pas trop ces hamburgers.

— Tant pis. Allez, à tout de suite.

Il zappa d'une fréquence radio à une autre en quête de l'illusoire chanson idéale à la « mélodie envoûtante », comme disait Stevie Nicks dans une de ses compositions. Lorsqu'il finissait – exceptionnellement – par tomber sur une chanson de ce genre, c'était en général le dernier couplet, et il se remettait à zapper de plus belle.

De retour chez lui, Adam fut surpris de trouver la Dodge Durango des Evans dans l'allée. Tripp Evans en descendait quand il se gara à côté de lui. Les deux hommes se saluèrent avec force poignées de main et tapes dans le dos. Tous deux étaient en complet veston, cravate dénouée, et soudain la soirée lacrosse à l'American Legion Hall parut très loin.

— Salut, Adam.

— Salut, Tripp.

— Excuse-moi de débarquer comme ça, sans prévenir.

— Pas de problème. Que puis-je pour toi ?

Tripp était un type costaud avec de grosses paluches, de ceux qui ont toujours l'air engoncé dans leurs costumes. Les épaules étaient trop étroites, une manche était plus longue que l'autre, et il passait son temps à le rajuster. On sentait que son désir le plus cher était de se débarrasser de ce maudit accoutrement. Adam connaissait pas mal d'hommes qui donnaient cette impression-là. On leur avait collé cette tenue, telle une camisole de force, et depuis, il leur était impossible de s'en dépêtrer.

— J'espérais dire deux mots à Corinne, fit Tripp.

Adam le regarda, s'efforçant de ne rien laisser paraître.

— Je lui ai envoyé plusieurs SMS, poursuivit Tripp, mais elle… hmm, elle n'a pas répondu. J'ai donc décidé de faire un crochet par chez vous.

— Je peux savoir de quoi il s'agit ?

— Ce n'est pas très important, dit Tripp d'une voix qui sonnait terriblement faux, surtout pour quelqu'un qui avait son franc-parler. Une affaire de lacrosse.

Peut-être était-ce son imagination ou alors la folie de ces derniers jours, mais Adam sentit l'atmosphère se charger d'électricité entre eux.

— Quel genre d'affaire ? demanda-t-il.

— Le comité s'est réuni hier soir. Corinne n'est pas venue. J'ai trouvé ça bizarre. Je voulais juste lui transmettre deux ou trois infos, c'est tout.

Il regarda la maison comme s'il s'attendait à la voir apparaître à la porte.

— Il n'y a rien d'urgent.

— Elle n'est pas là, fit Adam.

— Pas grave. Tu lui diras que je suis passé.

Tripp scruta son visage. La tension dans l'air sembla monter d'un cran.

— Tout va bien ?

— Mais oui, rétorqua Adam.

— On se boit une bière un de ces quatre.

— Avec plaisir.

Tripp ouvrit la portière de sa voiture.

— Adam ?

— Oui ?

— Je vais être franc. Tu ne m'as pas l'air d'être dans ton assiette.

— Tripp ?

— Hein ?

— Je vais être franc. Toi non plus.

Tripp tenta d'esquisser un sourire.

— Ce n'est vraiment pas important.

— Oui, tu l'as déjà dit. Sauf ton respect, je ne te crois pas.

— Ça concerne le lacrosse. C'est la vérité. J'espère encore que ce n'est pas grand-chose, mais je ne peux pas t'en dire plus pour le moment.

— Pourquoi ?

— C'est confidentiel.

— Tu es sérieux, là ?

Manifestement, oui. Adam comprit qu'il n'en tirerait rien de plus, mais, après tout, qu'importaient leurs histoires de lacrosse à côté de ce qui lui arrivait ?

Tripp Evans remonta dans sa voiture.

— Dis à Corinne de m'appeler quand elle aura une minute. Allez, bonsoir, Adam.

16

ADAM IMAGINAIT LE MAIRE Rick Gusherowski en politi-
card véreux – embonpoint, teint rougeaud, sourire de
commande, peut-être une chevalière au petit doigt – et,
en l'occurrence, il ne fut pas déçu. Restait à savoir s'il
avait toujours collé au stéréotype ou si, après toutes ces
années de « service », c'était inscrit dans son ADN.

Trois des quatre derniers maires de Kasselton avaient
été inculpés par le procureur fédéral. Rick Gusherowski
avait fait partie de l'équipe de deux d'entre eux et du
conseil municipal du troisième. Normalement, Adam ne
jugeait pas un homme sur son physique ou son héritage
politique, mais, question corruption dans une petite ville
du New Jersey, lorsqu'il y avait de la fumée, c'est qu'un
incendie géant faisait rage quelque part.

Les quelques membres du conseil municipal venus
assister à la réunion étaient en train de se disperser quand
Adam entra dans la salle. L'âge moyen de l'assemblée
devait être d'environ quatre-vingt-cinq ans, mais c'était
sans doute parce que la réunion avait eu lieu dans le flambant neuf PineCliff Luxury Village, doux euphémisme
pour désigner une maison de retraite médicalisée.

Le maire l'accueillit en souriant comme le maître de
cérémonie du Muppet Show.

— Ravi de vous rencontrer, Adam !

Il accompagna ces paroles d'une poignée de main for-cément chaleureuse, avec une légère traction vers soi, censée rabaisser l'interlocuteur ou lui donner l'impression d'être redevable.

— Je peux vous appeler Adam ?

— Bien sûr, monsieur le maire.

— Ah non, pas de ça entre nous. Appelez-moi Gush.

Gush ? Sûrement pas.

Le maire ouvrit grand les bras.

— Vous trouvez ça comment ? C'est beau, n'est-ce pas ?

Beau comme une salle de conférences dans un Court-yard Marriott, c'est-à-dire propre et impersonnel. Adam acquiesça d'un vague hochement de tête.

— Venez avec moi, Adam. Je vais vous faire visiter.

Il s'engagea dans un couloir aux murs vert sapin.

— Magnifique, pas vrai ? On est à la pointe du progrès ici.

— Ça veut dire quoi ? demanda Adam.

— Hein ?

— La pointe du progrès. Qu'est-ce qui est à la pointe du progrès ?

Le maire se frotta le menton, signe d'une profonde réflexion.

— Déjà, pour commencer, ils ont des téléviseurs à écran plat.

— Comme pratiquement tous les foyers américains.

— Et une connexion à Internet.

— Comme presque tous les foyers, encore une fois, sans parler des cafés, bibliothèques et McDo.

Gush – finalement, ça plaisait bien à Adam – refusa d'entrer dans son jeu en rallumant son sourire.

— Je vais vous montrer notre unité de luxe.

Il ouvrit une porte à l'aide d'une clé et s'effaça avec le panache d'un animateur sur le plateau du *Juste Prix.*

— Alors ?

Adam entra.

— Qu'en dites-vous ?

— On se croirait dans un Courtyard Marriott.

Le sourire de Gush vacilla.

— C'est tout neuf et à la pointe…

Il s'interrompit.

— … moderne.

— Peu importe. Franchement, ça pourrait être le Ritz-Carlton. Mon client n'a pas envie de déménager.

Gush hocha la tête, compatissant.

— Je comprends. Je comprends très bien. Nous sommes tous attachés à nos souvenirs, pas vrai ? Mais quelquefois, les souvenirs nous tirent en arrière. Nous empêchent de vivre au présent.

Adam se borna à le dévisager.

— Et quelquefois, en tant que membre d'une communauté, on doit penser aux autres. Vous êtes déjà allé chez les Rinsky ?

— Oui.

— C'est un taudis, déclara Gush. Ne vous méprenez pas. J'ai moi-même grandi dans ce quartier. Je parle comme quelqu'un qui est parti de rien pour arriver au sommet.

Adam s'attendait à ce qu'il ajoute « à la force du poignet », mais non. C'était presque décevant.

— Nous avons l'opportunité de faire un grand bond en avant, Adam. De vaincre la décadence urbaine et la criminalité qu'elle engendre pour faire entrer le soleil dans une partie de notre ville qui en a bien besoin. Je veux parler de logements neufs. D'un véritable foyer municipal. De restaurants. De commerces haut de gamme. De dizaines d'emplois.

— J'ai vu les plans, répondit Adam.

— C'est une sacrée avancée, non ?

— Le problème n'est pas là.

— Ah bon ?

— Je représente les Rinsky. Ce sont leurs intérêts qui m'importent, pas les marges bénéficiaires d'Old Navy ou de Home Depot.

— C'est injuste, Adam. Nous savons tous deux que ce projet servira le bien commun.

— Pas tous deux, rétorqua Adam. Quoi qu'il en soit, je ne représente pas le bien commun, mais les Rinsky.

— Sincèrement, regardez autour de vous. Ils seront plus heureux ici.

— Peut-être, mais j'en doute. Aux États-Unis, ce n'est pas le gouvernement qui décide de ce qui rend les gens heureux. Le gouvernement n'a pas à décider qu'un couple qui a travaillé dur toute sa vie, acheté son logement et élevé des enfants devrait être plus heureux ailleurs que chez lui.

Le sourire revint lentement sur le visage de Gush.

— Je peux aller droit au but, Adam ?

— Pourquoi, vous ne l'avez pas fait jusqu'ici ?

— Combien ?

Adam joignit les bouts des doigts et, imitant de son mieux un méchant de cinéma :

— Un milliard de dollars.

— Je suis sérieux. Bien sûr, je pourrais tourner autour du pot et procéder comme le promoteur me l'a demandé : négocier avec vous, faire monter les enchères par tranches de dix mille dollars. Mais je préfère vous annoncer la couleur tout de go. J'ai l'autorisation de relever le montant de l'offre à la hauteur de cinquante mille dollars.

— Et moi j'ai l'autorisation de dire non.

— Vous n'êtes pas raisonnable.

Adam ne prit pas la peine de répondre.

— Savez-vous qu'un juge nous a déjà signé une ordonnance d'expropriation pour cause d'utilité publique ?

— Je suis au courant.

— Et que l'ancien avocat de M. Rinsky a déjà perdu en appel. C'est pour ça qu'il s'est désisté.

— Je le sais aussi.

Gush sourit.

— Dans ce cas, vous ne me laissez guère le choix.

— Bien sûr que si. Vous ne travaillez pas pour ce promoteur, hein, Gush ? Vous êtes un représentant du peuple. Construisez votre centre commercial autour de la maison. Changez les plans. C'est tout à fait faisable.

— Non, dit Gush qui ne souriait plus du tout. C'est impossible.

— Vous allez donc les jeter dehors ?

— La justice est de mon côté. Et après la façon dont vous vous êtes conduits…

Il se pencha si près qu'Adam sentit une odeur de Tic Tac.

— … ce sera un plaisir.

Adam s'écarta.

— C'est bien ce que je pensais.

— Alors, vous allez écouter la voix de la raison ?

— Si je l'entends un jour.

Adam lui adressa un petit signe de la main.

— Bonsoir, Gush. On en reparle bientôt.

17

CETTE FOIS-CI, il n'y allait pas de gaieté de cœur.

Mais Michaela Siegel, qui venait de surgir dans son champ de vision, méritait de savoir la vérité avant de commettre l'erreur fatale. L'inconnu songea à Adam Price. À Heidi Dann. Sa visite les avait peut-être anéantis, mais dans le cas de Michaela Siegel, ce serait infiniment pire.

Ou pas.

Peut-être se sentirait-elle soulagée. Libérée même. Peut-être, passé le choc initial, retrouverait-elle un équilibre et la vie qui aurait dû être la sienne.

Comment prédire la réaction des gens tant qu'on n'avait pas tiré sur la goupille ?

Il était tard, presque 2 heures du matin. Michaela Siegel embrassa ses amis bruyants pour leur dire au revoir. Ils étaient tous éméchés après une soirée bien arrosée. À deux reprises, l'inconnu avait tenté d'aborder Michaela seule. Sans succès. Il espérait maintenant qu'elle se dirigerait vers l'ascenseur pour qu'il puisse passer à l'action.

Michaela Siegel, vingt-six ans, en troisième année d'internat à l'hôpital Mount Sinai après avoir fréquenté la fac de médecine à l'université Columbia. Elle était entrée comme interne à l'hôpital John Hopkins, mais après ce qui était arrivé, elle avait décidé, en accord avec l'administrateur de l'hôpital, qu'elle serait mieux ailleurs.

Tandis qu'elle titubait vers l'ascenseur, l'inconnu s'avança vers elle.

— Félicitations, Michaela.

Elle se retourna avec un sourire en coin. Qu'elle soit aussi séduisante rendait son intrusion plus pénible encore. Il s'empourpra en repensant à ce qu'il avait vu, mais ne capitula pas.

— Hmm, fit-elle.

— Hmm ?

— Vous n'êtes pas là pour m'assigner en justice, hein ?

— Non.

— Et vous n'êtes pas en train de me draguer ? Parce que je suis fiancée.

— Non plus.

— Oui, bon, je ne le pensais pas vraiment.

Elle avait la voix légèrement pâteuse.

— Je n'ai pas l'habitude de parler à des inconnus.

— Je m'en doute.

Comme il craignait de la perdre, il n'attendit pas plus longtemps pour lâcher la bombe :

— Vous connaissez un homme nommé David Thornton ?

Elle se referma aussitôt, façon huître. C'était à prévoir.

— C'est lui qui vous envoie ? demanda-t-elle.

Toute trace d'ébriété avait disparu de sa voix.

— Non.

— Vous ne seriez pas un peu pervers sur les bords ?

— Non.

— Mais vous avez vu…

— Oui, dit-il. Deux secondes, pas plus. Je n'ai pas tout regardé. C'était juste… je voulais être sûr.

Elle se trouvait clairement face au même dilemme que

tous ceux qu'il avait approchés : fuir cet individu louche ou écouter ce qu'il avait à dire. La plupart du temps, la curiosité prenait le dessus, mais ce n'était jamais couru d'avance.

Michaela Siegel secoua la tête.

— Je me demande pourquoi je continue à vous parler.

— Il paraît que j'ai une bonne tête.

C'était la vérité. Et la raison pour laquelle il se chargeait d'accomplir ces missions. Eduardo et Merton avaient la force pour eux, mais s'ils vous abordaient de cette façon-là, votre premier réflexe serait de prendre vos jambes à votre cou.

— C'est ce que je pensais de David. Qu'il avait une bonne tête.

Elle plissa les yeux.

— Qui êtes-vous ?

— Ça n'a pas d'importance.

— Pourquoi êtes-vous là ? Tout ça, c'est du passé.

— Non, dit-il.

— Comment ça ?

— Ce n'est pas du passé. Mais, croyez-moi, je suis le premier à le déplorer.

Sa voix n'était plus qu'un murmure effrayé :

— De quoi diable parlez-vous ?

— Vous avez rompu avec David.

— Évidemment, siffla-t-elle. Je me marie avec Marcus le week-end prochain.

Elle lui montra la bague autour de son annulaire.

— Non, fit l'inconnu. Enfin… je m'y prends mal. Vous permettez qu'on procède dans l'ordre ?

— Peu m'importe que vous ayez une bonne tête, déclara Michaela. Je ne tiens pas à revenir là-dessus.

— Je sais.

— Tout ça est derrière moi.

— Pas encore. D'où ma présence ici.

Elle ouvrit de grands yeux.

— Vous et David aviez déjà rompu quand… ?

Ne sachant comment formuler cela, il fit mine de rapprocher puis d'écarter les mains.

— Vous pouvez le dire.

Michaela se redressa.

— On appelle ça la vengeance porno. C'est très à la mode, à ce qu'il paraît.

— Ce n'est pas ce que je vous demande, fit l'inconnu. Je vous parle de votre relation *avant* qu'il ait posté cette vidéo.

— Tout le monde l'a vue, vous savez.

— Je sais.

— Mes amis. Mes patients. Mes profs. Tout le monde à l'hôpital. Mes parents…

— Je sais, répéta-t-il doucement. Étiez-vous déjà séparés, David Thornton et vous ?

— On a eu une énorme dispute.

— Vous ne répondez pas à ma question.

— Je ne vois pas…

— Étiez-vous séparés avant que cette vidéo soit rendue publique ?

— Qu'est-ce que ça change maintenant ?

— S'il vous plaît, dit l'inconnu.

Michaela haussa les épaules.

— Je ne sais plus.

— Vous l'aimiez toujours. C'est pour ça que le coup a été aussi rude.

— Non, répondit-elle. Le coup a été rude parce qu'il m'avait odieusement trahie. Parce que l'homme que je fréquentais est allé sur un site de vengeance porno pour y poster une vidéo de nous en train de…

Elle s'interrompit.

— Non, mais vous imaginez un peu ? On s'est disputés, et voilà comment il a réagi.

— Il a nié avoir fait ça, n'est-ce pas ?

— Bien entendu. Il n'a pas eu le courage...

— Il disait la vérité.

Il y avait du monde autour d'eux. Deux femmes sortirent de l'ascenseur. Le portier reprit sa place derrière le comptoir. Mais ils auraient aussi bien pu être tout seuls dans leur bulle.

D'une voix distante, assourdie :

— Qu'est-ce que vous racontez ?

— Ce n'est pas David Thornton qui a mis cette vidéo en ligne.

— Vous êtes un de ses amis ?

— Je ne l'ai jamais vu.

Michaela déglutit.

— C'est vous qui avez posté cette vidéo ?

— Bien sûr que non.

— Alors comment pouvez-vous... ?

— L'adresse IP.

— Quoi ?

L'inconnu fit un pas vers elle.

— Le site prétend garantir l'anonymat à ses utilisateurs. De sorte qu'on ne puisse pas les identifier, ni les traîner en justice.

— Mais vous, vous avez trouvé.

— Oui.

— Comment ?

— Parce qu'il est impossible de leur garantir l'anonymat. C'est une promesse mensongère. Derrière chaque site confidentiel sur Internet se trouve un être humain qui surveille le moindre clic. Rien n'est véritablement secret ni anonyme.

Silence.

147

Enfin, ils étaient dans le vif du sujet. L'inconnu attendit. Ce ne serait pas long. Ça se voyait à ses lèvres tremblantes.

— Cette adresse IP, elle appartenait à qui ?

— Je pense que vous le savez déjà.

Son visage se crispa de douleur. Elle ferma les yeux.

— C'était Marcus ?

L'inconnu ne confirma ni ne démentit. Ce n'était pas utile.

— Ils étaient très proches, n'est-ce pas ?

— Ordure.

— Colocataires même. Je ne connais pas les détails précis. Vous vous étiez disputée avec David, et Marcus a sauté sur l'occasion.

Il sortit une enveloppe de sa poche.

— J'en ai la preuve ici.

Michaela leva la main.

— Je n'en ai pas besoin.

Hochant la tête, l'inconnu rangea l'enveloppe.

— Pourquoi me dites-vous ça ? demanda-t-elle.

— C'est notre boulot.

— Le mariage est dans quatre jours.

Elle le regarda.

— Je fais quoi maintenant ?

— Ce n'est pas mon affaire.

— Mais oui, bien sûr.

Il y avait de l'amertume dans sa voix.

— Provoquer la casse, O.K., mais réparer, ce n'est pas votre affaire.

L'inconnu se taisait.

— Vous croyez que je vais me remettre avec David ? Lui avouer que j'ai découvert la vérité et implorer son pardon ? Et ensuite ? Il me prendra dans ses bras, nous vivrons heureux et aurons beaucoup d'enfants ? C'est ça, votre plan ? Vous vous posez en sauveur de notre amour ?

Il y avait pensé, en effet, l'histoire du sauveur mise à part. Mais l'idée de remédier au mal, de rétablir l'équilibre, de la remettre dans le droit chemin… oui, il avait escompté ce genre de dénouement.

— Seulement voilà, il y a un hic, monsieur le redresseur de torts.

Michaela se rapprocha de lui.

— Même quand je sortais avec David, j'avais un faible pour Marcus. Quelle ironie, n'est-ce pas ? Marcus n'avait pas besoin de faire ça. On aurait fini ensemble, de toute façon. Peut-être… je ne sais pas, mais peut-être qu'il regrette ce qu'il a fait. Qu'il se sent coupable. Peut-être qu'il cherche à se racheter, et c'est pour ça qu'il est si gentil avec moi.

— Ce n'est pas une raison.

— Vous donnez des leçons de vie maintenant ? rétorqua-t-elle sèchement. Savez-vous ce que vous me laissez comme choix ? Tout foutre en l'air ou vivre avec un mensonge.

— Vous êtes encore jeune et séduisante…

— Et je suis amoureuse. De Marcus.

— Même si vous savez de quoi il est capable ?

— Les gens sont capables de beaucoup de choses par amour.

Sa voix s'était radoucie. Elle avait perdu son humeur belliqueuse. Lui tournant le dos, elle appuya sur le bouton d'appel de l'ascenseur.

— Vous comptez en parler à quelqu'un ? demanda-t-elle.

— Non.

— Bonne nuit.

— Vous allez quand même l'épouser ?

Les portes de l'ascenseur s'ouvrirent. Michaela pénétra dans la cabine et se retourna.

— Vous n'avez pas révélé un secret, dit-elle. Vous en avez simplement fabriqué un autre.

18

À L'ENTRÉE DE CEDARFIELD, Adam s'arrêta, sortit son téléphone et renvoya un SMS à Corinne.

JE SUIS INQUIET. LES GARÇONS SONT INQUIETS.
S'IL TE PLAÎT, REVIENS.

En redémarrant, il se demanda pour la énième fois comment il en était venu à habiter cette ville de Cedarfield. Était-ce le fruit d'un choix délibéré ? Pas forcément. Corinne et lui auraient pu vivre n'importe où, et donc pourquoi pas à Cedarfield ? C'était à bien des égards la part du vainqueur dans la guerre qu'on nomme le rêve américain. Maisons pittoresques, vastes jardins, charmant centre-ville avec boutiques, restaurants et même un cinéma. On trouvait là des équipements sportifs ultra-modernes, une bibliothèque au goût du jour, un étang avec des canards. *Money Magazine*, dont l'autorité n'était plus à prouver, avait classé Cedarfield au vingt-septième rang des « meilleurs endroits où vivre en Amérique ».

Et puis, le lieu était idéal pour élever ses enfants, même si vous les éduquiez pour qu'ils deviennent de nouveaux vous. D'aucuns considéraient ça comme le cycle de la vie, mais Adam le voyait plutôt façon bouteille de shampooing – «lavez-rincez-répétez l'opération » –, vu le nombre de leurs voisins et amis, des gens adorables qu'il aimait beaucoup, qui avaient grandi à Cedarfield, y étaient revenus après une interruption de quatre années de fac, s'y étaient mariés, avaient élevé leurs enfants, lesquels allaient grandir et partir étudier à la fac avec l'espoir de revenir ici pour se marier et élever leurs propres enfants.

Où était le mal, après tout ?

Corinne, qui avait passé les dix premières années de son existence à Cedarfield, n'avait pas eu la chance de suivre cet itinéraire tout tracé. Alors qu'elle était encore à l'école primaire, la ville et ses valeurs déjà profondément engrammées dans son ADN, son père s'était tué dans un accident de voiture. Il n'avait que trente-sept ans, trop jeune pour se soucier des questions comme sa propre fin ou la constitution d'un patrimoine. L'assurance leur ayant versé une misère, la mère de Corinne avait dû vendre leur maison et partir s'installer avec Corinne et sa sœur aînée Rose dans un lotissement en brique situé dans la ville un peu moins huppée de Hackensack.

Pendant plusieurs mois, elle avait fait des allers-retours entre Hackensack et Cedarfield pour que Corinne puisse continuer à voir ses amis. Mais, à la rentrée scolaire, les amis avaient repris leurs activités sportives et autres cours de danse que Corinne ne pouvait plus se payer, et plus que la distance géographique, le gouffre social s'était révélé impossible à combler.

Sa sœur Rose avait réagi de manière très prévisible : mauvaises notes à l'école, rébellion à la maison, diverses expériences avec toutes sortes de drogues et de garçons infréquentables. Corinne, en revanche, avait trouvé à sa peine et son ressentiment des issues qu'on pourrait qualifier de positives. La tête dans le guidon, elle avait travaillé dur à l'école, ignoré les tentations classiques de l'adolescence et s'était juré de revenir victorieuse dans la ville où elle avait vécu heureuse avec son papa. Elle avait passé les vingt années suivantes à pousser sur le plafond de verre jusqu'à ce qu'il cède... ou plutôt vole en éclats.

Corinne et Adam avaient acheté une maison étrangement semblable à celle où elle avait grandi. À l'époque, il devait partager ses aspirations. Quand on se marie, on épouse aussi les rêves et les espoirs de son conjoint. Le rêve de Corinne, c'était un retour triomphal dans la ville qui l'avait rejetée. Et il avait certainement pris plaisir à l'aider dans cette odyssée longue de vingt ans.

Les lumières étaient encore allumées au Hardcore Gym, le bien nommé (*Dur dedans – Dur dehors*). Adam jeta un œil sur le parking et repéra la voiture de Kristin Hoy. Il appuya sur la touche *raccourci* du portable de Thomas – encore une fois, inutile d'appeler sur le fixe, personne ne décrocherait – et attendit. Thomas répondit à la troisième sonnerie, d'un distrait et à peine audible :

— Ouais ?

— Tout va bien à la maison ?

— Ouais.

— Tu fais quoi, là ?

— Rien.

— Et ce rien signifie ?

— Je joue à *Call of Duty*. Je viens juste de commencer. Bien sûr.

— Tu as fait tes devoirs ? demanda Adam par réflexe.

C'était le genre de question rhétorique qu'un parent ne pouvait s'empêcher de poser.

— Plus ou moins.

Il ne se donna pas la peine de lui conseiller d'en faire

plutôt plus que moins. Ça n'aurait servi à rien. Qu'il se débrouille. Laissons-les vivre.

— Où est ton frère ?

— J'en sais rien.

— Mais il est à la maison ?

— Sûrement.

Ah, l'amour fraternel.

— Va juste voir s'il n'a besoin de rien. Je rentre bientôt.

— O.K. P'pa ?

— Oui.

— Où est maman ?

— Elle est partie, dit-il une fois de plus.

— Où ça ?

— C'est un truc de profs. On en parlera quand je serai à la maison, O.K. ?

Il y eut une longue, une trop longue pause.

— Ouais, O.K.

Adam se gara à côté de l'Audi décapotable de Kristin et pénétra dans le club. Le Musclor de l'accueil le toisa de haut en bas et le classa visiblement dans la catégorie casse-pieds. Il avait le front d'un homme de Cro-Magnon et la bouche figée en un rictus méprisant. Pour tout vêtement, il portait une sorte de combinaison moulante sans manches.

— C'est pour quoi ?

— Je voudrais voir Kristin Hoy.

— Membre ?

— Quoi ?

— Vous êtes un membre du club ?

— Non, je suis un ami. Ma femme s'entraîne ici. Corinne Price.

L'autre hocha la tête comme si ça expliquait tout. Puis il demanda :

154

— Ça va, elle ?

La question surprit Adam.

— Pourquoi ça n'irait pas ?

Il haussa les épaules et les masses saillantes de part et d'autre de son cou tressaillirent à peine.

— On l'a pas vue de la semaine. Alors qu'y a un concours vendredi.

Corinne ne participait pas aux compétitions. Elle était bien roulée, mais pas question de parader devant un jury, légère et court vêtue. Ce qui ne l'avait pas empêchée d'accompagner Kristin au concours national l'année dernière.

Musclor pointa le doigt – en faisant jouer ses biceps – vers un coin tout au fond.

— Salle B.

Adam franchit la porte vitrée. Certains clubs de fitness étaient calmes. D'autres diffusaient une musique assourdissante. D'autres encore, comme celui-ci, résonnaient de grognements primitifs et du cliquetis de lourds poids en fonte. Les murs étaient en miroirs : ici, s'admirer et prendre des poses était non seulement toléré, mais conseillé. Ça sentait la sueur, le détergent et ce qu'il imaginait, d'après les pubs, être l'odeur de l'eau de toilette Axe.

Il trouva la salle B, frappa légèrement et poussa la porte. Cela ressemblait à un studio de yoga avec un plancher en bois clair, une poutre d'équilibre et bien sûr des miroirs partout. Une femme à la silhouette ultra-sculptée titubait sur le sol, vêtue d'un bikini et juchée sur des talons ridiculement hauts.

— Stop ! cria Kristin.

La femme obéit. Kristin la rejoignit, en minuscule bikini rose et sur des talons tout aussi hauts. Sauf qu'elle ne trébuchait pas, n'hésitait pas. Elle foulait le plancher comme un terrain conquis.

— Ton sourire est à peine esquissé. Et on dirait que tu n'as jamais porté de talons.

— Ce n'est pas trop mon habitude, avoua la femme.

— Eh bien, entraîne-toi. Tu seras jugée sur tout : ton entrée, ta sortie, ta démarche, ta prestance, ton sourire, ton assurance, l'expression de ton visage. C'est la première impression qui compte. Il n'y aura pas de seconde chance. Tu peux te faire éliminer d'emblée. O.K., asseyez-vous, tout le monde.

Cinq autres femmes ultra-sculptées s'assirent par terre. Kristin se posta devant elles, puis se mit à arpenter la salle. Ses muscles roulaient sous sa peau à chacun de ses pas.

— Vous devriez toutes être encore au régime, déclara-t-elle. Trente-six heures avant la compétition, vous ferez le plein de glucides. Ça évitera à vos muscles de s'aplatir et leur donnera le gonflant naturel qu'on recherche. Pour le moment, vous êtes censées vous nourrir à quatre-vingt-dix pour cent de protéines. Vous avez toutes votre programme alimentaire spécifique, n'est-ce pas ?

Hochements de tête.

— Suivez-le scrupuleusement. Buvez cinq litres d'eau par jour. C'est un minimum. On diminuera progressivement à mesure que l'échéance approchera. Quelques petites gorgées la veille, et pas d'eau du tout le jour du concours. J'ai des diurétiques s'il y en a parmi vous qui font encore de la rétention d'eau. Vous avez des questions ?

Une main se leva.

— Oui ?

— Est-ce qu'on va répéter le défilé en robe de soirée ?

— Absolument. Rappelez-vous, mesdames. Les gens

156

croient que c'est un concours de bodybuilding. En fait, pas du tout. WBFF, c'est du fitness. Vous aurez des poses, comme ce qu'on fait ici. Mais les juges cherchent aujourd'hui Miss Amérique, Victoria's Secret, Fashion Week et bien sûr *MuscleMag* en un seul et même paquet élégant. Harriet vous aidera à coordonner vos robes de soirée. Ah oui, voyons aussi ce qu'il faudra emporter dans votre trousse de voyage. Pensez, s'il vous plaît, à prendre les choses suivantes : de la colle à fesses pour votre bikini, du ruban adhésif pour le haut, de la colle E6000, des coussinets de rembourrage pour soutien-gorge, des pansements à ampoules, de la colle à chaussures – il y a toujours des catastrophes de dernière minute avec les brides –, de l'autobronzant, des gants pour auto-bronzant, de la crème anti-bronzage pour les paumes et les plantes de pied, des bandes blanchissantes pour les dents, des gouttes anti-yeux rouges…

Ce fut alors qu'elle aperçut Adam dans la glace, et son expression changea du tout au tout. La cheftaine qui pré-parait ses troupes pour le concours national WBFF laissa la place à la collègue et amie. Incroyable, la facilité avec laquelle on peut changer de personnage, pensa Adam.

— Travaillez vos poses de départ, dit Kristin, les yeux rivés sur Adam. Une devant, une derrière, et vous res-sortez. C'est tout. Harriet va vous guider. Je reviens tout de suite.

Elle se dirigea vers Adam sans marquer de pause, retraversant la salle sur ses hauts talons qui la rendaient presque aussi grande que lui.

— Du nouveau ? demanda-t-elle.

— Pas vraiment.

Elle l'entraîna dans un coin.

— Alors qu'est-ce qui t'amène ?

Il n'y avait pas de raison de se sentir gêné face à une

femme en bikini étriqué, perchée sur des talons ridiculement hauts, mais c'était plus fort que lui. À dix-huit ans, Adam avait passé des vacances en Espagne, sur la Costa del Sol. Beaucoup de femmes se faisaient bronzer seins nus, et il pensait être trop mûr pour les mater. Il n'avait pas maté, non, mais il avait éprouvé un léger sentiment de gêne. Comme maintenant.

— Je vois que tu es en train de préparer un défilé, dit-il.

— Pas n'importe quel défilé, le concours national. Je vais jouer les égoïstes, mais Corinne a mal choisi son moment pour disparaître. Elle m'accompagne toujours dans mes déplacements. Je sais bien que c'est un détail, compte tenu des circonstances, mais c'est mon premier défilé en tant que pro et… oui, bon, ce n'est pas un souci. Enfin, c'est une toute petite partie de mes soucis. Le gros souci, c'est que je suis inquiète. Ce n'est pas son genre de se volatiliser comme ça.

— Je sais, répondit Adam. C'est pour ça que je voudrais te poser une question.

— Je t'écoute.

Adam se jeta à l'eau.

— C'est au sujet de sa grossesse d'il y a deux ans.

Ce fut comme si une vague l'avait heurtée de plein fouet sur la plage. Au tour de Kristin Hoy de vaciller sur ses talons ridiculement hauts.

— Oui, eh bien ?

— Tu as l'air surprise, fit-il.

— Comment ?

— Quand j'ai mentionné sa grossesse, on aurait dit que tu avais vu un fantôme.

Elle évitait soigneusement de le regarder.

— Il y a de quoi être surprise. Voyons, Corinne

disparaît, et toi tu me parles de ce qui s'est passé il y a deux ans. Je ne vois pas le rapport.

— Mais tu te souviens de sa grossesse ?

— Bien sûr. Pourquoi ?

— Comment elle t'a annoncé ça ?

— Le fait qu'elle était enceinte ?

— Oui.

— Oh, je ne me rappelle plus.

Elle mentait, ça se voyait.

— Qu'est-ce que ça change, la façon dont elle me l'a annoncé ?

— Réfléchis, s'il te plaît. Il n'y a rien qui t'a frappée sur le coup ?

— Non.

— Rien de bizarre dans cette histoire de grossesse ?

Kristin posa ses mains sur ses hanches. Sa peau luisait faiblement de sueur, ou peut-être était-ce un reste d'autobronzant.

— Où veux-tu en venir ?

— Et au moment de sa fausse couche ? hasarda Adam. Comment a-t-elle réagi ?

Curieusement, ces deux questions semblèrent la recentrer. Kristin prit son temps, respirant profondément comme si elle était en méditation ; sa clavicule saillante montait et redescendait au rythme de son souffle.

— C'est drôle.

— Oui ?

— J'ai trouvé sa réaction très discrète.

— Dans quel sens ?

— Eh bien, j'y ai repensé. Elle s'en est remise si vite. Alors, après que tu as quitté le lycée aujourd'hui, j'ai pensé – enfin, au début – que peut-être Corinne s'était remise beaucoup trop vite de sa fausse couche.

— Je ne comprends pas.

— On a besoin de faire son deuil, Adam. De ressentir et d'exprimer. Sans quoi, ton sang se charge de toxines.

Il se retint de froncer les sourcils face à ce baratin New Age.

— J'ai l'impression que Corinne a refoulé sa douleur, poursuivit Kristin. Et quand on fait ça, on ne fabrique pas seulement des toxines, on se crée une pression interne. Et il y a toujours quelque chose qui finit par lâcher. Du coup, après ton départ, je me suis posé des questions. Corinne a pu occulter ce traumatisme, et, deux ans après, la carapace qu'elle s'était construite s'est brusquement effritée.

Adam la regarda.

— Au début.

— Pardon ?

— Tu dis l'avoir pensé au début. Mais depuis, tu as changé d'avis.

Elle ne répondit pas.

— Pourquoi ?

— Nous sommes amies, Adam.

— Je suis au courant.

— Tu es le mari qu'elle cherche à fuir, non ? Enfin, si tu dis la vérité et s'il ne lui est pas arrivé malheur.

— Tu es sérieuse, là ?

— Parfaitement.

Kristin déglutit avec effort.

— Quand on se promène dans les rues de notre quartier, on voit les belles maisons, les pelouses impeccables, le joli mobilier de jardin. Mais personne ne sait ce qui se joue derrière ces façades.

Il ne broncha pas.

— Si ça se trouve, Adam, tu es un mari violent.

— Non, mais…

Elle leva la main.

— Je ne dis pas que tu l'es. C'est juste un exemple. On ne peut pas savoir.

Elle avait les larmes aux yeux, et il pensa alors à son mari, Hank, et aux châles et manches longues qu'elle portait quelquefois. Il avait cru que c'était par modestie. Mais peut-être y avait-il autre chose.

Et elle n'avait pas tort. Ils avaient beau être proches, chaque foyer était une île renfermant ses propres secrets.

— Tu sais quelque chose, lui dit Adam.

— Non. Je dois y aller, les filles m'attendent.

Elle tourna les talons. Il faillit l'empoigner par le bras. Au lieu de quoi, il lâcha :

— Je ne crois pas que Corinne ait été réellement enceinte.

Kristin s'arrêta.

— Tu le savais, n'est-ce pas ?

Sans se retourner, elle secoua la tête.

— Corinne ne m'a jamais dit quoi que ce soit.

— Mais tu savais.

— Je ne savais rien du tout, rétorqua Kristin à voix basse. Allez, il faut que tu rentres maintenant.

19

RYAN LE GUETTAIT À LA PORTE DU JARDIN.

— Où est maman ?

— Elle est partie, dit Adam.

— Comment ça, partie ?

— Partie en voyage.

— Où ?

— Oh, un truc de profs. Elle reviendra bientôt.

Ryan geignit, paniqué :

— Mais il me faut ma tenue !

— Tu as regardé dans ton tiroir ?

— Oui !

Le geignement devint un cri :

— Tu m'as déjà demandé ça hier ! J'ai regardé dans le tiroir et le panier à linge !

— Dans la machine à laver aussi ? Et dans le sèche-linge ?

— Là aussi ! J'ai regardé partout !

— O.K., fit Adam. Calme-toi.

— Mais j'en ai besoin ! Si on n'a pas sa tenue, le coach nous fait courir des tours en plus, et on est privé de match.

— Pas de problème. Viens, on va chercher.

— Mais tu ne trouves jamais rien ! Je veux maman ! Pourquoi elle ne répond pas à mes SMS ?

— Il n'y a pas de réseau là-bas.

— Tu ne comprends pas ! Tu ne…

— Non, Ryan, c'est toi qui ne comprends pas !

Il entendit sa voix résonner à travers la maison. Ryan se tut. Pas Adam.

— Tu t'imagines que ta mère et moi existons uniquement pour te servir ? C'est ça que tu penses ? Eh bien, sache une chose, mon pote, maman et moi sommes des êtres humains nous aussi. Grosse surprise, hein ? Nous avons une vie par ailleurs. Il nous arrive d'être tristes, comme toi. De nous faire du souci, comme toi. Nous ne sommes pas là pour te servir, ni pour satisfaire tous tes caprices. Tu comprends maintenant ?

Les yeux de son fils s'emplirent de larmes. En entendant des pas, Adam tourna la tête. Du haut des marches, Thomas le contemplait d'un air incrédule.

— Désolé, Ryan. Je ne voulais pas…

Ryan se précipita dans l'escalier.

— Ryan !

Il passa en courant devant son frère. La porte de sa chambre claqua. Thomas continuait à dévisager son père.

— Je me suis emporté, dit Adam. Personne n'est parfait.

Thomas garda le silence pendant un long moment. Puis :

— Papa ?

— Quoi ?

— Où est maman ?

Adam ferma les yeux.

— Je te l'ai dit. Elle est partie à un truc de profs.

— Elle vient d'y aller, à un truc de profs.

— C'en est un autre.

— Et ça se passe où ?

— À Atlantic City.

Thomas secoua la tête.

— Non.

— Comment ça, non ?

— Je sais où elle est, dit Thomas. Et c'est pas à Atlantic City.

20

— VIENS ICI, S'IL TE PLAÎT.

Thomas hésita avant de descendre dans la cuisine. Ryan était toujours retranché dans sa chambre. Ce n'était pas plus mal. Autant attendre que la tension retombe. De toute façon, la seule chose qui intéressait Adam pour l'instant, c'était ce que venait de lui annoncer Thomas.

— Tu sais où est ta mère ?

— Plus ou moins.

— Comment ça, plus ou moins ? Tu lui as parlé ?

— Non.

— Elle t'a envoyé un SMS ? Un mail ?

— Non, répondit Thomas. Rien de tout ça.

— Mais alors, comment peux-tu affirmer qu'elle n'est pas à Atlantic City ?

Son fils baissa la tête. Quelquefois, en le regardant bouger ou gesticuler, Adam avait l'impression de se voir dans une glace. Il ne doutait pas une seconde que Thomas fût son fils. Quant à Ryan… Tous les hommes ont cette sorte de crainte au fond d'eux-mêmes. Ils la gardent pour eux. Souvent même, elle reste enfouie dans leur inconscient. Mais elle est bien là, et l'inconnu avec ses révélations avait réveillé la peur, lui avait donné corps.

Cela expliquait-il l'absurde explosion d'Adam ?

Oui, bon, compte tenu des circonstances, il y avait de quoi perdre patience face à ce gamin obsédé par sa tenue de sport.

Mais y avait-il autre chose là-dessous ?

— Thomas ?

— Maman va m'engueuler.

— T'inquiète.

— Je lui ai promis de ne pas m'en servir. Mais d'habitude, elle répond toujours à mes SMS. Je voulais comprendre ce qui se passait. Du coup, j'ai fait une chose que je n'aurais pas dû faire.

— C'est bon, fit Adam, essayant de maîtriser son impatience. Dis-moi de quoi il s'agit.

Thomas respira profondément.

— Tu te souviens, quand tu es parti, je t'ai demandé où était maman.

— Oui.

— Ben, tu as… enfin, je t'ai trouvé bizarre. D'abord, tu ne me réponds pas, ensuite maman ne répond pas à mes SMS…

Il leva les yeux.

— Papa ?

— Quoi ?

— Cette histoire de réunion de profs, c'est la vérité ?

Adam n'hésita pas longtemps.

— Non.

— Tu sais où est maman ?

— Non. On s'est disputés, vois-tu.

Son fils hocha la tête tel un vieux sage.

— Du coup, maman t'a plaqué ou quoi ?

— Je ne sais pas, Thomas. C'est ce que j'essaie de comprendre.

Nouveau hochement de tête.

— Alors elle n'apprécierait peut-être pas que je te dise où elle est.

S'adossant à sa chaise, Adam se frotta le menton.

— C'est une possibilité, admit-il.

Thomas posa les mains sur la table. Il portait un bracelet en silicone, de ceux où l'on grave des messages, sauf que le sien portait l'inscription *Cedarfield Lacrosse*. Il se mit à tirer dessus pour le faire claquer contre son poignet.

— Seulement, il y a un hic, poursuivit Adam. J'ignore de quoi il s'agit, O.K. ? Si maman t'a contacté pour te demander de ne pas révéler où elle est, eh bien, je respecterai son souhait. Mais je ne crois pas que ce soit ça. Jamais elle ne vous aurait mis, toi ou Ryan, dans une position pareille.

— Ce n'est pas elle, dit Thomas, les yeux rivés sur son bracelet.

— O.K.

— Mais elle m'a fait promettre de ne jamais utiliser ça.

— Utiliser quoi ?

— Cette appli.

— Thomas ?

Son fils le regarda.

— Je ne comprends rien à ce que tu racontes.

— En fait, on a conclu un pacte, maman et moi.

— Quel genre de pacte ?

— Elle utiliserait cette application seulement en cas d'urgence, pas pour m'espionner. Mais moi, je n'avais pas le droit de m'en servir.

— C'est quoi, un cas d'urgence ?

— Ben, si je ne donnais plus signe de vie ou si elle n'arrivait vraiment pas à me joindre.

Adam sentait la tête lui tourner à nouveau. Il marqua une pause.

— Si tu me parlais de cette application ?

— C'est un traceur de téléphone, et normalement ça t'aide à localiser ton portable, s'il a été perdu ou volé.

— Je vois.

— Ça t'indique sa position sur une carte. Cette appli existe sur tous les téléphones, je suppose, mais là, c'est la version améliorée. Donc, s'il nous arrivait quelque chose, ou si maman ne nous trouvait pas, Ryan ou moi, avec ça elle saurait où on est.

— Et tu l'as sur ton téléphone ?

— Oui.

Adam tendit la main.

— Fais voir.

Thomas hésita.

— Je te le répète… je ne suis pas censé m'en servir.

— Mais tu l'as fait quand même.

Il baissa la tête. Adam posa la main sur son épaule.

— Je ne t'en veux pas, dit-il. Alors, tu me la montres, cette application ?

Thomas sortit son smartphone de sa poche. Ses doigts dansèrent sur l'écran. Puis il le tendit à son père. Adam vit un plan de Cedarfield avec trois points clignotants au même endroit. Un bleu, un vert et un rouge.

— Ces points lumineux…, commença-t-il.

— C'est nous.

— Nous ?

— Ouais. Toi, moi et Ryan.

Ses tempes se mirent à palpiter. Sa propre voix lui sembla venir de très loin :

— Moi ?

— Oui. Toi, c'est le point vert.

Sa bouche était soudain devenue sèche.

— Autrement dit, si maman voulait, elle pouvait me…

Il se tut. Inutile de développer.

— Ça fait combien de temps qu'on l'a, cette application ?

— Je ne sais pas. Trois ou quatre ans.

Pétrifié, Adam s'efforçait de digérer l'information. Trois ou quatre ans. Depuis trois ou quatre ans, grâce à ce gadget, Corinne avait la possibilité de suivre à la trace ses enfants et, plus important encore, son mari.

— Papa ?

Il tirait fierté de son incompétence en matière de ces nouvelles technologies qui réduisaient les humains en esclavage, les poussaient à ignorer leur prochain et à répondre à leurs insatiables demandes d'attention. Aucune application inutile sur son téléphone, ni jeux, ni Twitter, ni Facebook, ni shopping, ni météo… rien. Juste le strict minimum : mails, SMS, carnet d'adresses.

— Pourquoi on ne voit pas maman là-dessus ? questionna-t-il.

— Il faut zoomer.

— Comment ?

Thomas reprit le téléphone, posa deux doigts sur l'écran et les écarta doucement. On pouvait apercevoir maintenant tout le New Jersey, avec la Pennsylvanie à l'ouest. Un point orange apparut à gauche de l'écran. Adam le tapota, et l'image s'agrandit encore.

Pittsburgh ?

Il était allé à Pittsburgh une seule fois, pour obtenir la libération sous caution d'un client. Le trajet avait duré six heures.

— Pourquoi ça ne clignote pas ? demanda-t-il.

— Parce qu'il est inactif.

— C'est-à-dire ?

Thomas ravala un soupir, comme chaque fois qu'il devait expliquer un truc basique à son père.

— Quand j'ai consulté l'appli il y a quelques heures,

ça bougeait encore. Mais depuis une heure… bref, c'est là qu'elle était.

— Elle s'est donc arrêtée là-bas ?

— Je ne crois pas. Regarde, si tu cliques ici…

Il toucha l'écran. L'image d'un téléphone portable apparut, avec le nom CORINNE.

— La charge de la batterie s'affiche là, à droite. La dernière fois que j'ai vérifié, il ne restait plus que quatre pour cent. Son téléphone est déchargé maintenant ; c'est pour ça que ça ne clignote plus.

— Mais est-elle toujours à l'endroit indiqué par ce voyant ?

— Je ne sais pas. Ça indique seulement où elle était avant que la batterie ne soit complètement à plat.

— En bref, on ne peut plus la localiser ?

Thomas secoua la tête.

— Pas tant que maman n'a pas rechargé son portable. D'ici là, ça ne sert à rien de l'appeler ou d'envoyer des SMS.

— Parce que son téléphone est HS.

— C'est ça.

— Mais si on continue à surveiller, dit Adam, on verra s'il fonctionne à nouveau ?

— Exactement.

Pittsburgh. Que diable Corinne était-elle allée faire à Pittsburgh ? Pour autant qu'il le sache, elle ne connaissait personne là-bas. Elle n'y avait jamais mis les pieds, n'avait jamais mentionné un proche ni une connaissance résidant dans cette ville.

Il zooma sur le point orange. L'adresse disait South Braddock Avenue. Adam cliqua sur la photo satellite. Elle s'était rendue dans une sorte de galerie commerciale, ou à proximité. Il y avait un supermarché, un magasin

One Dollar Store, un Foot Locker, un GameStop. Peut-être s'était-elle arrêtée pour s'acheter à manger.

À moins qu'elle ait rendez-vous avec l'inconnu.

— Thomas ?

— Ouais ?

— Je l'ai, cette application, sur mon téléphone ?

— Sûrement. Si on peut te voir, ça marche dans l'autre sens aussi.

— Tu peux me montrer où elle est ?

Adam lui tendit son portable. Plissant les yeux, son fils se remit à pianoter sur l'écran. Finalement, il dit :

— Ça y est, je l'ai.

— Comment se fait-il que je ne l'aie encore jamais vue ?

— Elle était avec un tas d'autres applis que tu n'utilises pas.

— Donc, si je me connecte maintenant, fit Adam, je peux garder un œil sur le téléphone de maman ?

— Je te l'ai dit, elle n'a plus de batterie.

— Mais si elle la recharge ?

— Alors, tu le verras. Il te faut juste le mot de passe.

— Quel est-il ?

Son fils ne répondit pas tout de suite.

— Thomas ?

— JaimeMaFamille, dit-il. En un seul mot. Avec un J, un M et un F majuscules.

21

PRENDS ÇA DANS TA GUEULE, mon grand.

Bob Baime – alias Gaston – pivota et tira. Nouveau shoot en extension, eh oui. Big Bob était dans la zone ce soir. Il était en feu. *En fuego.*

C'était un match de basket en accès libre dans la salle de la paroisse luthérienne. Il y avait de tout parmi les joueurs. Depuis les cracks (comme cet ex-meilleur joueur de la NCAA, recruté à sa sortie de Duke par les Celtics de Boston, mais pour lequel tout avait foiré à la suite d'une blessure au genou) jusqu'aux minus tout juste capables de mettre un pied devant l'autre.

Aujourd'hui, Big Bob Baime était leur dieu, leur machine à gagner. L'ouragan qui balayait tout sur son passage. Fort de ses cent trente-cinq kilos, il pulvérisait ses adversaires. Comme monsieur le champion de basket qu'il venait de faire tomber. Le champion lui décocha un regard que Big Bob soutint sans ciller.

L'autre secoua la tête et repartit au pas de course.

C'est ça, dégage, connard, si tu ne veux pas que je te flanque mon pied quelque part.

Mesdames et messieurs, Big Bob Baime est de retour. Jusque-là, cet ex-champion avec sa genouillère ridicule arrivait à le piéger facilement. Mais pas ce soir. Rien, que dalle. Bob avait tenu bon. Son vieux aurait été fier de lui. Ce père qui, toute son enfance, l'avait appelé Betty plutôt que Bobby, l'avait traité de bon à rien, de raté… pire, de fiotte et même de fillette. C'était un dur à cuire, son vieux, directeur sportif au lycée de Cedarfield pendant trente ans. Regardez *vieille école* dans le dictionnaire, et vous trouverez le portrait de Robert Baime père. Ce n'était pas du gâteau de grandir avec un type comme lui, mais, au final, l'amour vache l'avait aidé à s'en sortir.

Dommage que son vieux ne puisse pas voir son fils aujourd'hui, devenu une grosse légume de la ville. Bob n'habitait plus le quartier miteux des profs et des ouvriers qui peinaient à joindre les deux bouts. Non, il avait acheté une villa au toit mansardé dans le secteur résidentiel, réservé aux plus riches. Melanie et lui avaient chacun sa propre Mercedes. On les respectait. Bob faisait partie du très sélect Golf Club de Cedarfield, où son père n'avait mis les pieds qu'une fois, en tant qu'invité. Ses trois gosses étaient tous de grands sportifs, même si Pete ramait actuellement au lacrosse et, depuis que Thomas Price avait pris sa place, la bourse universitaire risquait de lui passer sous le nez. Mais bon, globalement, ça baignait pour lui.

Et ce n'était pas fini.

Dommage que le paternel n'ait pas connu ça non plus, son fils qui perd son boulot. Parce qu'il aurait vu le genre d'homme qu'il était : un battant, un survivant, qui ne flanche pas face à l'adversité. Il était sur le point de clore ce désastreux chapitre de sa vie, de redevenir Big Bob le chef de famille. Même Melanie le regarderait d'un autre œil. Melanie, son épouse, ex-capitaine de l'équipe des pom-pom girls. Elle qui l'avait toujours contemplé avec adoration ou presque était passée en mode harcèlement, lui reprochant d'avoir été trop dépensier, d'avoir

173

frimé avec son argent, de sorte qu'ils s'étaient retrouvés avec zéro économies quand il avait été licencié. Oui, les charognards se rassemblaient déjà. La banque menaçait de saisir la maison. L'huissier guignait du côté des deux coupés Mercedes.

Et maintenant, qui allait rire le dernier, hein ?

Le père de Jimmy Hoch, un gros chasseur de têtes new-yorkais, lui avait arrangé un entretien aujourd'hui et, pour dire les choses simplement, Bob Baime l'avait réussi, les doigts dans le nez. Le gars qui l'avait reçu avait été complètement bluffé. O.K., il n'avait toujours pas rappelé – Bob lorgnait son téléphone sur la ligne de touche –, mais il n'allait plus tarder. Il allait décrocher ce poste, peut-être même négocier un meilleur salaire, et ensuite il ferait officiellement son retour. Attendez un peu qu'il parle de son entretien à Melanie. Elle allait enfin pouvoir se calmer et mettrait peut-être même ce petit truc rose qu'il aimait tant.

De retour sur le terrain, Bob s'empara du ballon, tira et marqua un nouveau panier.

Oh oui, Bob était de retour et plus en forme que jamais. Dommage qu'il n'ait pas été dans cet état d'esprit quand ce bêcheur d'Adam Price l'avait allumé pour avoir recruté Jimmy Hoch dans l'équipe de lacrosse. Bon sang, les trois candidats étaient tous plus nuls les uns que les autres. Leur meilleure chance était de finir ramasseurs de balles. Qui se souciait d'un dixième de point attribué par un jury blasé, intéressé seulement par les bons joueurs ? Il n'y avait pas d'entente à proprement parler entre lui et le papa de Jimmy Hoch, mais le renvoi d'ascenseur, ça existe, non ? Le sport était une leçon de vie. Autant l'apprendre dès le plus jeune âge.

L'équipe de Bob allait réintégrer le terrain pour une nouvelle partie quand son téléphone sonna.

Il le saisit d'une main tremblante, jetant un œil sur le numéro entrant.

GOLDMAN.

On y était.

— T'es prêt, Bob ?

— Commencez sans moi, les gars. Il faut que je réponde.

Il sortit dans le couloir, se racla la gorge et sourit, car si on souriait pour de bon, ça s'entendait dans votre voix.

— Allô ?

— Monsieur Baime ?

— Lui-même.

— Ici Jerry Katz, de chez Goldman.

— Salut, Jerry. C'est sympa de me rappeler.

— Malheureusement, ce n'est pas une bonne nouvelle, monsieur Baime.

Bob sentit son cœur dégringoler dans ses chaussettes. Jerry Katz parla du marché concurrentiel, du plaisir qu'il avait eu à le rencontrer, mais ses paroles se fondaient en un brouhaha à peine audible. Une chape de plomb venait de s'abattre sur la poitrine de Bob, et il repensa à l'autre soir, quand Adam l'avait ouvertement défié pour avoir choisi Jimmy Hoch. Sa réaction, Bob s'en rendait compte maintenant, l'avait surpris à plusieurs titres. D'abord, en quoi ça le concernait, puisqu'il n'était même pas entraîneur ? Leur gamin faisait déjà partie de l'équipe. Ça changeait quoi, qu'on intègre Jimmy Hoch dans l'équipe ou pas ?

Mais surtout, comment Adam s'était-il remis aussi vite du coup de massue qu'il venait de se prendre à l'American Legion Hall ?

Ce petit con de Jerry continuait à jacasser. Et Bob continuait à sourire. Comme le dernier des crétins. Enfin, il répondit :

— Je vous remercie de m'avoir tenu au courant.

En authentique crétin bien content de lui.

Il raccrocha.

— Tu viens, Bob ?

— Allez, on a besoin de toi.

Ils avaient raison. Ceci expliquait peut-être l'attitude d'Adam, le soir des sélections. De même que Bob allait se défouler sur le terrain de basket, Adam lui avait reproché le choix de Jimmy Hoch parce que lui aussi avait besoin d'un exutoire.

Comment réagirait-il, tiens, pensa Bob, s'il apprenait toute la vérité sur sa femme ? Pas seulement l'histoire de sa tricherie. Mais la vérité pleine et entière.

Ma foi, se dit-il en retournant dans la salle au petit trot, il le saurait suffisamment tôt, non ?

22

À 2 HEURES DU MATIN, Adam se souvint soudain de quelque chose… ou, plus précisément, de quelqu'un.

Suzanne Hope, de Nyack, État de New York.

C'était elle qui avait aiguillé Corinne sur Grossesse-Bidon.com. Tout était parti de là. Corinne rencontre Suzanne. Qui fait semblant d'être enceinte. Pour une raison ou une autre, Corinne décide de suivre son exemple. Peut-être. Puis survient l'inconnu.

Attrapant son smartphone, il entra *Suzanne Hope Nyack, NY* dans le moteur de recherche. Sans grand espoir d'aboutir. Cette femme avait probablement donné un faux nom ou une fausse adresse pour aller de pair avec sa pseudo-grossesse. Cependant, la réponse s'afficha dans la seconde.

Dans les Pages blanches, Suzanne Hope, de Nyack, New York, avait entre trente et trente-cinq ans. Il y avait également sa rue et son numéro de téléphone. Adam s'apprêta à les noter quand il se rappela une astuce que Ryan lui avait apprise : en appuyant sur deux touches simultanément, on obtient une capture d'écran. Il essaya, vérifia l'image dans le dossier photos et vit que c'était lisible.

Il éteignit le téléphone et ferma les yeux pour tâcher de trouver le sommeil.

Le séjour encombré de meubles du vieux Rinsky sentait le nettoyant ménager et la pisse de chat. La pièce était bondée, autrement dit, ils étaient peut-être une dizaine là-dedans. C'était largement suffisant. Adam repéra le chauve qui tenait normalement la rubrique sports dans le *Star-Ledger*. Il y avait la journaliste qu'il aimait bien du *Record* de Bergen. D'après son factotum Andy Gribbel, l'*Ashbury Park Press* et le *New Jersey Herald* étaient présents aussi. Les médias nationaux ne s'étaient pas déplacés, mais News 12 New Jersey avait envoyé une équipe de télévision.

Il se pencha vers Rinsky.

— Vous êtes sûr que ça ne vous dérange pas ?

— Vous rigolez ?

Le vieil homme haussa un sourcil.

— Il faut juste que j'évite de trop m'éclater.

Trois reporters se serraient sur le canapé recouvert de plastique. Un quatrième s'appuyait sur le piano droit. Il y avait une pendule à coucou sur le mur du fond et d'autres figurines en porcelaine sur la console. La moquette, jadis à poils longs, ressemblait maintenant à du gazon artificiel.

Adam consulta son téléphone une dernière fois. Toujours rien sur le traceur. Soit Corinne n'avait pas rechargé son portable, soit… bon, ce n'était pas le moment. Les journalistes attendaient son intervention, l'air de dire : « Voyons ce qu'il a à nous raconter. » À moins que ce ne soit : « On est en train de perdre notre temps. » Adam s'avança. M. Rinsky resta à sa place.

— En 1970, commença-t-il sans préambule, Michael J. Rinsky est rentré chez lui après avoir servi son pays sur les champs de bataille les plus exposés du Vietnam. De retour dans sa ville natale, il a épousé son amour de jeunesse, Eunice Schaeffer. Puis, avec ses indemnités de vétéran, Mike Rinsky a acheté une maison.

Adam marqua une pause.

— Cette maison.

Les journalistes griffonnaient frénétiquement.

— Mike et Eunice ont eu trois garçons qu'ils ont élevés sous ce même toit. Mike est entré dans la police en tant qu'agent patrouilleur et a gravi tous les échelons jusqu'au rang de chef. Eunice et lui se sont investis sans compter dans la vie locale. Bénévoles au refuge, à la bibliothèque, au club de basket-ball, à la parade du 4 juillet. Pendant près de cinquante ans, Mike et Eunice ont été au plus près des habitants de cette ville. Ils travaillaient dur. Après le boulot, Mike rentrait se détendre dans cette maison, sa maison. Il a installé lui-même une nouvelle chaudière au sous-sol. Ses enfants ont grandi et quitté le nid. Après trente ans de labeur, Mike a fini de payer son prêt. Aujourd'hui, il est propriétaire de cette maison où nous nous trouvons actuellement.

Adam jeta un coup d'œil par-dessus son épaule. Comme sur un signal – c'en était un, de fait –, le vieil homme rentra la tête dans les épaules, son visage s'affaissa, et il brandit un cadre avec la photo d'Eunice.

— Puis, poursuivit Adam, Eunice Rinsky est tombée malade. Par respect pour son intimité, nous ne donnerons pas de détails. Mais Eunice aime cette maison. Elle se sent en confiance ici. Les endroits inconnus lui font peur ; elle se ressource dans ce foyer où son époux tendrement chéri et elle ont élevé Mike Junior, Danny et Bill. Or voilà que, au terme de toute une vie de travail et de sacrifices, les autorités veulent lui prendre cette maison… sa maison.

Ils avaient cessé de gratter. Pour leur laisser le temps d'assimiler, Adam attrapa la bouteille d'eau derrière lui et but une gorgée. Lorsqu'il reprit, sa voix tremblait de fureur contenue.

— Les autorités veulent mettre Mike et Eunice à la porte du seul foyer qu'ils aient jamais connu pour qu'un gros promoteur puisse le raser et construire une boutique Banana Republic à la place.

Pas tout à fait exact, mais pas loin de la vérité.

— Cet homme...

Adam désigna d'un geste le vieux Rinsky qui, prenant son rôle à cœur, réussit à paraître plus frêle encore.

— Ce héros et patriote américain veut seulement garder la maison acquise au prix d'une vie de dur labeur. C'est tout. Et on voudrait la lui prendre. C'est ça, les États-Unis d'Amérique ? Les autorités qui s'approprient les biens durement gagnés pour les donner aux riches ? Est-ce qu'on jette à la rue les héros de guerre et les femmes âgées ? Est-ce qu'on va broyer leurs rêves à coups de bulldozer pour bâtir un énième centre commercial ?

Tout le monde regardait le vieux Rinsky à présent. Même Adam s'était laissé gagner par l'émotion. Certes, il avait omis de mentionner quelques détails – comme le prix de rachat offert aux Rinsky, supérieur à la valeur réelle de la maison –, mais ça n'entrait pas en ligne de compte. Un avocat est là pour prendre parti. Au camp adverse d'opposer ses arguments. Le système tout entier reposait sur la subjectivité.

Un reporter photographia le vieil homme. Puis un autre. Des mains se levèrent. Quelqu'un demanda à M. Rinsky comment il se sentait. Malin, il la joua fragile et perdu, plus désemparé qu'en colère. Haussant les épaules, il montra la photo de sa femme et dit :

— Eunice veut finir ses jours ici.

Jeu, set et match, pensa Adam.

Que la partie adverse aligne les faits. Eux, ils avaient les poncifs pour eux. Plus la meilleure version... c'est ce que voulaient les médias, non ? Pas la vraie version, mais la plus accrocheuse. Et qu'est-ce qui séduirait le public : l'histoire d'un promoteur qui veut jeter dehors un héros de guerre et son épouse malade ou celle d'un vieillard têtu qui empêche la réhabilitation du quartier en refusant l'argent et un logement plus confortable ?

Il n'y avait pas photo.

Une demi-heure plus tard, les journalistes partis, Gribbel sourit et tapa sur l'épaule d'Adam.

— Gush pour toi.

Adam prit le téléphone.

— Bonjour, monsieur le maire.

— Vous croyez que ça va marcher ?

— On vient d'avoir un coup de fil des producteurs de l'émission *Today*. Ils veulent nous voir demain matin pour une interview exclusive. J'ai dit que c'était trop tôt.

Il bluffait, mais la trouvaille était bonne.

— Aujourd'hui, une actualité chasse l'autre, riposta Gush. Il suffit de laisser passer l'orage. On y arrivera.

— Ça m'étonnerait, dit Adam.

— Et pourquoi donc ?

— Pour le moment, nous nous en tenons aux considérations d'ordre général. Mais nous pourrions aller plus loin.

— C'est-à-dire ?

— Nous pourrions révéler que le maire, qui s'acharne à mettre un vieux couple à la porte de sa maison, a un compte personnel à régler avec le flic honnête qui l'a arrêté autrefois.

Silence.

— J'étais adolescent à l'époque.

— Mais oui, la presse sera ravie de l'apprendre.

— Vous ne savez pas à qui vous avez affaire, mon vieux.

— Je crois avoir une idée, fit Adam. Gush ?

— Quoi ?

— Construisez votre nouveau village autour de la maison. C'est faisable. Je vous souhaite une bonne journée.

La maison des Rinsky s'était vidée.

Un cliquetis de clavier lui parvint du coin-repas situé dans le prolongement de la cuisine. En entrant, Adam fut abasourdi par le déploiement de technologie autour de lui. Il y avait là deux ordinateurs avec grand écran et une imprimante laser sur le bureau en Formica. Tout un pan de mur était tapissé de liège avec photos, coupures de presse et articles téléchargés sur Internet épinglés dessus.

Rinsky avait chaussé ses lunettes de lecture. Le reflet de l'écran accentuait le bleu de ses yeux.

— Qu'est-ce que c'est ? demanda Adam.

— Un passe-temps.

Se renversant sur sa chaise, il ôta les lunettes.

— Ça m'occupe.

— Surfer sur le Web ?

— Pas exactement.

Le vieil homme pointa le doigt derrière lui.

— Vous voyez cette photo ?

C'était une jeune fille aux yeux clos, entre dix-huit et vingt ans.

— Elle est morte ?

— Depuis 1984, répondit Rinsky. Son corps a été découvert à Madison, dans le Wisconsin.

— Une étudiante ?

— J'en doute. Une étudiante devrait être facile à identifier. Celle-là, personne ne sait qui elle est.

— Une anonyme ?

— C'est ça. Du coup, moi et d'autres gars sur le Net,

on met nos compétences en commun pour lui redonner un nom de famille et lui rendre son identité.

— Vous résolvez les affaires classées ?

— On essaie.

Il eut un sourire oblique.

— Je vous l'ai dit, c'est un passe-temps de vieux flic.

— Au fait, j'ai une petite question pour vous.

D'un geste, Rinsky l'invita à poursuivre.

— J'ai besoin de joindre un témoin. Je préfère toujours les rencontrer en personne.

— C'est mieux, acquiesça Rinsky.

— Oui, mais j'ignore si elle est chez elle et je ne veux pas qu'elle soit prévenue de ma visite.

— Vous voulez éviter qu'elle ne vous fasse faux bond ?

— C'est ça.

— Son nom ?

— Suzanne Hope, dit Adam.

— Vous avez son numéro de téléphone ?

— Oui, je l'ai trouvé sur le Net.

— O.K. Elle habite loin ?

— Peut-être vingt-cinq minutes en voiture.

— Donnez-moi le numéro.

Rinsky tendit la main.

— Je vais vous montrer une astuce de flic qui pourrait vous être utile, mais je vous serais reconnaissant de garder ça pour vous.

Adam lui donna son portable. Rinsky percha à nouveau les lunettes au sommet de son nez, décrocha un combiné noir comme Adam n'en avait pas vu depuis son enfance et composa le numéro.

— Ne vous inquiétez pas, fit-il. Mon numéro est masqué.

Au bout de deux sonneries, une voix féminine répondit :

— Allô ?

— Suzanne Hope ?

— Qui est à l'appareil ?

— Je travaille pour l'entreprise de ramonage Acme…

— Ça ne m'intéresse pas. Vous pouvez me rayer de votre liste.

Clic.

Rinsky haussa les épaules et sourit.

— Elle est chez elle.

23

LE TRAJET PRIT EXACTEMENT VINGT MINUTES.

Adam s'arrêta devant un groupe d'immeubles en brique tristement monotones, de ceux où vivent de jeunes couples qui économisent pour acheter leur première maison, ou des pères divorcés – et fauchés – qui désirent rester près de leurs gosses. Il localisa l'appartement 9B et frappa à la porte.

— Qui est-ce ?

Une voix de femme. Mais elle n'ouvrit pas.

— Suzanne Hope ?

— C'est pour quoi ?

Il n'avait pas prévu de répondre à cette question. Curieusement, il avait cru qu'elle l'inviterait à entrer et qu'il pourrait lui exposer tranquillement la raison de sa visite… même s'il ignorait encore ce qu'il lui dirait. Suzanne Hope représentait une piste potentielle, le fil ténu conduisant au véritable motif du départ de Corinne. Peut-être que, en tirant doucement sur ce fil, il arriverait à dévider toute la pelote.

— Je suis Adam Price, annonça-t-il à la porte close. Le mari de Corinne.

Silence.

— Vous vous souvenez d'elle ? Corinne Price.

— Elle n'est pas ici, répondit la femme qu'il présumait être Suzanne Hope.

— Je sais.

Il avait pourtant failli nourrir un minuscule espoir de la retrouver chez Suzanne Hope.

— Qu'est-ce que vous me voulez ?

— Je peux vous parler deux minutes ?

— C'est à quel sujet ?

— Au sujet de Corinne.

— Ça ne me regarde pas.

Communiquer à travers une porte n'était pas franchement commode, mais Suzanne Hope ne semblait pas décidée à lui ouvrir. Et il ne souhaitait pas la braquer.

— Qu'est-ce qui ne vous regarde pas ? s'enquit-il.

— Vous et Corinne. Vos problèmes de couple.

— Qui vous dit qu'on a des problèmes ?

— Vous ne seriez pas là, sinon.

Un point pour Suzanne Hope.

— Savez-vous où est Corinne ?

Dans l'allée goudronnée sur sa droite, un postier lui jeta un regard soupçonneux. Pas étonnant. Il avait pensé aux papas divorcés, mais il devait aussi y avoir des mamans divorcées. Adam salua le postier d'un signe de la tête pour montrer que ses intentions étaient honorables. Peine perdue.

— Pourquoi devrais-je le savoir ?

— Elle a disparu, dit Adam. Je suis à sa recherche.

Quelques secondes passèrent. Il recula d'un pas, laissant pendre ses bras pour avoir l'air le plus inoffensif possible. Finalement, la porte s'entrouvrit. Elle était retenue par une chaîne, mais, au moins, il entrevit une portion du visage de Suzanne Hope. Il aurait préféré entrer, s'asseoir, lui parler en tête à tête, la mettre en confiance, néanmoins, si elle se sentait plus rassurée de cette façon, eh bien, tant pis.

— Quand avez-vous vu Corinne pour la dernière fois ? lui demanda-t-il.

— Ça fait un moment déjà.

— C'est-à-dire ?

Il vit son regard pivoter à droite. Adam ne croyait pas aux diverses théories sur les mouvements oculaires, mais il savait que, lorsqu'on regardait en haut à droite, on faisait appel à ses souvenirs, alors que si on regardait à gauche, on était en train de construire une image. Ce qui ne signifiait pas forcément mentir. Quand on demandait à quelqu'un de penser à une vache violette, c'était de la construction visuelle, rien à voir avec le mensonge ou la tromperie.

De toute façon, il ne pensait pas qu'elle mentait.

— Il y a deux ou trois ans peut-être.

— Et c'était où ?

— Dans un Starbucks.

— Donc vous ne l'avez pas revue depuis…

— Depuis le jour où elle a compris que je n'étais pas enceinte, acheva-t-elle à sa place. C'est ça.

Sa réponse le prit de court.

— Pas de coup de fil ?

— Ni coup de fil, ni mail, ni lettre, rien. Désolée, je ne peux pas vous aider.

Le postier continuait à distribuer le courrier sans quitter Adam des yeux. Adam mit la main en visière pour se protéger du soleil.

— Figurez-vous que Corinne a suivi votre exemple.

— De quoi parlez-vous ?

— Vous savez très bien de quoi je parle.

Par l'entrebâillement, il la vit hocher la tête.

— C'est vrai qu'elle m'a posé tout un tas de questions.

— Quel genre de questions ?

— Où j'avais acheté le ventre prothétique, comment je m'étais procuré les échographies, tout ça.

— Et vous l'avez dirigée sur Grossesse-Bidon.com.

Suzanne Hope posa la main gauche sur le montant de la porte.

— Je ne l'ai « dirigée » nulle part, répliqua-t-elle sèchement.

— Ce n'est pas ce que j'ai voulu dire.

— Corinne a demandé, et j'ai répondu. C'est tout. Mais elle était effectivement très curieuse. Comme si elle se reconnaissait en moi.

— Pardon ?

— Je m'attendais à ce qu'elle me juge. Ce qui aurait été la réaction normale. Qui est cette toquée qui fait semblant d'être enceinte ? Mais elle a compris de quoi il retournait. Comme si nous étions pareilles, elle et moi.

— Si je puis me permettre, fit Adam lentement, combien de bobards avez-vous racontés à ma femme ?

— Comment ça ?

— Pour commencer...

Il désigna la main sur le chambranle de la porte.

— ... vous ne portez pas d'alliance.

— Dites-moi, on vous appelle Sherlock dans l'intimité ?

— Avez-vous seulement été mariée ?

— Oui.

Il perçut comme une note de regret dans sa voix. Un instant, il crut qu'elle allait retirer sa main et lui claquer la porte au nez.

— Je vous demande pardon, dit-il. Je ne voulais pas...

— C'était sa faute, vous savez.

— Quoi donc ?

— Le fait qu'on ne puisse pas avoir d'enfants. On

aurait pu croire que ça le rendrait plus compréhensif. Ce sont ses spermatozoïdes qui étaient faiblards. Pourtant, je ne lui en voulais pas. C'était sa faute et ce n'était pas sa faute, vous comprenez ?

— Oui. Alors, vous n'avez jamais pu tomber enceinte.

— Jamais, fit-elle, abattue.

— Vous avez dit à Corinne que vous aviez eu un enfant mort-né.

— Je pensais qu'elle comprendrait mieux. Ou pas. Mais qu'elle compatirait de toute façon. J'avais tellement envie d'un bébé. C'était peut-être ma faute aussi, après tout. Harold s'en est rendu compte, et ça l'a éloigné de moi. Ou alors il ne m'a jamais aimée. Je ne sais pas. Je ne sais plus. Même gamine, je rêvais d'une famille nombreuse. Ma sœur Sarah en a eu trois. Je la revois enceinte. Elle rayonnait. Du coup, j'ai eu l'idée d'essayer. Pour voir l'effet que ça faisait. Sarah disait que le fait d'être enceinte lui donnait l'impression d'être quelqu'un. Les gens lui parlaient du futur bébé, lui souhaitaient bonne chance et tout. Et un jour, je me suis lancée.

— Vous avez simulé une grossesse.

Suzanne hocha la tête dans l'entrebâillement.

— C'était plus un gag au départ. Juste pour voir. Sarah avait raison. On me tenait la porte. On me proposait de porter mes courses, on me cédait la place de parking. On me demandait comment j'allais, et pas uniquement par politesse. Il y en a qui sont accros aux stupéfiants… parce que ça libère de la dopamine, j'ai lu ça quelque part. Eh bien, ça me faisait la même chose.

— Et vous continuez ? demanda Adam même si, à dire vrai, ça lui était égal.

Suzanne Hope avait soufflé l'idée à sa femme. Ça, il le savait déjà. Elle n'avait plus grand-chose à lui apprendre.

— Non, répondit-elle. J'ai arrêté quand j'ai touché le fond.

— Je peux savoir quand c'était ?

— Il y a quatre mois. Quand Harold l'a découvert et m'a jetée comme une vieille chaussette.

— Je suis désolé.

— Il n'y a pas de quoi. C'est mieux ainsi. Je suis en thérapie maintenant, et même si j'ai cette maladie – moi et personne d'autre –, Harold ne m'aimait pas. Je m'en rends compte aujourd'hui. Peut-être qu'il ne m'a jamais aimée. Ou alors il m'en voulait. Un homme qui n'arrive pas à avoir d'enfants, ça remet en cause sa virilité. Quoi qu'il en soit, j'ai cherché la validation ailleurs. Notre relation était devenue toxique.

— Je suis désolé, répéta Adam.

— Peu importe. Vous n'êtes pas venu pour entendre ça. Il suffit de dire que je me félicite d'avoir refusé de payer. Ce type qui a révélé mon secret à Harold, en fait il m'a rendu un fier service.

Adam sentit son sang se glacer.

— À quoi il ressemblait, ce type ?

— Oh, mon Dieu !

Suzanne Hope ouvrit enfin la porte.

— Vous avez eu affaire à lui, vous aussi.

24

ADAM S'ASSIT SUR LE CANAPÉ en face de Suzanne. Tout
était blanc chez elle, les meubles comme les murs, mais,
malgré ça, son appartement paraissait sombre et dépri-
mant. Les fenêtres laissaient à peine passer la lumière
du jour. On ne voyait aucune tache ni trace de saleté, et
cependant il faisait crasseux. Quant aux tableaux, si on
pouvait les appeler ainsi, ils auraient été trop ringards
pour un hôtel Formule 1.

— C'est de cette façon que vous avez découvert cette
histoire de fausse grossesse ? demanda Suzanne. C'est ce
gars-là qui vous en a parlé ?

Adam se sentait toujours glacé de l'intérieur. Suzanne
Hope avait relevé ses cheveux en un semblant de
chignon. Une pince en écaille de tortue les maintenait.
Elle portait une tonne de bracelets au poignet droit,
façon gitane, et ils cliquetaient à chacun de ses gestes.
Ses grands yeux ne cessaient de papilloter : plus jeune,
elle avait dû paraître vive et enjouée, mais, à présent,
elle donnait l'impression de s'attendre à ce qu'on la gifle
à tout instant.

Adam se pencha en avant.

— Vous dites que vous avez refusé de payer. Racontez-
moi ça.

Suzanne se leva.

— Je vous sers un verre de vin ?

— Non, merci.

— Moi non plus, je ne devrais pas boire.

— Que s'est-il passé, Suzanne ?

Elle coula un regard de regret en direction de la cuisine. Adam se rappela une autre règle, valable pour un interrogatoire, sinon dans la vie de tous les jours : l'alcool lève les inhibitions. Il délie les langues et, même si les scientifiques ne sont pas tous d'accord sur ce sujet, lui était persuadé que c'était aussi un sérum de vérité. Et puis, s'il acceptait son hospitalité, elle serait probablement plus encline à se confier.

— Ou alors un tout petit verre, fit-il.

— Rouge ou blanc ?

— Peu importe.

Elle se dirigea vers la cuisine d'un pas sautillant qui tranchait avec l'atmosphère oppressante de l'appartement. En ouvrant le frigo, elle lança :

— Je travaille comme caissière à temps partiel chez Kohl. J'aime bien ça. Les gens sont sympas et j'ai des réductions sur tout le magasin.

Elle sortit deux verres et entreprit de verser le vin.

— Un jour, pendant ma pause déjeuner, j'ai vu débarquer ce gars avec une casquette de base-ball.

Casquette de base-ball. Adam déglutit.

— Il était comment ?

— Jeune, blanc, maigrichon. Une tête de geek. Ça va vous sembler bizarre, surtout compte tenu de la suite, mais il avait l'air gentil. Amical. Avec un sourire qui m'a mise tout de suite à l'aise.

— Et ensuite ?

— Il me demande de but en blanc : « Votre mari est au courant ? » J'ai dû dire un truc comme : « Pardon ? »

Et lui : « Votre mari sait que vous vous faites passer pour une femme enceinte ? »

Suzanne prit son verre et but une grande gorgée. Adam se leva. Elle lui tendit l'autre verre et fit le geste de trinquer avec lui.

— Continuez, fit-il.

— J'ai voulu savoir d'où il sortait. Il n'a pas répondu. Sinon qu'il était l'inconnu qui dévoile la vérité, un truc de ce genre. J'ai d'abord cru qu'il m'avait vue au Book Ends ou au Starbucks, comme Corinne. Mais sa tête ne me disait rien, et sa manière de parler… enfin, ça ne collait pas.

Suzanne but une autre gorgée. Adam l'imita. Le vin avait un goût de piquette.

— Il m'a proposé un marché. Je lui donnais cinq mille dollars et j'arrêtais de simuler, auquel cas je ne le reverrais plus. Mais si je persistais dans ma tromperie – c'est le mot qu'il a employé, *tromperie* –, il dirait tout à mon mari. Il a aussi promis de ne me faire payer qu'une fois. Alors je lui ai demandé comment je pourrais être sûre qu'il ne me demanderait plus rien.

— Qu'est-ce qu'il a répondu ?

— Il a souri et dit : « Ce n'est pas comme ça que nous procédons. Ce n'est pas dans nos habitudes. » Le plus étrange, c'est que je l'ai cru. Peut-être à cause de son sourire, je ne sais pas. Mais je pense qu'il était sincère.

— Cependant, vous n'avez pas payé.

— Comment le savez-vous ? Ah oui, c'est vrai, je vous l'ai déjà dit. C'est drôle. Au début, je me suis pris la tête… où trouver tout cet argent ? Puis j'ai réfléchi et je me suis demandé ce que j'avais fait de mal. J'ai mené en bateau une poignée d'inconnus. Ce n'était pas comme si j'avais menti à Harold.

Adam avala une autre gorgée… tant pis pour le goût.

— Tout à fait.

— J'ai pensé qu'il bluffait peut-être. Ou que je m'en fichais. Ou alors je voulais qu'il le dise à Harold. La vérité délivre, non ? C'est peut-être ce que je cherchais, au fond. Harold y verrait un appel au secours. Il ferait plus attention à moi.

— Mais ça n'a pas marché.

— C'est le moins qu'on puisse dire. J'ignore quand et comment ce type-là a approché Harold. En tout cas, quand il a su ce que j'avais fait, Harold a pété un câble. Je croyais que ça lui ouvrirait les yeux sur ma détresse, mais ç'a été l'inverse. Toutes ses angoisses sont remontées d'un coup. C'est compliqué, vous savez. L'homme est censé procréer, et si sa semence est stérile, ça l'atteint au plus profond de son être. C'est idiot.

Elle avala une gorgée et regarda Adam droit dans les yeux.

— Ça m'étonne, dit-elle.

— Quoi donc ?

— Que Corinne ait réagi comme moi. J'aurais cru qu'elle paierait.

— Et qu'est-ce qui vous fait dire ça ?

Suzanne haussa les épaules.

— Elle vous aimait. Et elle avait beaucoup à perdre.

25

SE POUVAIT-IL QUE CE SOIT AUSSI SIMPLE ?

Une tentative de chantage qui aurait mal tourné ? L'inconnu avait approché Suzanne Hope et lui avait réclamé de l'argent en échange de son silence. Elle avait refusé de payer.

Corinne avait-elle, elle aussi, refusé de payer ?

D'un côté, cela tombait sous le sens. On exige de l'argent, on ne l'obtient pas, donc on balance. C'est le principe même du chantage. Mais sur le chemin de la maison, tandis qu'il tournait et retournait dans sa tête ce qu'il venait d'apprendre, Adam sentit que quelque chose ne collait pas. Cette histoire de chantage, dans leur cas, ne passait pas la rampe.

Corinne était une femme volontaire et intelligente. Angoissée de nature, elle planifiait tout. Si l'inconnu avait menacé de la faire chanter et qu'elle ait choisi de ne pas payer, elle aurait assuré ses arrières en éternelle bonne élève qu'elle était. Or, lorsque Adam l'avait poussée dans ses retranchements, elle avait été déstabilisée. Elle n'avait pas eu de réponse toute prête à lui donner. Elle avait juste essayé de gagner du temps. Pas de doute là-dessus : Corinne avait été prise de court.

Et sa réaction ? Cette fuite, comment l'expliquer ?

Ce n'était pas le style de Corinne.

Il y avait autre chose là-dessous.

Il repensa à cette soirée à l'American Legion Hall. À l'inconnu. À la jeune femme blonde qui l'accompagnait. Au calme et à la sollicitude dont l'homme avait fait preuve. Il n'avait pris aucun plaisir à lui révéler la vérité sur Corinne – rien chez lui ne trahissait le psychopathe sadique –, en même temps, il n'avait pas non plus l'air d'un maître chanteur.

Pour la centième fois de la journée, Adam consulta le traceur sur son téléphone, dans l'espoir que Corinne ait rechargé son portable depuis sa halte à Pittsburgh. À nouveau, il se demanda si elle était restée là-bas ou si elle avait seulement traversé la ville. Il penchait pour la seconde hypothèse. Sans doute aussi s'était-elle dit que l'un des garçons aurait l'idée d'utiliser la géolocalisation. Voilà pourquoi elle n'avait pas rechargé la batterie de son portable.

O.K., si Corinne était passée par Pittsburgh en partant de Cedarfield, où pourrait-elle aller ?

Il ne voyait vraiment pas. En tout cas, ça ne sentait pas bon du tout. Merci pour l'évidence, mon capitaine. D'un autre côté, Corinne lui avait demandé de la laisser tranquille. Fallait-il s'en tenir là et attendre, les bras croisés ? Ou le danger était-il trop réel pour ne pas agir ?

Devait-il prévenir la police ? Ou se laisser porter par les événements ?

Adam ignorait de quel côté aurait penché la balance – l'une ou l'autre option était problématique –, quand il tourna dans sa rue, et son dilemme se résolut de lui-même. Trois hommes se tenaient sur le trottoir devant la pelouse de sa maison. Cal Gottesman, son voisin, l'homme qui passait son temps à remonter ses lunettes

sur son nez. Ainsi que Tripp Evans et Bob « Gaston »
Baime.

Nom de…!

L'espace d'une seconde, Adam s'attendit au pire. Il
était arrivé malheur à Corinne. Mais non, ce n'était pas
ce trio qui le lui aurait annoncé. Plutôt Len Gilman, le
flic dont les deux fils jouaient au lacrosse eux aussi.

Comme en réponse à ses pensées, une voiture de
patrouille de la police municipale de Cedarfield apparut et s'arrêta à la hauteur des trois hommes. Len Gilman était au volant.

Adam sentit son cœur se serrer.

Il se gara en vitesse, ouvrit brusquement la portière.
Len Gilman fit de même. Adam descendit de voiture,
et ses jambes se dérobèrent sous lui. Flageolant, il courut vers les quatre hommes réunis sur le trottoir devant
sa maison.

Tous les quatre le dévisagèrent gravement.

— Il faut qu'on parle, déclara Len Gilman.

26

À BEACHWOOD, OHIO, le chef de police Johanna Griffin n'avait encore jamais mis les pieds sur une scène de crime.

Des cadavres, elle en avait vu en veux-tu en voilà. Beaucoup de gens appelaient la police en cas de décès brutal d'un proche. Overdose ou suicide… la mort, Johanna connaissait. Sans parler des accidents de la route. Deux mois plus tôt, un semi-remorque avait franchi le terre-plein et heurté une Ford Fiesta : le conducteur de la voiture avait été décapité, et le crâne de sa femme avait été broyé façon gobelet en plastique.

Le sang, la violence, la mort ne troublaient pas Johanna. Mais là…

Il s'agissait d'un meurtre. Un mot difficile à prononcer d'un ton léger. *Meurtre*. Rien à voir avec la mort due à un accident ou à une maladie. Qu'un être humain ôte délibérément la vie à un autre être humain, c'était presque obscène. C'était s'octroyer de la pire des façons perverses le pouvoir que Dieu avait sur chacun de nous.

Mais même ça, Johanna aurait pu l'encaisser.

Elle s'efforça de contrôler sa respiration saccadée. Heidi Dann la regardait fixement, un trou dans la tête. Une seconde balle – ou, plutôt, la première – lui avait explosé la rotule. Le sang avait coulé sur le tapis d'Orient qu'elle avait acheté pour une bouchée de pain à un dénommé Ravi : il les vendait dans son camion stationné devant l'hypermarché. Johanna avait bien essayé de le virer, mais Ravi, toujours souriant et prêt à faire un bon prix à ses clients, revenait chaque fois.

Le petit nouveau qui travaillait avec elle, Norbert Pendergast, avait du mal à cacher son excitation. S'approchant de Johanna, il lui glissa :

— Les gars du comté sont en chemin. Ils vont prendre ça en main, hein ?

Eh oui. Ici, la police municipale gérait les infractions au code de la route, la circulation des vélos et parfois les disputes conjugales. Les crimes de sang relevaient de la police du comté. Dont les limiers n'allaient pas tarder à débarquer et à pisser dans tous les coins pour marquer leur territoire. Sauf que Johanna était chez elle ici. Elle avait grandi dans cette ville. Elle connaissait la topographie des lieux. Et les gens. Elle savait par exemple qu'Heidi adorait danser, qu'elle était imbattable au bridge et que son rire effronté était hautement contagieux. Elle aimait également les vernis à ongles aux couleurs bizarres ; ses séries préférées étaient le *Mary Tyler Moore Show* et *Breaking Bad* (elle était comme ça, Heidi).

— Norbert ?

— Ouais ?

— Où est Marty ?

— Qui ?

— Le mari.

Norbert pointa le pouce en arrière.

— Dans la cuisine.

Johanna remonta le ceinturon de son pantalon – elle avait beau faire, la taille était toujours trop lâche – et passa à côté. Lorsqu'elle entra dans la pièce, Marty redressa la tête comme mû par une ficelle. Ses yeux étaient deux trous noirs dans son visage livide.

— Johanna…

La voix était sourde, fantomatique.

— Je suis vraiment désolée, Marty.

— Je ne comprends pas…

— Procédons par ordre.

Johanna tira une chaise – la chaise d'Heidi – et s'assit en face de lui.

— J'ai quelques questions à te poser, Marty. Ça va aller ?

Les limiers du comté ne manqueraient pas de le cataloguer comme leur suspect numéro un. Sauf que ce n'était pas lui. Johanna le savait, mais inutile de chercher à les convaincre. Elle savait, point. Naturellement, ils lui riraient au nez et brandiraient le pourcentage des meurtres similaires commis par le conjoint. Grand bien leur fasse. Qu'ils explorent cette piste. Pendant qu'elle-même irait voir ailleurs.

Hagard, Marty hocha la tête.

— Tu viens de rentrer, c'est ça ?

— Oui. J'étais à une réunion à Columbus.

Pas la peine de vérifier, les limiers s'en chargeraient.

— Et que s'est-il passé ensuite ?

— Je me suis garé devant la maison.

Il parlait d'une voix blanche, lointaine… au-delà du détachement.

— J'ai ouvert la porte avec ma clé. J'ai appelé Heidi… Je savais qu'elle était à la maison, puisque sa voiture était garée devant. Je suis entré dans le salon et…

Son visage se tordit en une drôle de grimace.

Normalement, Johanna aurait laissé du temps au mari

éploré, mais les limiers allaient arriver d'un moment à l'autre.

— Marty ?

Il fit un effort pour se ressaisir.

— Est-ce qu'il manque quelque chose ?

— Comment ?

— Rien n'a été volé ?

— Je ne crois pas. Mais je n'ai pas vraiment regardé.

La thèse du cambriolage était peu probable. La maison ne contenait pas d'objets de valeur. Et la bague de fiançailles d'Heidi – la bague de sa grand-mère, son bijou le plus cher – était toujours à son doigt. Un cambrioleur l'aurait emportée.

— Marty, quelle est la première personne qui te vient à l'esprit ?

— Comment ça ?

— Qui aurait pu faire ça ?

Il réfléchit, grimaça à nouveau.

— Tu connais Heidi, Johanna.

Il en parlait encore au présent.

— Elle n'a pas un seul ennemi au monde.

Johanna sortit son calepin, ouvrit une page vierge et la contempla, espérant que personne ne remarquerait ses yeux humides.

— Cherche, Marty.

— Je cherche.

Il gémit tout haut.

— Oh, mon Dieu, il va falloir l'annoncer à Kimberly et aux garçons. Comment je vais faire ?

— Si tu veux, je peux m'en charger.

Marty se raccrocha à sa proposition comme un naufragé à une bouée de sauvetage.

— Tu ferais ça ?

C'est un brave type, pensa Johanna, *mais il n'arrive pas*

à la cheville d'Heidi. Heidi était quelqu'un d'exception-
nel. À son contact, tout le monde devenait exception-
nel. Bref, Heidi était une bonne fée.

— Les gosses t'adorent. Heidi aussi t'aimait beaucoup.
Elle aurait voulu que ce soit toi.

Johanna continuait à fixer la page blanche.

— Il ne s'est rien passé dernièrement ?

— Qu'est-ce que tu veux dire ?

— Je ne sais pas. Vous n'avez pas reçu de menaces par
téléphone ? Heidi ne s'est pas disputée avec quelqu'un
chez Macy's ? Personne ne lui a coupé la route sur la
271 ? Elle n'a pas fait un doigt d'honneur à un automo-
biliste qui aurait franchi la ligne blanche ?

Il secoua lentement la tête.

— Allez, Marty. Réfléchis.

— Je ne vois pas.

Il la regarda, désemparé.

— Rien, je ne vois rien.

— Qu'est-ce qui se passe ici ?

Une voix autoritaire retentit dans son dos, et Johanna
comprit qu'elle allait devoir passer la main. Après s'être
levée, elle fit face à deux flics du comté. Elle se présenta.
Ils la toisèrent comme s'ils la soupçonnaient de vouloir
voler les cuillères en argent, puis annoncèrent que, à partir de maintenant, ils prenaient les choses en main.

Soit. Johanna n'était pas contre. Ils avaient de l'expérience en la matière, et Heidi méritait ce qu'il y avait de
mieux. Elle sortit de la maison, laissant la brigade criminelle faire son boulot.

Sauf qu'il n'était pas question qu'elle reste les bras
croisés de son côté.

27

— ILS SONT LÀ, TES GAMINS ? demanda Len Gilman.

Adam fit non de la tête. Ils étaient toujours sur le trottoir, tous les cinq. Len Gilman ne ressemblait pas à un
flic, à part le côté bourru qu'il maîtrisait à la perfection.
Il faisait davantage penser à un biker vieillissant, de ceux
qui s'habillent en cuir et fréquentent les bars malfamés.
Sa moustache grisonnante en guidon de vélo était tachée
de nicotine. Il aimait les chemises à manches courtes,
même quand il portait l'uniforme, et ses bras velus lui
donnaient l'aspect d'un ours.

Personne ne bougeait. Ils étaient juste cinq pères de
famille en train de discuter sur le trottoir un jeudi soir.

C'était peut-être bon signe.

Si Len Gilman était là en tant qu'officier de police
pour annoncer la pire des nouvelles, pourquoi aurait-il
convoqué Tripp, Cal et Gaston ?

— Si on allait bavarder à l'intérieur ? suggéra Len.

— De quoi s'agit-il ?

— Il vaut mieux qu'on en parle en privé.

Adam allait objecter qu'ils pouvaient parler en privé ici,
devant sa pelouse, où personne ne pouvait les entendre,
mais Len se dirigeait déjà vers la maison. Les trois autres
semblaient l'attendre. Gaston, tête basse, examinait

l'herbe. Cal était nerveux, mais c'était son état normal. Tripp restait neutre.

Adam emboîta le pas à Len, et les autres suivirent à la queue leu leu. Arrivé à la porte, Len s'écarta pour qu'il puisse ouvrir. Jersey, la chienne, se précipita vers eux, les griffes cliquetant sur le plancher, mais elle dut sentir que quelque chose n'allait pas, car son accueil fut bref et muet. Elle prit rapidement la mesure de la situation et fila dans la cuisine.

La maison replongea dans le silence, un silence qui semblait délibéré, comme si les murs et les meubles mêmes s'étaient ligués pour l'entretenir. Adam ne s'embarrassa pas de civilités. Il ne leur offrit ni de s'asseoir ni à boire. Len Gilman pénétra dans le salon, aussi à l'aise que s'il était chez lui.

— Que se passe-t-il ? demanda Adam.

Len, visiblement, s'était improvisé porte-parole du groupe.

— Où est Corinne ?

Sa première réaction fut le soulagement. Car s'il était arrivé quelque chose à Corinne, Len saurait où elle se trouvait. Vint ensuite la peur. Même si, pour le moment, Corinne était saine et sauve, ce déploiement de force et le ton de la voix de Len ne présageaient rien de bon.

— Elle n'est pas là, répondit Adam.

— Oui, on voit ça. Tu veux bien nous dire où elle est ?

— Vous voulez bien me dire en quoi ça vous regarde ?

Len Gilman ne le quittait pas des yeux. Ses trois compagnons, debout, se dandinaient d'un pied sur l'autre.

— Si on s'asseyait ?

Adam faillit rétorquer qu'il était chez lui et que c'était à lui de décider qui allait s'asseoir et où, mais il se dit que ce serait inutile, une perte d'énergie. Avec un soupir, Len se laissa tomber dans le grand fauteuil, *le* fauteuil d'Adam. Encore une démonstration de force sans doute, mais une fois de plus, à quoi bon chicaner ? Les trois autres s'assirent sur le canapé tels les fameux singes de la sagesse : l'aveugle, le sourd et le muet. Adam resta debout.

— Que se passe-t-il, bon sang ? demanda-t-il à nouveau.

Len Gilman caressa sa moustache comme s'il s'agissait d'un animal de compagnie.

— Que ce soit clair une bonne fois pour toutes. Je suis ici en tant que voisin et ami, pas en qualité de chef de police.

— Voilà qui est rassurant.

Ignorant le sarcasme, Len poursuivit :

— En tant que voisin et ami, donc, j'aimerais m'entretenir avec Corinne.

— Et en tant que voisin et ami, sans parler du mari inquiet, je voudrais savoir pourquoi.

Len Gilman hocha la tête, cherchant ses mots.

— Je sais que Tripp est passé chez vous hier.

— Exact.

— Il t'a dit que nous avions eu une réunion du comité de lacrosse.

Il se tut, méthode de flic qui consiste à attendre en espérant que le sujet finira par parler. Adam connaissait bien le procédé du temps où il travaillait pour le bureau du procureur. Il savait aussi que celui qui se prête au jeu, qui essaie de tenir plus longtemps que le flic, a souvent quelque chose à cacher.

— Exact, répéta-t-il.

— Corinne n'est pas venue à la réunion. On ne l'a pas vue de la soirée.

— Et alors ? Il lui faut un mot d'excuse signé par l'un des parents ?

— Ne fais pas le malin, Adam.

Len avait raison. Il devait mettre un bémol à ses piques.

— Tu fais partie du comité, Len ? demanda-t-il.

— Oui, à titre personnel.

— Ça veut dire quoi, ça ?

Len sourit, écarta les mains.

— Aucune idée. Tripp est le président. Bob, vice-président. Et Cal est le secrétaire.

— Je sais, et vous m'en voyez impressionné.

Adam se mordit la langue. Le moment était mal choisi.

— Mais je ne comprends toujours pas ce que vous voulez à Corinne.

— Et nous ne comprenons pas pourquoi elle est introuvable, contra Len en gesticulant avec ses grosses mains. C'est un véritable mystère. Nous lui avons envoyé des SMS. Des mails. Nous avons appelé sur son portable et sur votre fixe. J'ai même fait un saut au lycée, si tu veux tout savoir.

Adam ravala son commentaire.

— Corinne était absente. Absente… sans mot d'excuse. J'ai donc parlé à Tom.

Tom Gorman, le proviseur. Lui aussi habitait Cedarfield et avait trois gosses. Un vrai terreau de consanguinité, ces patelins.

— Il m'a dit que, de tous les profs, Corinne était la plus assidue. Et tout à coup, plus de nouvelles. Il se fait du souci.

— Len ?

— Oui ?

— Arrête de tourner autour du pot et dis-moi pourquoi vous voulez à tout prix voir Corinne.

Len regarda les trois singes sur le canapé. Le visage de Bob était de marbre. Cal était occupé à nettoyer ses lunettes. Il ne restait donc que Tripp Evans.

206

Tripp se racla la gorge.

— Il semble qu'il y ait un problème avec les comptes de la ligue.

Le silence dans la maison devint plus pesant encore. Adam entendait son cœur battre dans sa poitrine. Il trouva un siège derrière lui et s'y assit.

— De quoi parles-tu ?

Mais il le savait déjà, non ?

Bob finit par recouvrer sa voix.

— À ton avis ? répliqua-t-il, cassant. Il manque de l'argent dans la caisse.

Cal hocha la tête, histoire de faire quelque chose.

— Et vous pensez… ?

Adam n'acheva pas sa phrase. Premièrement, ce qu'ils pensaient était évident. Et deuxièmement, cette accusation était si absurde que ce n'était pas la peine de la formuler tout haut.

Absurde, vraiment ?

— Ne nous emballons pas, fit Len, décidé à jouer les médiateurs. Pour le moment, tout ce que nous souhaitons, c'est parler à Corinne. Je te l'ai dit, je suis là en tant que voisin et ami, et accessoirement membre du comité. C'est pareil pour tout le monde ici. Corinne est une amie. Tout comme toi. Tout ça doit rester entre nous.

Hochements de tête sur le canapé.

— Ce qui signifie ?

— Ça signifie, fit Len, se penchant en avant d'un air de conspirateur, que si les comptes sont à jour, le chapitre sera clos. Ça ne sortira pas de cette pièce. On ne posera pas de questions. L'important, c'est que le trou soit comblé. On s'en fiche, du pourquoi du comment. La vie continue.

Adam marqua une pause. Les entreprises humaines, c'était partout pareil. Magouilles et compagnie. Dans l'intérêt général et tout le blabla. À sa peur et à son désarroi se mêlait maintenant un vague relent de dégoût. Mais le problème n'était pas là. Il devait faire très attention. Len avait beau se poser en « voisin et ami », il était flic, et ceci n'était pas une visite de courtoisie. Il était venu chercher des informations. Adam devait prendre garde à ce qu'il pouvait lui dévoiler.

— Ce trou dans les comptes, dit-il, il est grand comment ?

— Très grand, répondit Len Gilman.

— En termes de… ?

— Désolé, c'est confidentiel.

— Vous ne croyez tout de même pas que Corinne aurait… ?

— Pour l'instant, fit Len, nous voulons juste lui parler.

Adam garda le silence.

— Où est-elle, Adam ?

Il ne pouvait pas le leur dire, bien sûr. Ni même essayer d'expliquer. L'avocat en lui prit le dessus. Combien de fois avait-il recommandé à ses propres clients de la fermer ? Combien de mises en examen avait-il récoltées parce qu'un naïf avait cherché à se disculper coûte que coûte ?

— Adam ?

— Je pense, les gars, que vous feriez mieux de partir maintenant.

28

DAN MOLINO RETENAIT SES LARMES en regardant son fils
Kenny prendre place sur la ligne de départ.

Élève de terminale, Kenny était l'un des meilleurs
espoirs de la division régionale de football. Il avait eu
une année exceptionnelle et s'était fait remarquer par des
recruteurs chevronnés. À présent, il se préparait à l'ul-
time épreuve combinée. Debout dans les gradins, Dan
ressentit une bouffée de fierté parentale en voyant son
grand garçon – cent quarante-deux kilos – mettre les
pieds dans les starting-blocks. Dan était lui-même costaud, un mètre quatre-vingt-cinq pour cent vingt kilos,
et en son temps il avait été *linebacker*, mais il lui manquait la rapidité et quelques centimètres de plus pour
jouer en NFL. Il avait démarré sa propre affaire de trans-
port de meubles il y a vingt-cinq ans de cela ; résultat,
aujourd'hui, il avait deux camions et neuf gars travaillaient pour lui. Les grands magasins avaient généralement
leur propre service de livraison. Dan s'était spécialisé
dans les petites boutiques, même si leur nombre tendait
à décroître. Les grandes enseignes étaient en train de les
étouffer, tout comme lui était étouffé par des géants tels
que UPS et FedEx.

Mais bon, ça ne l'empêchait pas de gagner sa vie.

Quelques gros magasins de literie avaient récemment décidé de rogner sur leur propre flotte de véhicules. Employer un transporteur local comme Dan leur revenait moins cher. Alors oui, ce n'était pas le Pérou, mais il s'en sortait plutôt bien. Carly et lui avaient une jolie maison à Sparta, côté lac. Ils avaient trois gosses. Ronald, le plus jeune, avait douze ans. Karen était en seconde, période où l'insolence se conjugue avec la puberté, et les garçons commençaient à lui tourner autour. Dan espérait pouvoir surmonter ça. Et enfin, il y avait Kenny, son aîné, à l'aube d'une belle carrière de footballeur universitaire. Alabama et Ohio State lui faisaient les yeux doux.

Si seulement il pouvait réussir ce sprint de quarante mètres !

En regardant son fils, Dan sentit ses yeux s'embuer. Gênant comme réaction, mais c'était plus fort que lui. Il avait beau mettre des lunettes noires durant les matchs, à l'intérieur, il n'y avait rien à faire : Kenny recevait un prix, et, bing, ses yeux débordaient. Parfois même une larme lui coulait sur la joue. Quand quelqu'un le remarquait, Dan prétextait un rhume ou une allergie. Libre à eux de le croire ou pas. Carly l'appelait son nounours au cœur tendre et le serrait fort dans ses bras. Quoi qu'il ait fait, quelles que soient les erreurs qu'il ait commises dans son existence, il avait décroché le jackpot le jour où Carly Applegate avait accepté de partager sa vie.

Au fond de lui, Dan pensait que Carly avait eu moins de chance. À l'époque, elle avait eu le ticket avec Eddie Thompson. La famille d'Eddie avait fait fortune avec les premiers McDo. Eddie et sa femme Melinda étaient toujours dans le journal local, rapport à leurs œuvres caritatives et autres. Carly ne disait rien, mais Dan savait que ça la travaillait. Ou peut-être qu'il se faisait des idées. Une chose était sûre : quand il voyait ses gosses se distinguer au foot ou recevoir une récompense, il pleurait d'émotion. Il avait la larme facile et essayait de le cacher, mais Carly n'était pas dupe et c'est pour ça qu'elle l'aimait.

Aujourd'hui, Dan portait ses lunettes noires. Évidemment.

Sous l'œil attentif des recruteurs, Kenny avait bien réussi les autres épreuves : le saut en hauteur, le foot 7-on-7, l'espèce de guerre de tranchées. Mais tout se jouait sur le quarante mètres, son passeport pour une grande université : Ohio State, Penn State, Alabama, peut-être même – bon sang, imaginez un peu – Notre Dame. Le recruteur de Notre Dame était là, et Dan l'avait vu de ses propres yeux noter le nom de Kenny.

Le sprint final. Il suffisait de faire mieux que cinq secondes deux dixièmes, et c'était dans la poche. C'est ce qu'on disait. Au-delà, ça n'intéressait pas les recruteurs, même si on avait d'excellents résultats par ailleurs. Il leur fallait faire cinq secondes deux dixièmes ou moins. Si jamais Kenny y arrivait, s'il parvenait à réaliser son meilleur temps…

— Vous êtes au courant, n'est-ce pas ?

La voix inconnue le fit tressaillir, mais Dan crut que l'homme s'adressait à quelqu'un d'autre. Il tourna cependant la tête et le vit qui fixait ses lunettes noires.

Un petit gringalet, mais bon, à côté de Dan, tout le monde paraissait petit. Pas petit en taille, non, mais maigrichon, presque frêle. Ce gars, clairement, n'avait rien à faire là. Il n'avait aucun rapport avec le foot. Trop mince. Trop intello. Casquette de base-ball enfoncée sur le front. Et ce sourire doux, amical.

— C'est à moi que vous parlez ? demanda Dan.

— Oui.

— Ben, j'ai pas trop le temps, là.

L'autre souriait toujours. Lentement, Dan reporta

son attention sur la piste. Kenny avait les pieds dans les starting-blocks. Allez, c'était l'heure des grandes eaux.

Mais, pour une fois, ses yeux restaient secs.

Il jeta un regard par-dessus son épaule. Le petit gars était toujours là et l'observait en souriant.

— C'est quoi, votre problème ?

— Ça peut attendre la fin de la course, Dan.

— Qu'est-ce qui peut attendre ? Comment savez-vous mon… ?

— Chut, voyons comment il s'en tire.

Sur le terrain, quelqu'un cria :

— À vos marques, prêts, partez !

Aussitôt, le coup de feu retentit. Dan pivota vers son fils. Kenny prit un bon départ et martela le sol de la piste, tel un trente-huit tonnes lancé à pleine vitesse. Dan sourit. Allez donc vous mettre sur son chemin. Kenny vous enverra valdinguer comme un vulgaire brin d'herbe.

Ces quelques secondes lui parurent interminables. L'un de ses nouveaux chauffeurs, un jeune qui bossait pour rembourser son prêt étudiant, avait posté un article disant que le temps ralentit quand on vit une expérience inédite. Eh bien, ceci était une expérience inédite. C'est peut-être pour ça que les secondes s'écoulaient aussi lentement. Son fils était sur le point de réaliser son meilleur temps et, ce faisant, d'entrer dans un monde auquel Dan n'aurait jamais pu accéder. Lorsque Kenny franchit la ligne d'arrivée avec un temps record de cinq secondes sept centièmes, Dan sut qu'il allait se mettre à pleurer.

Sauf que les larmes ne venaient toujours pas.

— Magnifique, dit le petit gars. Vous devez être très fier.

— Je veux !

Dan fit face à l'inconnu. Quel emmerdeur, ce type. Dan vivait un grand moment – le plus grand peut-être de son existence –, et ce n'est pas un ahuri dans son genre qui allait le lui gâcher.

— Je vous connais ?

— Non.

— Vous êtes recruteur ?

L'inconnu sourit.

— Ai-je l'air d'un recruteur, Dan ?

— Comment savez-vous mon prénom ?

— Je sais beaucoup de choses. Tenez.

Il lui tendit une enveloppe kraft.

— Qu'est-ce que c'est ?

— Vous êtes au courant, n'est-ce pas ?

— Je ne sais pas à quoi vous...

— J'ai du mal à imaginer que personne n'ait encore abordé ce sujet avec vous.

— Quel sujet ?

— Allons, regardez votre fils.

Dan se retourna vers la piste. Le visage illuminé d'un immense sourire, Kenny scrutait les gradins, cherchant l'approbation de son père. Cette fois, les yeux de Dan débordèrent. Il agita la main, et son garçon, qui ne faisait pas la fête jusqu'à pas d'heure, qui ne buvait pas, ne fumait pas de cannabis, n'avait pas de mauvaises fréquentations et qui – difficile à croire, hein ? – préférait rester avec son père à regarder un match ou un film sur Netflix, lui rendit son salut.

— Il pesait combien..., cent quinze kilos, l'an dernier ? dit l'inconnu. Il a donc pris presque trente kilos, et personne ne s'en est aperçu ?

Dan fronça les sourcils. Son cœur cognait sourdement dans sa poitrine.

— On appelle ça la puberté, connard. On appelle ça se muscler.

— Non, Dan. On appelle ça le Winstrol. On appelle ça un anabolisant.

— Hein ?

— Plus connu du grand public sous le nom de stéroïde.

Dan se rapprocha du visage du petit gars. Qui ne se départit pas de son sourire.

— Qu'avez-vous dit ?

— Ne m'obligez pas à me répéter, Dan. Tout est dans l'enveloppe. Votre fils est allé sur Silk Road. Vous savez ce que c'est ? Le supermarché de la drogue en ligne. Le Web caché. Le bitcoin, la monnaie virtuelle ? J'ignore en revanche si c'était avec votre bénédiction ou si Kenny a payé avec ses propres deniers, mais vous étiez au courant, n'est-ce pas ?

Dan était comme paralysé.

— Vous imaginez la réaction de tous ces recruteurs quand ils sauront la vérité ?

— C'est du pipeau, tout ça. Vous racontez des craques. Je n'ai jamais…

— Dix mille dollars, Dan.

— Quoi ?

— Je ne veux pas entrer dans le détail maintenant. Toutes les preuves sont dans cette enveloppe. Kenny a commencé par le Winstrol. C'était son principal anabolisant, mais il a aussi pris de l'Anadrol et du Deca-Durabolin. Vous y trouverez la fréquence de ses achats, les moyens de paiement, même l'adresse IP de votre PC. Kenny se dope depuis la classe de première, alors tous ses trophées, ses victoires, ses résultats… bref, si la vérité éclate au grand jour, vous pourrez leur dire adieu, Dan. Et ces gens qui vous tapent dans le dos chez O'Malley, qui vous congratulent, vos concitoyens admiratifs du gentil garçon que vous avez élevé… que vont-ils penser en découvrant que votre fils triche ? De quoi aurez-vous l'air, vous et Carly ?

Dan planta le doigt dans la poitrine du petit gars.

— Vous me menacez, là ?

— Non, Dan. Je vous demande dix mille dollars. Payables en une seule fois. Je pourrais exiger beaucoup plus, alors estimez-vous heureux.

À cet instant, la voix qui lui faisait monter les larmes aux yeux résonna à sa droite :

— Papa ?

Kenny arrivait au pas de course, joyeux et enthousiaste. Dan le regarda, pétrifié.

— Allez, je vous laisse, Dan. Toutes les informations sont dans l'enveloppe kraft que je vous ai remise. Examinez-les tranquillement une fois chez vous. La décision finale vous appartient, mais, en attendant,...

Il esquissa un geste en direction de Kenny.

— ... pourquoi ne pas profiter de ce moment privilégié avec votre fils ?

29

L'AMERICAN LEGION HALL était proche du centre relativement animé de Cedarfield, et grande était la tentation de venir s'y garer quand toutes les places de stationnement étaient prises. Afin d'y remédier, la direction avait embauché un gars du coin, John Bonner, pour « garder » le parking. Bonner avait grandi ici – il avait même été capitaine de l'équipe de basket en terminale –, mais, sujet à des troubles mentaux, il s'était peu à peu laissé grignoter par la maladie. À présent, il n'était pas loin de ce qu'on pourrait appeler un SDF. Il passait ses nuits à l'hôpital psychiatrique et ses journées à traîner en ville, maugréant dans sa barbe contre divers complots politiques impliquant le maire actuel et le général des Confédérés, Stonewall Jackson. Quelques-uns de ses anciens camarades de lycée déploraient cet état de fait et voulaient lui venir en aide. Rex Davies, le président de l'American Legion, eut l'idée de lui proposer ce boulot pour lui donner un point d'ancrage.

Adam savait que Bonner prenait sa mission très à cœur. Déjà naturellement atteint de TOC, il tenait un carnet où il notait scrupuleusement ses divagations paranoïaques, ainsi que la marque, la couleur et la plaque d'immatriculation de chaque véhicule entrant sur le parking. Si vous n'aviez rien à faire là, Bonner vous priait de dégager, un peu trop instamment parfois, ou alors il vous laissait vous garer, s'assurait que vous alliez bien faire vos courses au lieu de vous rendre à l'American Legion et appelait son ancien coéquipier Rex Davies qui, comme par hasard, possédait un atelier de carrosserie et un service de fourrière.

Tout était racket.

Bonner regarda Adam arriver d'un air soupçonneux. Il portait son éternel blazer bleu doté d'une telle quantité de boutons qu'il semblait sortir d'une reconstitution de la guerre de Sécession, et une chemise en vichy rouge qu'on aurait dite confectionnée avec une nappe. Un pantalon effrangé et une paire de Converse sans lacets complétaient sa tenue.

Adam avait décidé qu'il ne pouvait plus attendre le retour de Corinne les bras croisés. Il y avait bien de quoi s'occuper pour tenter de démêler cet écheveau de mensonges et de faux-semblants, sauf que tout était parti d'ici, de l'American Legion Hall, quand l'inconnu lui avait parlé de ce fichu site.

— Salut, Bonner.

Peut-être qu'il l'avait reconnu, ou peut-être pas.

— Salut, répondit-il, méfiant.

Adam descendit de voiture.

— J'ai un problème.

Bonner remua ses sourcils si broussailleux qu'ils lui firent penser aux gerbilles de Ryan.

— Ah oui ?

— J'espère que tu pourras m'aider.

— Tu aimes les ailes de poulet ?

Adam hocha la tête.

— Bien sûr.

Bonner, paraît-il, avait été quelqu'un de brillant avant

de tomber malade, mais n'est-ce pas ce qu'on dit de tous les individus atteints de troubles psychiatriques graves ?

— Tu veux que j'aille t'en chercher chez Bub's ? proposa Adam.

Bonner prit un air consterné.

— Bub's, c'est de la merde !

— O.K., désolé.

— Allez, va-t'en.

Il congédia Adam d'un geste de la main.

— Tu connais rien à rien.

— Excuse-moi. Je suis vraiment navré. Écoute, j'ai besoin de ton aide.

— Plein de gens ont besoin de mon aide. Mais je ne peux pas être partout, d'accord ?

— C'est certain. Toutefois, tu peux être ici.

— Comment ?

— Sur ce parking. J'ai eu un problème sur ce parking. Tu es ici et tu peux m'aider.

Bonner abaissa ses sourcils tant et si bien qu'on ne vit plus ses yeux.

— Un problème ? Sur mon parking ?

— Oui. Vois-tu, j'étais là l'autre soir.

— Pour les sélections de lacrosse, dit Bonner. Je sais.

Curieusement, cet éclair de lucidité ne surprit pas Adam.

— Oui, et la portière de ma voiture a été rayée par quelqu'un qui venait de l'extérieur.

— Quoi ?

— Les dégâts sont considérables.

— Sur mon parking ?

— Oui. Un couple de jeunes dans une Honda Accord grise.

Bonner devint tout rouge d'indignation.

— Tu as le numéro de la plaque ?

— Non. Justement, j'espérais que tu pourrais me le donner. Pour que je puisse porter plainte. Ils sont partis vers dix heures et quart.

— Ça y est, je me souviens.

Bonner sortit son gros calepin et le feuilleta rapidement.

— C'était lundi dernier.

— C'est ça.

Il continua à tourner les pages avec frénésie. Adam jeta un œil par-dessus son épaule. Toutes les pages étaient noircies de haut en bas et de gauche à droite d'une écriture en pattes de mouches.

Soudain, Bonner s'arrêta.

— Tu as trouvé ?

Un lent sourire se dessina sur ses lèvres.

— Dis donc, Adam…

— Quoi ?

Bonner se retourna et lui refit le coup des sourcils-gerbilles.

— T'as deux cents dollars sur toi ?

— Deux cents ?

— Parce que tu me mènes en bateau.

Adam mima l'étonnement.

— Comment ça ?

Bonner referma le calepin d'un coup sec.

— J'étais là, figure-toi. Si ta voiture avait été touchée, je l'aurais entendu.

Adam allait protester, mais Bonner leva sa paume.

— Et avant que tu me dises qu'il était tard, qu'il y avait du bruit ou que l'égratignure est à peine visible, je te ferai remarquer que ta voiture est là, sous mes yeux. Elle n'a rien. Et avant que tu me dises que tu étais venu avec la voiture de ta femme ou un autre bobard du même style…

Bonner, toujours souriant, brandit son calepin.

— J'ai tous les détails de la soirée là-dedans.

Pris la main dans le sac. En flagrant délit de mensonge grossier.

— À mon avis, poursuivit Bonner, tu veux le numéro de la plaque pour une autre raison. Ce gars et la petite blonde mignonne qui l'accompagnait. Ouais, je me souviens d'eux parce que vous autres, je vous ai déjà vus un million de fois. Eux n'étaient pas d'ici. Ça se voyait. D'ailleurs, je me suis demandé ce qu'ils faisaient là.

Il gratifia Adam d'un sourire éclatant.

— Maintenant, je sais.

Adam aurait eu une dizaine de réponses à lui donner, mais il opta pour la simplicité :

— Deux cents dollars, tu dis ?

— C'est un prix correct. Je n'accepte ni les chèques ni la petite monnaie.

30

— IL S'AGIT D'UNE VOITURE DE LOCATION, déclara le vieux Rinsky.

Ils étaient installés dans son coin bureau high-tech. Rinsky était tout en beige aujourd'hui : pantalon de velours beige, chemise en laine beige, veste beige. Eunice, habillée comme pour une garden-party, buvait du thé dans la cuisine. Son maquillage semblait avoir été appliqué avec un pistolet de paintball. À l'arrivée d'Adam, elle l'avait accueilli d'un :

— Bonjour, Norman.

Il hésita à la corriger, mais Rinsky s'interposa.

— Laissez. Ça s'appelle la thérapie de validation. Il ne faut pas la contredire.

— On peut savoir qui a loué cette voiture lundi dernier ? demanda Adam.

— C'est marqué là.

Rinsky scruta l'écran en plissant les yeux.

— Le nom qu'elle a donné est Lauren Barna, mais j'ai fait des recherches, et Barna s'appelle en réalité Ingrid Prisby. Elle habite Austin, au Texas.

Ses lunettes de lecture étaient maintenues par une chaînette. Les laissant retomber sur sa poitrine, il pivota sur sa chaise.

— Ce nom vous dit quelque chose ?

— Non.

— Ça risque de prendre du temps, mais je pourrais me renseigner sur elle.

— Ce serait bien.

— Pas de problème.

Et maintenant ? Il n'allait quand même pas sauter dans le premier avion pour Austin ? Devait-il chercher le numéro de cette femme pour lui téléphoner et... lui dire quoi ?

Bonjour, je suis Adam Price. L'autre jour, vous et votre copain avec la casquette de base-ball m'avez révélé un secret sur ma femme...

— Adam ?

Il leva les yeux.

Rinsky entrelaça ses doigts, les posa sur sa bedaine.

— Vous n'êtes pas obligé de me mettre au parfum. Vous le savez, ça ?

— Oui.

— Mais, pour que les choses soient claires, rien de ce que vous pourriez me dire ne sortira de cette pièce.

— Désolé, mais c'est à vous que revient ce privilège, répondit Adam, pas à moi.

— Oui, mais je suis vieux. J'ai une mauvaise mémoire.

— Permettez-moi d'en douter.

Rinsky sourit.

— À votre aise.

— Non, non. En fait, si ça ne vous ennuie pas, j'aimerais beaucoup avoir votre avis là-dessus.

— Je suis tout ouïe.

Adam ignorait jusqu'où il pourrait se laisser aller dans la confidence, mais le vieux flic savait écouter comme personne. En son temps, il avait dû être le proverbial « gentil flic », car, une fois lancé, Adam finit par tout lui raconter, à commencer par l'inconnu de l'American Legion Hall.

Son récit fut suivi d'un silence. Eunice buvait toujours son thé.

— Vous croyez que je devrais prévenir la police ? demanda Adam.

Rinsky fronça les sourcils.

— Vous avez fréquenté les tribunaux ?

— Oui.

— Alors vous connaissez la réponse.

Adam hocha la tête.

— Vous êtes le mari, ajouta Rinsky en manière d'explication. Vous venez juste d'apprendre que votre femme vous a trahi de la plus odieuse des façons. Depuis, elle a disparu. Dites-moi, monsieur le procureur, quel serait votre verdict ?

— Que je l'ai fait disparaître.

— C'est l'hypothèse numéro un. La numéro deux serait que votre femme… quel est son prénom, déjà ?

— Corinne.

— La numéro deux serait que Corinne a piqué la caisse de la ligue ou je ne sais quoi pour pouvoir prendre la tangente.

Ce que disait Rinsky confirmait les propres craintes d'Adam.

— Alors que dois-je faire ?

Rinsky remit ses lunettes.

— Montrez-moi les SMS que votre femme vous a envoyés avant de mettre les voiles.

Adam trouva les messages, lui tendit son téléphone et lut par-dessus l'épaule du vieil homme :

ON DEVRAIT PEUT-ÊTRE FAIRE UN BREAK. PRENDS SOIN DES ENFANTS. N'ESSAIE PAS DE ME CONTACTER. TOUT IRA BIEN.

223

Puis :

LAISSE-MOI JUSTE QUELQUES JOURS. S'IL TE PLAÎT.

Quand Rinsky eut fini de lire, il retira ses lunettes.

— Que voulez-vous ? Selon toute apparence, votre femme a besoin de prendre l'air. Elle vous demande de la laisser tranquille. C'est ce que vous faites.

— Je ne peux pas rester là à me tourner les pouces.

— Non, en effet. Mais si les flics vous posent la question, eh bien, vous avez votre réponse.

— Et pourquoi me poseraient-ils cette question ?

— Allez savoir. En attendant, vous essayez de gérer ça du mieux que vous pouvez. Vous avez retrouvé ce numéro d'immatriculation et vous êtes venu me voir. Vous avez bien fait. Si ça se trouve, votre Corinne va revenir toute seule. Mais vous avez raison : il faut qu'on arrive à la localiser en premier. Je vais fouiner du côté de cette Ingrid Prisby. Ça pourrait être une piste.

— Merci, c'est très gentil à vous.

— Adam ?

— Oui ?

— Il est possible que votre Corinne ait volé cet argent. Vous en êtes bien conscient ?

— Si elle l'a fait, c'est qu'elle avait une raison.

— Comme prendre la fuite, par exemple. Ou payer le maître chanteur.

— Ou autre chose, qu'on ignore encore.

— Quoi que ce soit, dit Rinsky, vous n'allez pas fournir aux flics un motif pour l'incriminer.

— Je sais.

— Vous dites qu'elle était à Pittsburgh ?

— D'après le traceur GPS sur le téléphone, oui.

— Vous connaissez quelqu'un là-bas ?

— Non.

Adam regarda Eunice. Elle lui sourit et leva sa tasse de thé. Une scène domestique parfaitement banale aux yeux de quiconque ignorerait son état.

Soudain, une pensée lui traversa l'esprit.

— Le matin avant sa disparition, je suis descendu dans la cuisine. Les garçons étaient en train de prendre leur petit déjeuner, mais Corinne était dehors, au téléphone. Quand elle m'a vu, elle a raccroché.

— Vous savez à qui elle parlait ?

— Non, mais je peux regarder sur le Net.

Le vieux Rinsky lui laissa sa chaise, et Adam alla sur le site de Verizon. Il tapa le numéro de téléphone de Corinne et son mot de passe. Ce mot de passe, il le connaissait par cœur, non parce qu'il avait une bonne mémoire, mais parce que, pour ces choses-là, Corinne et lui utilisaient toujours à peu près le même. C'était BARISTA, tout en majuscules. Pourquoi ? Parce qu'ils l'avaient cherché alors qu'ils étaient dans un café et, en regardant autour d'eux, ils étaient tombés sur le barista. Le choix idéal, parce que sans aucun lien avec eux. Si le mot de passe devait comporter plus de sept caractères, c'était BARISTABARISTA. S'il contenait des chiffres en plus des lettres, c'était BARISTA77.

Et voilà.

Adam trouva à la seconde tentative : BARISTA77.

Il ouvrit d'abord la liste des appels émis. Avec un peu de chance, Corinne aurait appelé quelqu'un récemment. Mais non, son dernier appel était précisément celui qu'il cherchait : passé à 7 h 53 le matin de son départ.

Il n'avait duré que trois minutes.

Il la revit dehors, dans le jardin, parlant à voix basse et raccrochant quand il s'était approché. Il n'avait pas réussi à lui extorquer l'identité de son interlocuteur. Mais maintenant...

Le regard d'Adam se porta sur le numéro affiché à l'écran.

Et il s'immobilisa.

— Vous reconnaissez ce numéro ? demanda le vieux Rinsky.

— Parfaitement, oui.

31

KUNTZ BALANÇA LES DEUX FLINGUES dans l'Hudson. De toute façon, il en avait beaucoup.

Il prit la ligne A direction 168ᵉ Rue, descendit à Broadway et marcha à pied jusqu'à l'hôpital jadis connu sous le nom de Columbia Presbyterian. Aujourd'hui, ça s'appelait hôpital pour enfants Morgan Stanley de New York-Presbyterian.

Morgan Stanley. Évidemment, quand on pense aux soins pédiatriques, le premier nom qui vous vient à l'esprit est celui d'un empire financier.

Mais bon, l'argent n'a pas d'odeur.

Kuntz ne prit pas la peine de montrer ses papiers. Les vigiles à l'entrée ne le connaissaient que trop, à force de le voir passer. Ils savaient également qu'il était un ancien du NYPD. Ils savaient peut-être même pourquoi il avait été contraint de démissionner. C'était dans les journaux. Ces abrutis de gauchistes l'avaient crucifié : ils voulaient non seulement le priver de son gagne-pain, mais le faire condamner pour meurtre. Heureusement, les gars dans la rue l'avaient soutenu. Ils avaient dit que Kuntz n'avait pas eu le choix.

Ils avaient dit la vérité.

Les médias avaient rendu compte de l'incident. Un

grand Black qui avait résisté à l'interpellation. Il avait été surpris en train de voler dans une épicerie, et lorsque le patron coréen l'avait apostrophé, le grand Black l'avait poussé et lui avait donné un coup de pied. Kuntz et son coéquipier, Scooter, avaient coincé le gars, qui s'en fichait royalement.

— Je viens pas avec vous, avait-il grondé. Il me fallait juste un paquet de clopes.

Et il avait tourné les talons. Comme ça, sans façon. Il venait de commettre un délit, mais ça ne le dérangeait pas le moins du monde. Scooter lui avait barré le passage, mais le grand Black l'avait repoussé et avait poursuivi son chemin.

Alors Kuntz s'était chargé de lui.

Comment pouvait-il savoir que ce gros malabar avait des soucis de santé ? Franchement. Doit-on laisser partir un délinquant, les mains dans les poches ? Que fait-on quand un voyou refuse de vous écouter ? On l'embarque en douceur ? Au risque de mettre en péril votre vie ou celle de votre coéquipier ?

C'est qui, les sales cons qui ont édicté ces lois ?

Bref, le gars était mort, et les médias gauchistes s'en étaient donné à cœur joie. C'est cette salope de gouine sur le câble qui avait tout déclenché. Elle avait traité Kuntz de tueur raciste. Le révérend Al Sharpton avait organisé des marches. Vous connaissez la musique. Peu leur importait que Kuntz ait réalisé jusque-là un parcours sans faute, qu'il ait été maintes fois cité pour sa bravoure, qu'il ait travaillé comme bénévole avec des gosses noirs de Harlem. Sans parler de ses problèmes personnels, dont un fils de dix ans atteint d'un cancer des os. Rien de tout cela n'entrait en ligne de compte.

Désormais, il n'était plus qu'un tueur raciste... aussi infâme que la racaille qu'il pourchassait.

Kuntz prit l'ascenseur jusqu'au septième étage. Il hocha la tête en passant devant le poste des infirmières et s'arrêta à la porte de la chambre 715. Barbra était toujours assise à la même place. Tournant la tête, elle le gratifia d'un sourire las. Elle avait des cernes noirs sous les yeux. Ses cheveux semblaient sortir droit d'une lessiveuse. Mais, lorsqu'elle lui souriait, il en oubliait tout le reste.

Leur fils était en train de dormir.

— Salut, chuchota-t-il.

— Salut, répondit-elle dans un murmure.

— Comment va Robby ?

Barbra haussa les épaules. Kuntz s'approcha du lit et contempla le garçon endormi. Ce spectacle lui brisait le cœur. Et renforçait sa détermination.

— Rentre à la maison, dit-il à sa femme. Va te reposer un peu.

— Dans deux minutes, fit Barbra. Assieds-toi et parle-moi.

On traite souvent les médias de charognards, et ce qualificatif était plus que mérité dans le cas de John Kuntz. Ils s'étaient jetés sur lui comme la misère sur le pauvre monde, et ce fut la curée. Il perdit son travail. Il perdit sa retraite et ses avantages. Le pire de tout, c'est qu'il n'avait plus les moyens d'offrir à son fils le meilleur traitement possible. C'est ça qui avait été le plus dur. Quoi qu'il fasse dans la vie – flic, pompier, chef indien –, un père de famille se doit de veiller au bien-être des siens. Il ne pouvait rester les bras ballants, à regarder son enfant souffrir, sans chercher à le soulager par tous les moyens.

C'est au moment où il était au plus bas que John Kuntz avait trouvé le salut.

Comme souvent.

Un ami d'ami l'avait présenté à un jeune diplômé de l'Ivy League nommé Larry Powers, qui avait mis au point une application pour smartphone destinée à ceux qui cherchaient des intervenants de confession chrétienne pour divers travaux de bricolage. Charité et Construction, voilà l'idée. En vérité, Kuntz ne s'intéressait guère à l'aspect travaux. Son job était d'assurer la sécurité à la fois de l'entreprise et de ses employés, de protéger ses secrets professionnels.

Son point fort, quoi.

La société étant une start-up, le salaire de départ était minable. Mais c'était mieux que rien. Et puis, surtout, il y avait la promesse de l'avenir. On lui avait donné des actions. C'était risqué, certes, mais n'est-ce pas ainsi que s'étaient constituées les grandes fortunes ? Si jamais ça marchait, il toucherait le gros lot.

Et ce fut le cas.

L'application connut un succès que personne n'avait anticipé. Aujourd'hui, après trois ans d'existence, la Bank of America avait souscrit à son introduction en Bourse, et si tout se passait bien – pas au top du top, juste bien –, d'ici à deux mois, lorsque la société mettrait ses actions sur le marché, la part de John Kuntz vaudrait dans les dix-sept millions de dollars.

Prenez votre temps pour assimiler ce chiffre. Dix-sept millions de dollars.

On oublie la réhabilitation. On oublie le salut. Avec cet argent, il engagerait les meilleurs médecins du monde pour s'occuper de son fils. Robby pourrait bénéficier de soins à domicile et de tout ce qu'il y avait de mieux. Ses deux autres gosses, Kari et Harry, iraient étudier dans de bonnes écoles, et peut-être qu'un jour il les aiderait à monter leurs propres affaires. Il paierait quelqu'un pour aider Barbra à la maison, l'emmènerait en vacances. Aux Bahamas, tiens… elle qui s'extasiait toujours devant les pubs pour l'hôtel Atlantis. Voilà six ans qu'ils n'étaient pas partis ensemble, depuis cette croisière Carnival Cruise de trois jours.

Dix-sept millions de dollars. Tous leurs rêves allaient se réaliser enfin.

Sauf que quelqu'un cherchait encore une fois à les mettre sur la paille.

Lui et les siens.

32

ADAM DÉPASSA LE METLIFE STADIUM, stade à la fois des Giants et des Jets de New York, et alla se garer sur le parking d'un immeuble de bureaux quatre cents mètres plus loin. Le bâtiment, comme tout ce qu'il y avait autour, avait été construit sur une ancienne zone de marécages. L'odeur, typique du New Jersey, était à l'origine de nombre d'idées fausses sur l'État et ses habitants. Un mélange de marigot (normal), de produits chimiques utilisés jadis pour l'assécher et de vieille pipe à eau qu'on ne nettoyait jamais.

En un mot, bizarre.

L'immeuble qui datait des années soixante-dix frappait par la prédominance des teintes marron et les sols en linoléum qui semblaient avoir été posés au petit bonheur la chance. Adam toqua à la porte d'un bureau du rez-de-chaussée donnant sur le quai de chargement.

Tripp Evans vint ouvrir.

— Adam ?

— Tu peux me dire pourquoi ma femme t'a téléphoné ?

C'était étrange de voir Tripp hors de son élément naturel. À Cedarfield, il était quelqu'un de connu et de respecté à l'intérieur du microcosme où il évoluait. Ici, il paraissait remarquablement quelconque. Adam connaissait vaguement son histoire. Du temps où Corinne était enfant, le père de Tripp avait tenu un magasin de sport au centre-ville. Un magasin où, pendant trente ans, tous les jeunes étaient venus acheter leurs équipements sportifs. Il en avait même ouvert deux autres dans les villes voisines. Après ses études, Tripp était revenu s'occuper du marketing. Il gérait les promos et les événements spéciaux, embauchait des professionnels du sport pour venir signer des autographes et accueillir les clients. C'était le bon temps.

Puis, comme la plupart des affaires familiales, tout était parti à vau-l'eau.

Les grandes chaînes telles que Modell's ou Dick's étaient venues s'installer dans le coin. Le magasin périclita lentement et finit par fermer ses portes. Tripp retomba sur ses pieds : grâce à sa formation et son expérience professionnelle, il décrocha un poste dans une grosse agence de pub sur Madison Avenue. Ce sont les autres membres de la famille qui payèrent les pots cassés. Dernièrement, Tripp était venu s'installer en banlieue où il avait fondé sa propre société, pour citer Bruce Springsteen, ici dans les marais du New Jersey.

— Tu veux qu'on aille se poser quelque part pour en discuter ? demanda-t-il.

— O.K.

— Il y a un café pas loin. Viens, on va marcher.

Adam allait protester – il n'était pas d'humeur à faire une promenade –, mais Tripp l'avait déjà précédé vers la sortie.

Il portait une chemise blanc cassé à manches courtes, suffisamment fine pour que, dessous, on distingue le T-shirt au col en V. La couleur brune de son pantalon faisait penser à un principal de collège. Ses chaussures étaient trop grandes pour ses pieds... pas orthopédiques, non, mais une de ces marques confortables et bon marché. Adam était habitué à le voir en tenue nettement plus seyante, une tenue de coach : polo au logo de la ligue de lacrosse, pantalon kaki aux plis impeccables, casquette de base-ball à visière rigide, sifflet autour du cou.

Le contraste était frappant.

Le café en question était une gargote à l'ancienne, jusqu'à la serveuse avec son crayon planté dans le chignon. Ils commandèrent deux cafés. Juste des cafés. Ce n'était pas ici qu'on leur servirait un macchiato ou un latte.

Tripp posa les mains sur la table collante.

— Tu veux me dire ce qui se passe ?

— Ma femme t'a appelé.

— Comment le sais-tu ?

— J'ai consulté le relevé téléphonique.

— Tu as...

Tripp haussa légèrement les sourcils.

— Tu es sérieux ?

— Elle t'a appelé pour quoi ?

— À ton avis ?

— C'est au sujet de cette histoire d'argent volé ?

— Évidemment. Quoi d'autre ?

Adam éluda la question.

— Et qu'est-ce qu'elle t'a dit ?

La serveuse apporta les cafés et les posa si maladroitement qu'elle en renversa dans les soucoupes.

— Elle a dit qu'elle avait besoin de temps. J'ai répondu que j'avais assez attendu.

— En d'autres termes ?

— Les membres du comité commençaient à perdre patience. Certains voulaient la mettre au pied du mur. Et d'autres voulaient la dénoncer à la police.

— Et ça dure depuis combien de temps ? demanda Adam.

— Quoi, l'enquête ?

Tripp sucra son café.

— Ça fait à peu près un mois.

— Un mois ? Et pourquoi tu ne m'as rien dit ?

— J'ai failli le faire. Le soir des sélections, à l'American Legion Hall. À la façon dont tu t'en es pris à Bob, j'ai cru que tu étais au courant.

— J'étais à mille lieues de soupçonner quoi que ce soit.

— Oui, je le vois bien.

— Tu aurais pu m'en parler, Tripp.

— J'aurais pu, concéda-t-il. Sauf que…

— Sauf que… ?

— Corinne m'a demandé de ne pas le faire.

Parfaitement immobile, Adam finit par lâcher :

— Je voudrais être sûr d'avoir bien compris.

— Pas de problème. Corinne savait que nous l'avions dans le collimateur, et elle a demandé expressément de ne pas t'en parler, répliqua Tripp. Tu as très bien compris.

Adam se redressa.

— Alors le matin où elle t'a téléphoné…

— Elle voulait que je lui laisse plus de temps.

— Et toi…

— J'ai dit non. Son temps était écoulé. J'avais fait ce que j'avais pu pour essayer de calmer les esprits, maintenant, c'était fini.

— Quand tu parles des esprits…

— Les membres du comité. Mais principalement Bob, Cal et Len.

— Comment Corinne a-t-elle réagi ?

— Elle m'a demandé – *supplié* plutôt – de lui laisser

une semaine de plus. Elle disait qu'elle pouvait prouver son innocence, mais qu'il lui fallait du temps.

— Et tu l'as crue ?

— Non.

— Tu as pensé quoi ?

— Qu'elle cherchait un moyen pour rendre cet argent. Elle savait que nous ne tenions pas à porter l'affaire devant la justice. Nous voulions juste renflouer la caisse. J'ai donc supposé qu'elle avait contacté des parents ou des amis à elle pour réunir la somme.

— Pourquoi elle ne m'a pas demandé, à moi ?

Tripp se borna à porter son café à sa bouche.

— Tripp ?

— Je ne sais pas.

— Ça n'a aucun sens.

Tripp continuait de siroter son café.

— Ça fait combien de temps que tu connais ma femme, Tripp ?

— Nous avons grandi ensemble à Cedarfield. Deux années de différence… elle était dans la même classe que ma Becky.

— Tu sais donc qu'elle n'a pas pu faire ça.

Tripp contempla sa tasse.

— C'est ce que j'ai cru pendant un bon moment.

— Et qu'est-ce qui t'a fait changer d'avis ?

— Allons, Adam. Tu as déjà défendu ce genre de clients. Je ne pense pas que c'était prémédité de la part de Corinne. Tu sais comment ça se passe. Quand on entend parler de la petite vieille qui se sert dans le denier du culte ou, ma foi, d'un responsable sportif qui détourne de l'argent, il ne s'agit jamais d'une décision délibérée. On part avec les meilleures intentions du monde et, paf, ça vous tombe dessus.

— Pas Corinne.

— Ni Corinne ni personne. Tout le monde réagit comme ça. C'est toujours un choc.

Adam sentait bien que Tripp allait s'embarquer dans une de ses digressions philosophiques. Il hésita à l'interrompre. Au fond, en le laissant parler, il en apprendrait peut-être davantage.

— Mettons, par exemple, que tu restes tard le soir pour établir le calendrier des entraînements de lacrosse. Tu bosses dur... tu es dans un troquet comme celui-ci, tu commandes un café, exactement comme le café qu'on est en train de boire, et tu as oublié ton portefeuille dans la voiture. Oh, et puis zut, tu te dis, c'est à la ligue de payer. Ils te doivent bien ça, non ?

Adam ne répondit pas.

— Quelques semaines plus tard, un arbitre pose un lapin à l'occasion d'un match, disons, à Toms River, et tu le remplaces au pied levé, ce qui te fait perdre trois heures de ton temps. Alors oui, la moindre des choses, c'est que la ligue te paie ton essence. Ou un dîner parce que tu es loin de chez toi et que le match s'est terminé tard. Ou tu dois commander des pizzas pour les coachs parce que la réunion du comité vous fait sauter un repas. Ou tu dois engager des ados pour arbitrer les matchs des plus petits, et tu t'arranges pour que ce soit ton gamin qui décroche le job. Normal, non, que ton engagement en tant que bénévole profite aussi aux tiens ?

Adam se taisait toujours.

— Et ça continue. Puis un jour, tu es en retard pour régler une traite de la voiture, or il se trouve que la ligue a réalisé un gros bénéfice. Grâce à toi. Alors tu empruntes de l'argent. Que tu comptes rendre, ça va de soi. Tu ne fais rien de mal. C'est comme ça qu'on en vient à se mentir.

Tripp se tut et regarda Adam.

— C'est une blague, dit celui-ci.

— Du tout, mon ami.

Tripp consulta ostensiblement sa montre, jeta deux billets sur la table et se leva.

— Mais va savoir. Peut-être qu'on se trompe tous au sujet de Corinne.

— Toi, certainement.

— J'en serais le premier ravi.

— Elle t'a demandé un peu de temps, fit Adam. Tu peux bien lui accorder ça, non ?

Tripp soupira et remonta imperceptiblement son pantalon.

— Je peux toujours essayer.

33

AUDREY FINE FINIT PAR LÂCHER une information utile. Ce fut la première véritable piste de Johanna.

Elle ne s'était pas trompée sur les cadors du comté. Ils avaient enfourché leur dada et mis le cap sur Marty Dann, coupable à leurs yeux du meurtre de son épouse Heidi. Peu leur importait que le pauvre Marty eût un alibi en béton au moment du crime. Ils étaient partis d'emblée sur la thèse du tueur à gages et épluchaient maintenant ses relevés téléphoniques, ses mails et ses SMS. Ils interrogeaient ses collègues de bureau sur son comportement récent, ses relations, ses habitudes dans tel ou tel bar ou restaurant, espérant établir un lien entre Marty et un sicaire potentiel.

Le restaurant. C'était ça, la clé.

Mais pas celui où déjeunait Marty. Là encore, les gars du comté s'étaient plantés.

Le restaurant où avait déjeuné Heidi.

Johanna connaissait ces déjeuners hebdomadaires entre filles. Elle-même y avait pris part une fois ou deux. Au début, elle avait considéré ça comme une perte de temps, une lubie de femmes désœuvrées. Mais bon, si ces femmes-là avaient envie de se retrouver entre elles, de consacrer un moment à autre chose que la famille ou le boulot, où était le mal ?

Cette semaine, le déjeuner avait eu lieu au Red Lobster, et elles avaient été quatre : Audrey Fine, Katey Brannum, Stephanie Keiles et Heidi. Les trois amies d'Heidi n'avaient rien remarqué de spécial. Moins de vingt-quatre heures avant son assassinat, elles l'avaient trouvée aussi exubérante qu'à l'accoutumée. C'était étrange de leur parler, à ces femmes. Toutes étaient anéanties. Elles avaient perdu leur meilleure amie, leur confidente, le pilier de leur univers.

Johanna partageait ce sentiment. Oui, Heidi avait été leur bonne fée. En sa présence, on se sentait tout de suite mieux dans sa peau.

Comment une seule balle pouvait-elle rompre le fil d'une telle existence ?

Johanna rencontra toute la bande et les écouta parler dans le vide. Elle s'apprêtait à mettre fin à leur entretien pour aller voir ailleurs, là où les gars du comté n'auraient pas l'idée de chercher, quand Audrey se rappela quelque chose.

— J'ai vu Heidi discuter avec un jeune couple sur le parking.

Perdue dans ses souvenirs, Johanna laissait vagabonder son esprit. Vingt ans plus tôt, elle était « miraculeusement » tombée enceinte grâce à une FIV. Heidi était là, avec elle, au moment où elle avait appris la nouvelle. Et c'est Heidi que Johanna avait appelée en premier quand elle avait fait sa fausse couche. Heidi avait sauté dans sa voiture. Johanna s'était assise sur le siège du passager, et les deux femmes avaient pleuré toutes les larmes de leur corps. Jamais Johanna n'oublierait la tête d'Heidi posée sur le volant, les cheveux déployés en éventail. Elles l'avaient su toutes les deux.

Il n'y avait pas eu d'autre miracle. Cette grossesse avait

été la seule et unique chance de Johanna. Ricky et elle n'avaient jamais eu d'enfants.

— Quel jeune couple ?

— On s'était dit au revoir, et je sortais du parking quand un camion est arrivé si vite que j'ai cru qu'il allait m'arracher la calandre. J'ai jeté un œil dans le rétro et j'ai vu Heidi parler avec ces gens.

— Pourriez-vous les décrire ?

— Pas vraiment. La fille était blonde. Le garçon portait une casquette de base-ball. Je me suis dit qu'ils devaient lui demander leur chemin, un truc comme ça.

Audrey ne se souvenait de rien d'autre. Mais le monde entier – surtout les parkings des restaurants et des grands magasins – était équipé de caméras de vidéosurveillance. Comme demander un mandat risquait de prendre du temps, Johanna se rendit directement au Red Lobster. Le responsable de la sécurité transféra la vidéo sur un DVD, ce qui faisait un peu vieille école, et la pria de le lui rapporter.

— C'est pour les assurances, lui dit-il. Il faut qu'on le récupère.

— Pas de problème.

Le poste de police de Beachwood avait un lecteur de DVD. Johanna rentra à la hâte, ferma la porte de son bureau et glissa le DVD dans la fente. L'écran s'alluma. Le gars de la sécurité connaissait son boulot. Au bout de deux secondes, Heidi apparut sur la vidéo. Johanna étouffa une exclamation. Le fait de voir son amie vivante, titubant sur ses hauts talons, lui rendit le drame soudain plus réel.

Heidi était morte. Plus jamais elle ne la reverrait.

Il n'y avait pas de son sur la vidéo. Heidi s'arrêta brusquement. Ils étaient là, l'homme à la casquette de base-ball et la femme blonde. Effectivement, ils avaient l'air jeunes. Plus tard, en visionnant l'enregistrement une troisième et une quatrième fois, Johanna tenterait de mieux distinguer leurs traits, mais, à cette hauteur et sous cet angle, il n'y avait pas grand-chose à voir. Pour finir, elle filerait la vidéo à la police du comté, afin que leurs experts en informatique puissent la décortiquer.

Mais pas tout de suite.

Dans un premier temps, et en l'absence de son, on aurait pu croire en effet que le jeune couple demandait son chemin. Du moins, c'est ce qu'aurait conclu un observateur occasionnel. Mais plus les minutes passaient, plus la température dans la pièce devenait glaciale. Déjà, la conversation semblait se prolonger. Mais surtout, Johanna connaissait son amie, ses tics, sa gestuelle… et là, on voyait clairement que quelque chose n'allait pas.

Plus ça durait, et moins Johanna osait bouger sur son siège. À un moment, elle eut la nette impression de voir Heidi chanceler. Ensuite, le jeune couple remonta dans sa voiture et partit. Pendant une bonne minute, Heidi resta sur le parking, assommée, hagarde, avant de s'engouffrer dans sa propre voiture. Du coup, Johanna la perdit de vue. Mais le temps passa. Dix secondes. Vingt, trente. Soudain, il y eut du mouvement derrière le pare-brise. Johanna se rapprocha, plissa les yeux. C'était très flou, mais elle comprit tout de suite.

Les cheveux d'Heidi, déployés en éventail.

Oh non…

Heidi avait posé la tête sur le volant, exactement comme vingt ans auparavant, quand Johanna lui avait parlé de sa fausse couche.

Elle était, aucun doute là-dessus, en train de pleurer.

— Mais qu'est-ce qu'ils ont bien pu te raconter ? demanda Johanna tout haut.

Elle rembobina et regarda le jeune couple sortir du

parking. Puis elle appuya sur *pause*, zooma sur l'image et décrocha son téléphone.

— Salut, Norbert, dit-elle. Tu peux m'identifier une plaque d'immatriculation ? C'est urgent.

34

THOMAS L'ATTENDAIT DANS LA CUISINE.

— T'as des nouvelles de maman ?

Adam avait espéré se trouver seul dans la maison. À force de cogiter pendant tout le trajet du retour, il avait fini par avoir une idée. Idée qui nécessitait d'aller surfer sur Internet.

— Elle devrait rentrer d'un jour à l'autre.

Puis, pour vite changer de sujet, il demanda :

— Où est ton frère ?

— À son cours de batterie. Il y va à pied après l'école, mais d'habitude maman le ramène.

— À quelle heure ?

— Dans quarante-cinq minutes.

Adam hocha la tête.

— C'est dans Goffle Road ?

— Oui.

— Ça marche. J'ai un peu de boulot, là. Mais on pourrait aller dîner au Café Amici, une fois que j'aurai récupéré Ryan.

— Je vais à ma séance de muscu avec Justin.

— Maintenant ?

— Ouais.

— Il faut bien que tu manges.

— Je me ferai un truc en rentrant. Papa ?

Thomas avait rattrapé son père en taille à deux centimètres près, et avec toutes ces séances de musculation, Adam se demanda s'il n'allait pas le dépasser en force. Six mois plus tôt, son fils l'avait défié au basket, en un contre un, et, pour la première fois, Adam avait peiné pour arracher une victoire avec un score de 11-8. Quel effet ça ferait si le score s'inversait maintenant ?

— Je suis inquiet, dit Thomas.

— Il ne faut pas.

Il avait répondu sans réfléchir, par pur réflexe parental.

— Pourquoi maman est partie comme ça ?

— Je te l'ai expliqué. Écoute, Thomas, tu es assez grand pour comprendre. Ta mère et moi nous aimons beaucoup. Mais il arrive que les parents aient besoin de prendre un peu de recul.

— L'un par rapport à l'autre, acquiesça Thomas avec un petit hochement de tête. Mais pas vis-à-vis de leurs enfants.

— Ma foi, oui et non. Quelquefois, on a juste envie de larguer les amarres.

— À d'autres, rétorqua Thomas. Oui, bon, je ne suis pas le nombril du monde et je peux comprendre. Vous avez une vie en dehors de nous. Que maman ait besoin de décompresser ou d'aller prendre l'air, soit. Mais maman est une maman. Tu vois ce que je veux dire ? Elle nous aurait prévenus ou, si c'était sur un coup de tête, elle nous aurait contactés depuis. Elle aurait répondu à nos SMS. Pour qu'on ne s'inquiète pas. Maman est beaucoup de choses, mais avant tout, désolé, c'est notre maman.

Pris de court, Adam bredouilla stupidement :

— Ça va aller.

— C'est-à-dire ?

— Elle m'a demandé de m'occuper de vous et de lui laisser quelques jours. Et de ne pas chercher à la joindre.

— Pourquoi ?

— Je n'en sais rien.

— J'ai peur, souffla Thomas, soudain redevenu un petit garçon.

Il avait raison. Corinne était mère avant toute chose. Et lui, Adam, était père. Son rôle était de protéger ses enfants.

— Ça va aller, répéta-t-il d'une voix qui sonnait faux, même à ses propres oreilles.

Thomas secoua la tête, recouvrant sa maturité aussi vite qu'il l'avait perdue.

— Non, papa, je ne crois pas.

Il fit demi-tour, essuya les larmes de son visage et se dirigea vers la porte.

— J'ai rendez-vous avec Justin.

Adam allait le rappeler, mais à quoi bon ? Il n'avait aucun réconfort à lui offrir, et le fait d'aller rejoindre son ami pourrait, faute de mieux, lui changer les idées. La seule solution – le seul véritable réconfort – serait de retrouver Corinne. Adam devait continuer à chercher pour essayer de comprendre, pour apporter de vraies réponses à ses fils. Il laissa donc partir Thomas et gravit l'escalier. Il lui restait encore un peu de temps avant d'aller récupérer Ryan à son cours de batterie.

Une fois de plus, il se demanda brièvement s'il ne fallait pas alerter la police. Il ne craignait plus qu'on le soupçonne d'être à l'origine de la disparition de Corinne, mais il savait par expérience que la police – c'était normal – s'attachait d'abord aux faits. Fait numéro un : Corinne et Adam se sont disputés. Fait numéro deux : Corinne lui a envoyé un SMS pour le prier de lui laisser quelques jours sans chercher à la joindre.

La police aurait-elle besoin d'un fait numéro trois ?

Il prit place devant l'ordinateur. Chez le vieux Rinsky, il avait consulté les derniers relevés du portable de Corinne. Maintenant, il voulait étudier de plus près ses appels et SMS. L'inconnu ou la dénommée Ingrid Prisby l'avaient peut-être contactée par téléphone. C'était peu probable – l'inconnu ne l'avait-il pas abordé à l'improviste ? –, mais, avec un peu de chance, les relevés lui fourniraient un indice.

Très vite, il se rendit compte qu'il n'y avait rien à en tirer. Sa femme, à en juger par ses communications récentes, était un livre ouvert. Sans surprises. La plupart des numéros, il les connaissait par cœur : le sien, ceux des garçons, d'amis, de collègues à elle, de membres de la ligue de lacrosse… c'était à peu près tout. Il y avait quelques autres appels çà et là, pour réserver une table au restaurant, récupérer des vêtements au pressing, des choses de ce genre.

Aucun indice.

Adam réfléchit. Oui, Corinne était un livre ouvert. Du moins, c'est ce qui ressortait de ses SMS et coups de fil récents.

Récents, voilà la clé.

Il repensa au prélèvement surprise sur sa carte Visa… au profit de Novelty Funsy. Datant d'il y a deux ans.

Corinne s'était montrée moins prévisible à l'époque.

Qu'est-ce qui avait motivé son achat ? On ne décide pas un beau jour de feindre une grossesse. Il s'était passé quelque chose. Elle avait contacté quelqu'un. Ou quelqu'un l'avait contactée.

À voir.

Il lui fallut plusieurs minutes pour retrouver les archives vieilles de deux ans. Corinne avait effectué sa première commande sur Grossesse-Bidon.com au mois de février.

Il allait donc commencer par là. Adam scruta l'écran, plutôt de bas en haut que l'inverse.

Au départ, rien de nouveau : lui, les garçons, les collègues, les amis…

Quand soudain il aperçut un numéro familier, et son cœur manqua un battement.

35

ASSISE SEULE À L'AUTRE BOUT DU BAR, Sally Perryman sirotait une bière en lisant le *New York Post.* Habillée comme à son habitude : chemisier blanc et jupe droite gris anthracite. Ses cheveux étaient noués en queue de cheval. Elle avait posé son manteau sur le tabouret voisin pour lui garder une place. Quand Adam arriva, elle retira le manteau sans lever les yeux de son journal. Il se percha sur le tabouret.

— Ça fait un bail, dit-elle.

Toujours sans lever les yeux.

— C'est vrai. Ça va, le boulot ?

— On est débordés. Beaucoup de clients.

Elle le regarda enfin. Il ressentit un petit coup au cœur, mais tint bon.

— Mais tu ne m'as pas appelée pour parler travail, si ?

— Non.

Dans ces moments-là, les bruits s'estompent, le reste du monde passe à l'arrière-plan, et rien d'autre n'existe, juste elle et vous.

— Adam ?

— Quoi ?

— Je ne peux pas gérer ça toute seule. S'il te plaît, dis-moi ce que tu veux.

— As-tu jamais reçu un coup de fil de ma femme ?

Sally cilla, visiblement troublée par sa question.

— Quand ça ?

— N'importe. Un jour.

Elle se replongea dans sa bière.

— Une seule fois.

Ils étaient dans un de ces bars-restaurants bruyants où l'on vous sert des amuse-gueules décongelés et où des dizaines d'écrans diffusent le même événement sportif. Le barman s'approcha, se présenta cérémonieusement. Pour se débarrasser de lui, Adam commanda une bière.

— Quand ? demanda-t-il.

— Il y a deux ans, je crois. Au moment du procès.

— Et tu ne m'as rien dit.

— Il s'agissait d'un seul coup de fil.

— Tout de même.

— Qu'est-ce que ça change, Adam ?

— Elle t'a dit quoi ?

— Elle savait que tu étais venu chez moi.

Adam faillit demander comment, sauf qu'il connaissait la réponse. Le traceur, évidemment. Cette application sur son portable pour pouvoir localiser les garçons.

Ou le mari.

— Quoi d'autre ?

— Elle voulait savoir pourquoi tu étais venu me voir.

— Et qu'as-tu répondu ?

— Que c'était pour le boulot, fit Sally Perryman.

— Tu lui as dit qu'il n'y avait rien, hein ?

— Mais il n'y a rien eu, Adam. Nous étions obnubilés par ce procès.

Puis :

— Rien ou presque.

— Le presque ne compte pas.

Sally sourit tristement.

— À mon avis, pour ta femme, si.

— Elle t'a crue ?

Sally haussa les épaules.

— Elle n'a jamais rappelé.

Adam la regarda, hésita, ouvrit la bouche, mais elle l'arrêta d'un geste.

— Ne dis rien.

Elle avait raison. Il se laissa glisser du tabouret et gagna la sortie.

36

EN PÉNÉTRANT DANS LE GARAGE, l'inconnu songea, comme presque chaque fois qu'il venait ici, à toutes les grandes entreprises qui avaient débuté dans les mêmes conditions. Steve Jobs et Steve Wozniak avaient lancé Apple (pourquoi ne pas avoir appelé leur société Les Steve ?) en vendant les cinquante premiers ordinateurs Apple I de Wozniak dans un garage à Cupertino, Californie. Jeff Bezos avait démarré Amazon en vendant des bouquins en ligne depuis son garage à Bellevue, Washington. Google, Disney, Mattel, Hewlett-Packard, Harley-Davidson étaient tous nés, à en croire la légende, dans un petit garage de rien du tout.

— Des nouvelles de Dan Molino ? s'enquit l'inconnu.

Ils étaient trois là-dedans, assis devant de puissants ordinateurs à écran XXL. Quatre routeurs Wi-Fi trônaient sur l'étagère à côté des pots de peinture que le père d'Eduardo avait rangés là il y a plus de dix ans. Eduardo, le plus calé d'entre eux côté nouvelles technologies, avait installé un système pour faire circuler le Wi-Fi dans le monde entier, leur garantissant un parfait anonymat. Même si quelqu'un parvenait à les localiser, les routeurs se mettraient automatiquement en marche pour le rediriger vers une autre adresse. À dire vrai, l'inconnu ne comprenait pas tout. Mais cela ne lui était pas nécessaire.

— Il a payé, dit Eduardo.

Il avait des cheveux filasse qui auraient eu besoin d'une bonne coupe et le genre de look mal rasé qui faisait plus crade que branché. C'était un hacker de la vieille école qui aimait le challenge autant que la dénonciation d'une conduite immorale ou l'argent.

À côté de lui, il y avait Gabrielle, quarante-quatre ans, qui élevait seule ses deux enfants. C'était de loin la plus âgée de la bande. Gabrielle avait débuté vingt ans plus tôt comme hôtesse de téléphone rose. L'idée était de garder le gars en ligne le plus longtemps possible, au tarif de trois dollars quatre-vingt-dix-neuf la minute. Plus récemment, dans la même veine, elle s'était fait passer pour diverses femmes au foyer en quête d'aventures sur un site de rencontre sans lendemain. Son rôle était de convaincre le nouveau client (lire : le pigeon) que c'était dans la poche jusqu'à ce que la période d'essai gratuite soit écoulée et qu'il s'abonne pour une année entière.

Merton, leur plus récente recrue, avait dix-neuf ans. Il était maigre, tatoué de partout, le crâne rasé et des yeux très bleus au regard pas très net. Il portait des jeans baggy avec des chaînes sortant de la poche : moto ou bondage, leur usage restait incertain. Il se curait les ongles avec un couteau à cran d'arrêt et employait son temps libre comme assistant d'un télévangéliste qui officiait dans un stade de douze mille places. Ingrid l'avait connu lorsqu'elle travaillait pour un site web pour le compte d'une société nommée The Five.

Merton se tourna vers l'inconnu.

— Tu as l'air déçu.

— Il va s'en tirer maintenant.

— Quoi, en se dopant aux stéroïdes pour jouer au foot dans la cour des grands ? Tu parles d'un scoop. Ils font tous ça.

— On ne déroge pas à nos principes, Chris, renchérit Eduardo.

— Ouais, je sais.

— *Tes* principes, qui plus est.

L'inconnu, dont le véritable nom était Chris Taylor, hocha la tête. Il était le fondateur de leur entreprise, même si le garage appartenait à Eduardo, qui avait été le premier à le rejoindre. Cela avait commencé comme un canular, une tentative pour dénoncer des tricheurs de toute sorte. Mais, très vite, Chris s'était rendu compte que, quitte à jouer les redresseurs de torts, il pouvait aussi en tirer un joli bénéfice. Seulement, pour ce faire, et ne pas dévier de leur objectif initial, ils devaient respecter les principes qu'ils avaient adoptés.

— Alors, c'est quoi le problème ? s'enquit Gabrielle.

— Qui te dit qu'il y a un problème ?

— En général, quand tu viens ici, c'est qu'il y a un loup quelque part.

Ce n'était pas faux.

Eduardo se redressa sur son siège.

— Tu as eu un souci avec Dan Molino ou son fils ?

— Oui et non.

— On a l'argent, déclara Merton. Donc, tout a marché comme prévu.

— Sauf que j'ai dû me le coltiner tout seul.

— Et alors ?

— Et alors, Ingrid était censée être là.

Ils se regardèrent. Gabrielle rompit le silence la première.

— Elle a dû se dire qu'une femme, ça ferait déplacé dans des épreuves de sélection de foot universitaire.

— Possible, opina Chris. Quelqu'un a-t-il eu de ses nouvelles ?

Eduardo et Gabrielle secouèrent la tête. Merton se leva.

— Quand lui as-tu parlé pour la dernière fois ?

— Quand nous avons abordé Heidi Dann dans l'Ohio.

— Et elle devait te retrouver pour les épreuves de sélection du fils de Dan Molino ?

— C'est ce qu'elle m'a dit. Nous avons suivi le protocole et voyagé séparément, sans communiquer d'aucune façon.

Eduardo se remit à taper.

— Une minute, Chris. Je voudrais vérifier un truc.

Chris. Ça faisait presque bizarre de s'entendre appeler par son prénom. Ces dernières semaines, il n'avait été qu'un inconnu, un anonyme. Même avec Ingrid, le protocole était clair : pas de noms. Ironiquement, les gens qu'il approchait recherchaient eux aussi l'anonymat, sauf que, pour eux, c'était mort.

— D'après le programme, dit Eduardo en scrutant l'écran, Ingrid était supposée rendre la voiture de location hier à Philadelphie…

Il leva les yeux.

— Zut.

— Quoi ?

— Elle n'a pas rendu la voiture.

La température du local chuta de plusieurs degrés.

— Il faut qu'on l'appelle, fit Merton.

— Trop risqué, répondit Eduardo. Si elle s'est fait repérer, son portable pourrait être entre les mains de n'importe qui.

— On est obligés d'enfreindre le protocole, intervint Chris.

— En faisant attention, ajouta Gabrielle.

Eduardo hocha la tête.

— Je vais l'appeler avec Viber en faisant passer la connexion par deux adresses IP en Bulgarie. Ça prendra cinq minutes.

Plutôt trois, en réalité.

Le téléphone sonna. Une fois, deux fois. À la troisième sonnerie, quelqu'un répondit. Tous s'attendaient à ce que ce soit Ingrid.

— Qui est à l'appareil ? demanda une voix d'homme.

Eduardo s'empressa de couper la communication. Tous quatre restèrent un moment immobiles dans un garage parfaitement silencieux. Finalement, l'inconnu – Chris Taylor – énonça ce que tout le monde pensait :

— On a été repérés.

37

ILS N'AVAIENT RIEN FAIT DE MAL.

Sally Perryman travaillait à l'époque dans un cabinet d'avocats chargé de défendre un couple d'immigrés propriétaires d'un restaurant grec. L'affaire avait pris des proportions démesurées, et Adam avait été saisi du dossier. Le restaurant, situé à Harrison, prospérait depuis une quarantaine d'années quand un grand fonds d'investissement avait construit une tour de bureaux dans la même rue, et la municipalité en place avait décidé d'élargir la voie d'accès à la tour. Autrement dit, le restaurant devait être rasé. Adam et Sally avaient dû batailler contre les autorités, les banques et, pour finir, la corruption tous azimuts.

Quelquefois, on se réveille le matin et on a hâte de commencer la journée, de se mettre au travail. On n'a pas envie que ça se termine. Ça tourne à l'obsession. Comme ce fut le cas pour cette affaire. On se rapproche de ceux qui se battent à vos côtés pour ce qu'on considère être une noble cause.

Adam et Sally Perryman étaient devenus proches.

Très proches.

Rien de physique cependant... pas même un baiser. Aucune limite n'avait été franchie, et ce n'était pas faute d'avoir tourné autour. Il arrive un stade où l'on frôle cette limite et on vacille sur la corde raide, une vie d'un côté, une vie de l'autre ; alors soit on la franchit, soit ça part en quenouille. C'est ce qui s'était passé pour eux. Deux mois après le procès, Sally Perryman avait quitté son poste pour rejoindre un autre cabinet d'avocats, à Livingston.

Fin de l'histoire.

Pourtant, Corinne l'avait appelée.

Pourquoi ? La réponse semblait évidente. Adam cherchcha des explications possibles à son attitude. Il réussit à rassembler trois ou quatre pièces du puzzle. Le tableau qui commençait à se dessiner n'était pas particulièrement ragoûtant.

Il était minuit passé. Les garçons étaient couchés. La maison paraissait plongée dans une atmosphère de deuil. D'un côté, Adam aurait voulu que ses fils puissent exprimer librement leurs émotions ; de l'autre, il priait pour qu'ils tiennent encore un jour ou deux, le temps que Corinne revienne.

Il devait retrouver Corinne.

Le vieux Rinsky lui avait fait parvenir des informations préalables sur Ingrid Prisby. Jusqu'ici rien d'extraordinaire. Elle habitait Austin. Diplômée de Rice University à Houston, elle avait travaillé pour deux start-up sur Internet. Rinsky lui avait dégoté le numéro de sa ligne fixe. L'appel fut immédiatement transféré sur la boîte vocale. Adam laissa un message, demandant à Ingrid de le rappeler. Rinsky lui avait également fourni l'adresse et le téléphone de la mère d'Ingrid. Adam hésita à la contacter, car il ne savait comment lui présenter la chose. Et il était tard. La nuit porterait conseil.

Ingrid Prisby était par ailleurs sur Facebook. Peut-être qu'il y trouverait d'autres indices. Lui aussi avait sa page Facebook, mais il la consultait rarement. Corinne et lui s'y étaient inscrits quelques années plus tôt, quand sa femme, dans un accès de nostalgie, avait lu un article qui affirmait que les réseaux sociaux étaient le meilleur moyen pour les gens de leur âge de retrouver de vieux amis. Quoique peu porté sur le passé, Adam avait suivi le mouvement. Il avait affiché une photo sur son profil, et c'en était resté là. Corinne, elle, s'était montrée plus enthousiaste, même si elle ne devait pas aller sur sa page plus de deux ou trois fois par semaine.

Mais au fond, qu'en savait-il ?

Il se revit avec elle, assis dans la même pièce, au moment où ils avaient créé leurs profils Facebook. Ils avaient recherché proches et voisins pour les inviter à devenir leurs « amis ». Adam avait visionné les photos postées par ses copains de fac : famille radieuse à la plage, réveillons de Noël, séjours de ski à Aspen, épouse bronzée suspendue au cou du mari souriant.

— Tout le monde a l'air heureux, avait-il dit à Corinne.

— Ah non, tu ne vas pas t'y mettre toi aussi !

— Hein ?

— Tout le monde a l'air heureux sur Facebook, expliqua alors Corinne. C'est comme une compilation des meilleurs moments de ta vie.

Et d'ajouter avec une pointe d'acidité :

— Ce n'est pas la réalité, Adam.

— Je n'ai pas dit ça. J'ai dit tout le monde a *l'air* heureux. Justement. Si Facebook nous renvoyait l'image de la vraie vie, il n'y aurait pas autant de gens sous Prozac.

Corinne s'était tue. Adam avait pris la chose à la rigolade, mais aujourd'hui, avec le recul, la scène lui apparaissait sous un jour beaucoup plus sombre.

Il passa presque une heure sur la page Facebook d'Ingrid Prisby. Pour commencer, il consulta son statut de relation – avec un peu de chance, l'inconnu était son petit ami ou son mari –, mais Ingrid se présentait comme célibataire. Il cliqua ensuite sur la liste de ses cent quatre-vingt-huit amis, espérant trouver l'inconnu parmi eux. Sans succès. Il chercha un nom ou un visage familier, quelqu'un qu'il aurait croisé autrefois. Sans résultat. Il déroula la page d'Ingrid, examinant ses changements de statut successifs. Il n'y avait aucune allusion à l'inconnu ni à une pseudo-grossesse, rien. Il scruta ses photos de près. Elle lui fit plutôt bonne impression. Si elle semblait épanouie dans les fêtes et les soirées entre amis, elle l'était plus encore en travaillant comme bénévole. Et elle faisait beaucoup de bénévolat : soupe populaire, Croix-Rouge, développement durable. Il remarqua autre chose à son sujet. Elle n'était jamais seule sur les photos. Il n'y avait pas un portrait, pas un selfie… que des photos de groupe.

Ce n'était pas avec ça qu'il retrouverait Corinne.

Il était tard, mais Adam ne baissait pas les bras. Comment Ingrid avait-elle rencontré l'inconnu ? Ils devaient être proches d'une manière ou d'une autre. Il repensa à Suzanne Hope, au chantage dont elle avait fait l'objet. La même chose avait dû arriver à Corinne. Les deux femmes avaient refusé de payer…

Ou pas. Suzanne, c'était sûr. Mais Corinne ? En admettant qu'elle ait détourné l'argent de la ligue de lacrosse – il n'y croyait pas, mais bon, admettons –, c'était peut-être pour payer le prix du silence.

Sauf que les maîtres chanteurs devaient être du style à balancer, de toute façon.

Était-ce plausible ?

Il n'avait aucun moyen de le vérifier. Le plus important pour l'instant était d'établir le lien entre Ingrid et l'inconnu. Il y avait plusieurs possibilités, et il les étudia l'une après l'autre.

Premièrement, le travail. Ingrid avait travaillé pour plusieurs sociétés sur Internet. Quiconque était derrière tout ceci devait probablement bosser pour Grossesse-Bidon.com ou être un spécialiste du Web – genre hacker – ou les deux.

Deuxième explication possible : ils s'étaient connus à la fac. Ils semblaient avoir le même âge, donc la réponse était peut-être à chercher du côté de Rice University.

Troisième hypothèse : tous deux étaient originaires d'Austin, Texas.

Retour à la liste des amis, pour repérer ceux qui travaillaient aussi sur Internet. Il y en avait un paquet. Adam alla voir leurs pages. Certaines étaient bloquées ou disposaient d'un accès limité, mais la plupart des gens ne vont pas sur Facebook pour se cacher. Le temps passait. Il fit une incursion chez les amis d'amis. Et même chez les amis de ces derniers. Il examina leurs profils, leurs parcours professionnels et, à 4 h 48 – il lut l'heure sur son ordinateur –, Adam finit par mettre le doigt dessus.

Le premier indice lui avait été fourni par Grossesse-Bidon.com. Sous le lien NOUS CONTACTER figurait une adresse mail à Revere, Massachusetts. Adam tapa l'adresse sur Google et tomba sur un groupement d'entreprises nommé Downing Place, réunissant diverses start-up et pages web.

Enfin, il tenait une piste.

En se replongeant dans les pages des amis d'Ingrid, il trouva quelqu'un qui citait Downing Place comme son employeur. Il cliqua sur son profil. Il n'y avait pas grand-chose, sauf que le gars avait deux amis qui travaillaient eux aussi chez Downing. Il cliqua sur leurs pages jusqu'à ce qu'il en arrive au profil d'une femme du nom de Gabrielle Dunbar.

D'après sa page À PROPOS, Gabrielle avait étudié la gestion à l'Ocean County College dans le New Jersey et, avant ça, fréquenté le lycée de Fair Lawn. Elle ne mentionnait aucun employeur ni passé ni présent – pas un mot sur Downing Place ou un autre site web – et n'avait rien posté sur sa page depuis huit mois.

Ce qui attira l'attention d'Adam, c'est qu'elle avait trois « amis » qui travaillaient pour Downing Place. Il était également spécifié que Gabrielle Dunbar habitait Revere, dans le Massachusetts.

Adam cliqua sur sa page, faisant défiler ses albums photo, quand il repéra une photo vieille de trois ans. Dans un album intitulé TÉLÉCHARGEMENTS MOBILES, elle était légendée simplement *Fête de printemps.* C'était le genre de photo où l'on rassemble les gens à la va-vite, avant qu'ils ne soient complètement bourrés, et qu'on envoie ensuite par mail à tout le monde. Une fête de bureau dans un bar ou un restaurant aux murs lambrissés, vingt ou trente personnes en tout, visages et yeux rougis par le flash et l'alcool.

Et là, sur la gauche, une bière à la main – il ne regardait pas l'objectif – peut-être ne savait-il pas qu'on le photographiait –, se tenait l'inconnu.

38

JOHANNA GRIFFIN AVAIT DEUX BICHONS havanais nommés Starsky et Hutch. Au début, elle ne voulait pas entendre parler de bichons. C'étaient des chiens de petite taille, or Johanna avait grandi avec des dogues allemands et considérait les petits chiens, mon Dieu, pardonnez-lui, comme des semi-rongeurs. Mais Ricky avait insisté et il avait eu fichtrement raison. Johanna avait toujours eu des chiens, et ces deux-là étaient vraiment adorables.

Normalement, elle aimait bien promener Starsky et Hutch le matin de bonne heure. Johanna se targuait de dormir comme un bébé. Jamais les drames et tracas qui constituaient son quotidien ne franchissaient le seuil de sa chambre. C'était un principe. Ruminer tant et plus au salon ou dans la cuisine… mais, passé cette porte, tu coupes le jus. C'est tout. Problème, quel problème ?

Sauf que deux choses troublaient maintenant son sommeil. La première se nommait Ricky. Peut-être parce qu'il avait pris du poids ou alors c'était l'âge, mais ses ronflements jadis supportables rivalisaient à présent avec le rugissement continu d'une scie circulaire. Il avait tout essayé – bandelettes, oreiller, médicaments vendus sans ordonnance –, sans aucun résultat. C'en était arrivé à un stade où ils envisageaient de faire chambre à part, mais Johanna n'était pas encore prête à hisser le drapeau blanc. Elle avait donc décidé de prendre son mal en patience, le temps de trouver une solution.

L'autre chose, bien sûr, c'était Heidi.

Elle hantait les nuits de Johanna. Pas sous forme d'une apparition ensanglantée, d'un spectre murmurant : « Venge-moi. » Non, dans ses rêves, Heidi était tout à fait normale. Elles riaient et plaisantaient ensemble jusqu'à ce que Johanna se souvienne que son amie était morte assassinée. Prise de panique, elle se cramponnait alors à elle, comme si elle pouvait la retenir, la faire revenir à la vie.

Johanna se réveillait, les joues trempées de larmes.

Pour y remédier, elle s'était mise à emmener Starsky et Hutch en promenade tard dans la soirée. Elle s'efforçait de goûter à la solitude, mais les rues étaient sombres et, malgré l'éclairage public, elle craignait de trébucher et de tomber. Son père ne s'était jamais vraiment remis d'une mauvaise chute à l'âge de soixante-quatorze ans. Et il n'était pas le seul à qui c'était arrivé. Du coup, elle marchait le nez sur le bitume. En cet instant précis, sur une portion de trottoir plongée dans l'obscurité, elle sortit son smartphone et cliqua sur l'icône de la lampe torche.

L'appareil vibra dans sa main. À cette heure tardive, ça ne pouvait être que Ricky. Il avait dû se réveiller et se demandait quand elle allait rentrer, à moins qu'il veuille la rejoindre, histoire de faire un peu d'exercice. Ça ne la dérangeait pas. Elle venait juste de sortir, et faire demi-tour avec Starsky et Hutch ne lui poserait pas de problème.

Tenant les deux laisses d'une main, elle colla le téléphone à son oreille.

— Allô ?

— Chef ?

Elle sentit au ton de la voix que ce n'était pas un appel anodin. Johanna s'arrêta, imitée par ses chiens.

— C'est toi, Norbert ?

— Pardon d'appeler si tard, mais…

— Que se passe-t-il ?

— J'ai contrôlé votre plaque d'immatriculation. Ça m'a pris du temps, mais, apparemment, il s'agit d'une voiture louée à une femme dont le vrai nom est Ingrid Prisby.

Silence.

— Et ? l'encouragea-t-elle.

— C'est moche, répondit Norbert. Très moche.

39

LE MATIN DE BONNE HEURE, Adam appela Andy Gribbel, qui gémit :

— Quoi ?

— Désolé, je ne voulais pas te réveiller.

— Il est 6 heures du mat.

— Pardon.

— On a joué hier soir. Et à l'after, il y avait des groupies top canon. Tu sais ce que c'est.

— Oui. Écoute, tu t'y connais en Facebook ?

— Tu rigoles ou quoi ? Évidemment. On a une page à nous, avec presque quatre-vingts fans.

— Super. Je te transfère un lien Facebook. Il y a quatre personnes dessus. Vois si tu peux me dégoter leurs adresses et un maximum d'infos concernant cette photo : où elle a été prise, qui sont ces gens, tout.

— C'est urgent ?

— Très. J'en ai besoin pour avant-hier.

— Reçu cinq sur cinq. Tiens, notre version de *The Night Chicago Died* a fait un tabac… tout le monde pleurait dans la salle.

— Je suis heureux de l'apprendre, si tu savais !

— Mince, c'est si important que ça ?

— Le mot est faible.

— C'est comme si c'était fait.

Adam raccrocha et sortit du lit. À 7 heures, il réveilla les garçons et prit une longue douche chaude. Cela lui fit du bien. Il s'habilla et regarda sa montre. Les garçons devraient déjà être en bas.

— Ryan ? Thomas ?

Ce fut Thomas qui répondit.

— Ouais, c'est bon, on se lève.

Le portable d'Adam bourdonna : Gribbel.

— Oui ?

— On a du bol.

— Comment ça ?

— Ce lien que tu m'as envoyé. Il provient de la page d'une femme qui se nomme Gabrielle Dunbar.

— Oui, eh bien ?

— Elle n'habite plus à Revere. Elle est rentrée chez elle.

— À Fair Lawn ?

— Exactement.

Fair Lawn était à une demi-heure seulement de Cedarfield.

— Je viens de t'envoyer un texto avec son adresse.

— Merci, Andy.

— Je t'en prie. Tu comptes aller la voir ce matin ?

— Oui.

— Fais-moi savoir si tu as besoin de moi.

— Merci.

Adam longeait le couloir quand il entendit du bruit venant de la chambre de Ryan. À travers la porte close, il distingua les sanglots étouffés de son fils. Ce fut comme si une aiguille lui transperçait le cœur. Il tambourina sur le battant, inspira profondément et tourna le bouton.

Assis sur son lit, Ryan sanglotait comme un enfant… ce qu'il était encore, du reste. Adam s'arrêta sur le pas de la porte, en proie à une douleur qu'il ne pourrait pas apaiser.

— Ryan ?

Quelqu'un qui pleure nous apparaît souvent plus petit, plus fragile, sans défense. La poitrine de Ryan se convulsa, mais il parvint à articuler :

— Je veux ma maman.

— Je sais bien, mon grand.

Brièvement, Adam sentit la colère monter en lui… colère contre Corinne pour avoir pris la fuite, pour rester injoignable, pour avoir fait semblant d'être enceinte, pour avoir détourné cet argent, pour tout. Le problème n'était pas son comportement vis-à-vis d'Adam. Mais faire ça aux garçons… là, il aurait plus de mal à pardonner.

— Pourquoi elle ne répond pas à mes SMS ? hoqueta Ryan. Pourquoi elle ne rentre pas à la maison ?

Adam allait ressortir les excuses habituelles : elle était trop occupée, elle avait besoin de temps. Sauf que c'étaient des mensonges. Et ça ne ferait qu'aggraver les choses. Du coup, cette fois, il opta pour la vérité.

— Je ne sais pas.

Curieusement, sa réponse parut apaiser Ryan. Les sanglots ne cessèrent pas immédiatement, mais diminuèrent jusqu'à devenir des reniflements. Adam vint s'asseoir sur le lit. Il eut envie de prendre son enfant dans ses bras, mais il sentit que ce n'était pas le moment. Il se borna donc à rester à côté de lui, présence rassurante qui eut l'air de lui suffire.

L'instant d'après, Thomas apparut dans l'encadrement de la porte. Tous les trois étaient réunis maintenant. « Mes garçons », comme les appelait Corinne, disant qu'Adam était juste l'aîné des trois. Il comprit soudain une chose simple mais essentielle : Corinne aimait la vie qui était la sienne. Elle aimait sa famille. Elle aimait cet univers qu'elle avait créé au prix de tant d'efforts. Elle aimait sa ville natale, ce quartier où elle se sentait chez elle, cette maison qu'elle partageait avec « ses » garçons.

Alors que lui était-il arrivé ?

Tous les trois entendirent claquer une portière de voiture. Ryan tourna la tête vers la fenêtre. Instinctivement, Adam bondit du lit et alla se placer devant la vitre pour leur bloquer la vue. Ses deux fils le rejoignirent, un de chaque côté. Ils regardèrent en bas. Personne ne pipa mot.

C'était une voiture de police.

L'un des policiers était Len Gilman, ce qui n'avait pas de sens, car sur le côté du véhicule, on lisait POLICE DU COMTÉ D'ESSEX. Or Len dirigeait la police de Cedarfield.

L'autre policier qui descendait côté conducteur était un fonctionnaire du comté, en uniforme.

Ryan dit :

— Papa ?

Corinne est morte.

Ce fut juste un flash, rien de plus. Mais n'était-ce pas l'explication la plus logique ? Votre femme disparaît. Ni vous ni vos enfants ne parvenez à la joindre. Et voilà que deux flics, dont un ami de la famille, débarquent chez vous avec une tête d'enterrement. C'était du reste son hypothèse depuis le début : Corinne morte, gisant quelque part dans un caniveau ; ces hommes au visage sinistre venus lui annoncer la nouvelle… à lui de recoller les morceaux, d'être courageux et de continuer à vivre pour ses fils.

Adam se dirigea vers l'escalier, les deux garçons sur ses talons : Thomas d'abord, puis Ryan. Comme si un lien invisible reliait les trois survivants, prêts à faire front ensemble. Le temps que Len Gilman sonne à la porte, Adam tournait déjà le bouton pour ouvrir.

Surpris, Len recula en cillant.

— Adam ?

Derrière lui, par la porte entrouverte, Len aperçut les garçons.

— Je croyais qu'ils étaient à l'entraînement.

— Ils étaient sur le point d'y aller, répondit Adam.

— O.K., on va attendre qu'ils partent. Comme ça...

— C'est pour quoi ?

— Je préfère qu'on en parle au poste.

Puis, clairement au bénéfice des garçons, Len ajouta :

— Tout va bien. On a juste quelques points à éclaircir.

Leurs regards se croisèrent. Mais Adam n'avait pas l'intention de céder. Si la nouvelle était mauvaise, ce ne serait que reculer pour mieux sauter.

— C'est en rapport avec Corinne ? demanda-t-il.

— Je ne crois pas.

— Tu ne crois pas ?

— S'il te plaît, Adam.

La voix de Len se fit suppliante.

— Laisse partir les garçons et viens avec nous.

40

KUNTZ PASSA LA NUIT dans la chambre d'hôpital de son fils, somnolant dans un fauteuil qui se dépliait à moitié, mais qu'on ne pouvait décemment qualifier de lit. Le matin, en le voyant étirer son dos courbatu, l'infirmière observa :

— Pas très confortable, hein ?

— Vous avez commandé ça à Guantánamo ou quoi ?

L'infirmière sourit et prit les constantes de Robby : température, fréquence cardiaque, tension artérielle. Ils faisaient ça toutes les quatre heures, jour et nuit. Son petit garçon avait l'habitude. Ce qui était tout sauf normal pour un gosse de son âge.

Kuntz s'assit au chevet de son fils, en proie au supplice familier de l'impuissance. L'infirmière lut la détresse sur son visage. Au moins, ils avaient la délicatesse de ne pas le materner ni de lui seriner des mensonges réconfortants. Elle dit simplement :

— Je reviens.

Et il lui en sut gré.

Kuntz consulta ses textos. Il y en avait plusieurs, urgents, de la part de Larry. C'était à prévoir. Il attendit l'arrivée de Barbra, l'embrassa sur le front et dit :

— Faut que je file. Le boulot.

Elle hocha la tête sans poser de questions.

Kuntz sauta dans un taxi et donna l'adresse de Park Avenue. Laurie, la jolie femme de Larry Powers, vint lui ouvrir. Kuntz ne comprenait pas comment on pouvait tromper sa femme. C'était la personne qu'on aimait le plus au monde, qui faisait partie de vous. Soit on l'aimait de tout son cœur, soit, si on ne l'aimait plus... eh bien, on faisait ses bagages et on allait voir ailleurs.

Laurie Powers avait le sourire facile. Elle portait un rang de perles et une simple robe noire qui respirait le luxe. Ou c'était peut-être Laurie qui respirait le luxe. Sa famille faisait partie des vieilles fortunes, et même s'il lui prenait l'envie d'enfiler un boubou, l'effet resterait inchangé.

— Il vous attend, dit-elle. Il est dans son cabinet.

— Merci.

— John ?

Kuntz pivota vers elle.

— Quelque chose ne va pas ?

— Je ne pense pas, madame Powers.

— Laurie.

— O.K., fit-il. Et vous-même, Laurie ?

— Quoi, moi ?

— Vous allez bien ?

Elle repoussa ses cheveux derrière son oreille.

— Ça va. Mais c'est Larry... il n'est pas dans son assiette. Je sais que c'est votre mission de le protéger.

— Et c'est ce que je compte faire. Cessez de vous inquiéter pour ça.

— Merci, John.

Et voici l'un des petits raccourcis de la vie : si quelqu'un vous attend dans son « cabinet », c'est qu'il a de l'argent. Les gens normaux ont un bureau, une pièce à vivre ou un antre, à la rigueur. Les gens riches ont un cabinet.

Celui-ci était particulièrement luxueux : volumes reliés plein cuir, globes terrestres en bois, tapis d'Orient. On imaginait bien Bruce Wayne se détendre dans ce décor avant de descendre à la Batcave.

Assis dans un fauteuil à oreilles en cuir bordeaux, Larry Powers tenait un verre à la main. Ça ressemblait à du cognac. Et il était en larmes.

— John ?

Kuntz lui prit le verre des mains. Il examina la bouteille : il en manquait une bonne partie.

— Vous ne pouvez pas continuer à boire comme ça.

— Où étiez-vous ?

— J'étais parti régler notre problème.

Le problème était à la fois simple et inextricable. En raison de la connotation religieuse de leur activité, la banque leur avait imposé un certain nombre de clauses morales, dont une concernant l'adultère. En clair, si on découvrait que Larry Powers fréquentait un site de rencontres pour s'offrir les services sexuels de jeunes étudiantes, adieu, l'introduction en Bourse. Adieu, les dix-sept millions de dollars. Adieu, les meilleurs soins pour Robbie. Adieu, le voyage aux Bahamas avec Barbra.

Adieu, le rêve.

— J'ai reçu un mail de Kimberly, dit Larry.

Et il se remit à pleurer.

— Ça parle de quoi ?

— Sa mère a été assassinée.

— Elle vous a dit ça ?

— Évidemment qu'elle m'a dit ça. Bon sang, John, je sais que vous…

— Calmez-vous.

Le ton de sa voix fit à Larry l'effet d'une douche froide.

— Écoutez-moi.

— Ce n'est pas la solution, John. On aurait recommencé

ailleurs. Il y aurait eu d'autres opportunités. On se serait débrouillés.

Kuntz se borna à le dévisager. Mais oui, bien sûr. D'autres opportunités. C'était facile pour lui. Le père de Larry avait été trader ; il s'était fait un paquet de fric… son fils avait étudié dans les meilleures écoles. Laurie venait d'une famille fortunée. Ils ne doutaient de rien, ces deux-là.

— On aurait pu…

— Taisez-vous un peu, Larry.

Il obéit.

— Que vous a-t-elle dit exactement, Kimberly ?

— Elle ne m'a rien dit. Elle m'a envoyé un mail. On ne se parle jamais au téléphone. Et ce n'est pas ma véritable adresse mail. On passe par le site des *sugar babies*.

— O.K., d'accord. Que disait-elle dans son mail ?

— Que sa mère avait été tuée. Apparemment, par quelqu'un qui est entré chez elle par effraction.

— Sûrement, fit Kuntz.

Silence.

Larry se redressa.

— Nous n'avons rien à craindre de Kimberly. Elle ne connaît même pas mon nom.

Kuntz avait déjà réfléchi aux avantages et inconvénients de se débarrasser de la fille d'Heidi Dann et, pour finir, il avait décidé qu'il serait plus dangereux de la supprimer. À l'heure actuelle, la police n'avait absolument aucune raison de faire le rapprochement entre le meurtre d'Heidi Dann et celui d'Ingrid Prisby. Plus de six cents kilomètres les séparaient. Il avait utilisé deux armes différentes. Mais s'il arrivait quelque chose à la fille d'Heidi, ça risquait d'éveiller des soupçons.

Larry assurait ne pas avoir donné son vrai nom à Kimberly. Le site respectait scrupuleusement l'anonymat de ses clients. Certes, Kimberly pouvait le reconnaître si un jour les journaux publiaient sa photo, mais ils s'étaient déjà arrangés pour faire de Larry un discret directeur général et laisser les relations avec la presse au président. Et si jamais elle leur cherchait des noises par la suite, eh bien, Kuntz trouverait un moyen pour la neutraliser.

Larry se leva et arpenta la pièce en titubant.

— Comment ces gens-là ont su, pour moi ? se lamenta-t-il. Le site est anonyme.

— Vous avez dû payer les prestations, non ?

— Oui, par carte.

— Quelqu'un a dû entrer les données de la carte, Larry. C'est comme ça qu'ils ont su.

— Et ils en ont parlé à la maman de Kimberly ?

— Oui.

— Pourquoi ?

— À votre avis, Larry ?

— Chantage ?

— Bien sûr.

— Alors on n'a qu'à leur verser l'argent.

Kuntz y avait pensé, mais, primo, personne ne les avait contactés, et, secundo, ce serait ouvrir la porte à trop d'imprévus. Les maîtres chanteurs, surtout s'ils professaient une certaine forme de fanatisme, n'étaient pas fiables. Il n'avait pas pris toute la mesure du danger en arrivant dans l'Ohio. Il savait juste qu'Heidi Dann avait été anéantie en apprenant que sa fille se livrait à la prostitution. Elle connaissait les pseudonymes de ses clients, mais, par chance, elle n'avait pas soulevé la question avec Kimberly. Après avoir un peu insisté, Heidi s'était laissé convaincre de parler du jeune couple qui l'avait abordée à la sortie du Red Lobster. Kuntz avait montré sa plaque à un petit gars qui travaillait comme vigile au restaurant ; il avait visionné la vidéo du couple en train de discuter avec Heidi et noté le numéro d'immatriculation.

À partir de là, ç'avait été un jeu d'enfant. Le loueur de voitures lui avait donné le nom de Lauren Barna, ce qui l'avait mené à Ingrid Prisby. Ensuite, il avait consulté ses relevés de carte bancaire et l'avait localisée dans un motel près du parc national du Delaware Water Gap.

— C'est donc fini ? demanda Larry. Terminé, hein ?

— Pas encore.

— Plus d'effusion de sang. S'il vous plaît ! Tant pis pour l'introduction en Bourse. Ne faites plus de mal à personne.

— Vous faites bien du mal à votre femme.

— Quoi ?

— En la trompant, vous lui faites du mal.

Larry ouvrit la bouche, la referma.

— Mais, balbutia-t-il, enfin, je veux dire... elle n'est pas morte. Vous ne pouvez pas comparer...

— Bien sûr que si. Vous faites souffrir quelqu'un que vous aimez, et vous vous préoccupez d'inconnus qui cherchent à vous nuire.

— Nous parlons de meurtre, John.

— Pas moi, Larry. C'est vous qui en parlez. J'ai su que la maman de Kimberly avait été tuée par un intrus entré par effraction chez elle. Et c'est tant mieux, car si c'était l'œuvre de l'un de vos collaborateurs, il pourrait s'en tirer à moindres frais en disant qu'il avait obéi à des ordres. Vous me comprenez ?

Larry ne répondit pas.

— Vous avez encore du ménage à faire, Larry ?

— Non, souffla-t-il. Rien.

— Parfait. Parce que, cette introduction en Bourse, elle va se faire. Vous m'entendez ?

Il hocha la tête.

— Et cessez de boire, Larry. Ressaisissez-vous.

41

LES DEUX FLICS ÉTAIENT TOUJOURS À LA PORTE. À la surprise d'Adam, Thomas et Ryan n'offrirent aucune résistance. Ils prirent leurs affaires et se firent un devoir d'embrasser leur père avec effusion avant de partir. Len Gilman sourit et donna une tape dans le dos de Ryan.

— On a besoin de l'aide de ton papa.

Adam faillit lever les yeux au ciel. Il dit aux garçons de ne pas s'inquiéter et qu'il les tiendrait au courant dès qu'il en saurait plus.

Il attendit leur départ pour rejoindre la voiture de police. Qu'allaient penser les voisins ? Au fond, il s'en fichait. Il tapota Len Gilman sur l'épaule.

— Si c'est à propos de cette stupide histoire d'argent…

— Non.

La voix de Len claqua comme un coup de fouet.

Le trajet se fit en silence. Adam était assis à l'arrière. L'autre flic – un type plus jeune, qui ne s'était pas présenté – conduisait. Adam croyait qu'ils se rendaient au poste de police de Cedarfield sur Godwin Road, mais, lorsqu'ils s'engagèrent sur l'autoroute, il comprit qu'ils se dirigeaient vers Newark.

La voiture s'arrêta devant le bureau du shérif du comté. Len Gilman descendit. Adam voulut ouvrir la portière, mais, dans les véhicules de police, il n'y a pas de poignée à l'arrière. Il dut attendre que Len le fasse sortir.

— Depuis quand tu bosses pour le comté ? s'enquit-il.

— Ils m'ont demandé un service.

— Qu'est-ce qui se trame, Len ?

— On a juste quelques questions à te poser, Adam. Je ne peux pas t'en dire plus.

Len le précéda dans le couloir. Ils entrèrent dans une salle d'interrogatoire.

— Assieds-toi.

— Len ?

— Oui ?

— Je connais la chanson, alors, s'il te plaît, ne me fais pas poireauter trop longtemps. Ça ne m'incitera pas à coopérer.

— C'est noté.

Len quitta la pièce, mais ne tint pas parole. Après une bonne heure d'attente, Adam se leva et tambourina à la porte. Len Gilman lui ouvrit.

— Sérieusement ?

— Ce n'est pas pour jouer avec tes nerfs, dit Len. Simplement, on attend quelqu'un.

— Qui ?

— Laisse-nous un quart d'heure.

— O.K., mais il faut que j'aille aux toilettes.

— Pas de problème. Je t'accompagne…

— Non, Len, je suis ici de mon plein gré. Je peux y aller tout seul comme un grand.

De retour dans la salle, il se rassit et se mit à jouer avec son smartphone. Une fois encore, il consulta ses SMS. Andy Gribbel avait pris soin d'annuler ses rendez-vous de la matinée. Adam vérifia l'adresse de Gabrielle Dunbar. Elle habitait tout près du centre de Fair Lawn.

Pourrait-elle le mettre sur la piste de l'inconnu ?

La porte de la salle d'interrogatoire s'ouvrit enfin. Len entra, suivi d'une femme âgée d'une cinquantaine d'années. Son tailleur-pantalon était d'une couleur qu'on aurait pu qualifier de vert administratif. Le col de sa chemise était trop long et pointu. Elle était coiffée à la manière des joueurs de hockey des années soixante-dix : nuque longue et pas de brushing.

— Pardon de vous avoir fait attendre, dit la femme.

Elle avait un léger accent, du Midwest peut-être, mais certainement pas du New Jersey. Son visage anguleux évoquait le travail à la ferme et la danse country.

— Je m'appelle Johanna Griffin.

Elle lui tendit une large main.

— Adam Price, mais j'imagine que vous le savez déjà.

— Je vous en prie, asseyez-vous.

Ils prirent place l'un en face de l'autre. Debout dans un coin, Len Gilman tentait de feindre la décontraction.

— Merci d'être venu, poursuivit Johanna Griffin.

— Qui êtes-vous ? demanda Adam.

— Pardon ?

— Je suppose que vous avez un grade ou…

— Je suis chef de police.

Puis, après réflexion :

— De Beachwood.

— Je ne connais pas Beachwood.

— C'est dans l'Ohio. À côté de Cleveland.

Adam ne s'attendait pas à ça.

Johanna Griffin posa une mallette sur la table, l'ouvrit d'un coup sec et en sortit une photo.

— Connaissez-vous cette femme ?

Elle fit glisser la photo sur la table. C'était un portrait sur fond uni, comme on en trouve sur les permis de conduire. La femme blonde ne souriait pas. Il ne fallut pas plus d'une seconde à Adam pour la reconnaître.

Il ne l'avait vue qu'une fois, de nuit et au volant d'une voiture. Mais aucun doute, c'était bien elle.

Il hésita cependant.

— Monsieur Price ?

— Je sais peut-être qui elle est.

— Peut-être ?

— Oui.

— Et qui peut-elle être ?

Il ne répondit pas directement.

— Pourquoi me demandez-vous ça ?

— Ce n'est qu'une question.

— Oui, et je ne suis qu'un avocat. Alors dites-moi en quoi ça vous intéresse.

Johanna sourit.

— Vous le prenez sur ce ton ?

— Je ne le prends sur aucun ton. Je veux juste savoir…

— … en quoi ça nous intéresse. J'y viens.

Elle désigna la photo.

— La connaissez-vous, oui ou non ?

— On ne s'est jamais rencontrés.

— Ça alors, lâcha Johanna Griffin.

— Quoi ?

— On joue sur les mots maintenant ? Vous savez qui elle est, oui ou non ?

— Je crois que oui.

— Super, génial. Qui est-ce ?

— Vous ne le savez pas ?

— Il ne s'agit pas de nous, Adam. Franchement, je n'ai pas le temps, alors allons droit au but. Son nom est Ingrid Prisby. Vous avez donné deux cents dollars à John Bonner, gardien de parking à l'American Legion Hall, pour avoir son numéro de plaque. Et vous avez chargé un policier à la retraite nommé Michael Rinsky d'identifier le propriétaire de cette voiture à partir de ce numéro. Si vous nous disiez pourquoi vous avez fait tout ça ?

Adam garda le silence.

— Quel est votre lien avec Ingrid Prisby ?

— Aucun lien, répondit-il prudemment. Je voulais juste lui demander quelque chose.

— Quoi ?

Adam sentit la tête lui tourner.

— Adam ?

Il ne lui avait pas échappé qu'elle était passée de M. Price à l'usage moins formel du prénom. Il jeta un œil sur Len Gilman, impassible, les bras croisés, dans son coin.

— J'espérais qu'elle pourrait m'aider dans une affaire confidentielle.

— Laissons tomber le confidentiel, Adam.

Elle sortit une autre photographie de sa mallette.

— Connaissez-vous cette femme ?

Une femme souriante, à peu près du même âge que Johanna Griffin. Adam secoua la tête.

— Non, je ne la connais pas.

— Vous en êtes sûr ?

— Son visage ne me dit rien.

— Elle s'appelle Heidi Dann.

La voix de Johanna Griffin prit une drôle d'intonation.

— Ce nom ne vous dit rien non plus ?

— Non.

Ils s'affrontèrent du regard.

— Il vaudrait mieux en être sûr, Adam.

— Mais j'en suis sûr. Je ne connais pas cette femme. Ni même son nom.

— Où est votre épouse ?

Ce brusque changement de sujet le prit de court.

— Adam ?

281

— Que vient-elle faire là-dedans ?

— Vous en posez, des questions, hein ?

Une note métallique se glissa dans sa voix.

— Ça commence à devenir franchement pénible. Si j'ai bien compris, votre femme est soupçonnée d'avoir détourné une grosse somme d'argent.

Adam se tourna vers Len, qui ne broncha pas.

C'était donc ça ? De fausses accusations ?

— Où est-elle ?

Adam prit le temps de réfléchir à la meilleure tactique à adopter.

— Elle est en déplacement.

— Où ça ?

— Elle ne me l'a pas dit. C'est quoi ce cirque, bordel ?

— J'aimerais savoir…

— Je me fiche de ce que vous aimeriez savoir. Suis-je en état d'arrestation ?

— Non.

— Je peux donc me lever et partir quand je veux.

Johanna Griffin le fusilla du regard.

— C'est exact.

— Histoire que les choses soient claires, chère madame.

— Elles sont très claires.

Adam se redressa légèrement pour enfoncer le clou.

— Et voilà que vous me questionnez sur ma femme. Alors ou vous me dites ce qui se passe, ou…

Johanna Griffin sortit une troisième photo et, sans un mot, la poussa vers lui. Adam se figea. Personne ne bougeait. Personne ne parlait. Son monde se mit à vaciller. Il tenta de se reprendre, de réagir.

— Est-ce… ?

— Ingrid Prisby ? acheva Johanna. Oui, Adam, c'est Ingrid Prisby, la femme que vous connaissez *peut-être*.

Il avait du mal à respirer.

— D'après le légiste, la mort a été causée par une balle dans la tête. Mais avant ça, que voyez-vous ? Au cas où vous auriez des doutes, nous pensons que l'assassin lui a fait ça avec un cutter. Nous ignorons combien de temps elle a agonisé.

Adam était incapable de détourner les yeux.

Johanna Griffin posa une nouvelle photo devant lui.

— Heidi Dann a reçu une première balle dans la rotule. Nous ne savons pas non plus si elle a été torturée longtemps, mais ç'a fini pareil. Une balle dans la tête.

Adam déglutit péniblement.

— Et vous pensez que… ?

— Nous ne savons pas quoi penser. Et vous, qu'avez-vous à nous dire là-dessus ?

Adam secoua la tête.

— Rien.

— Vraiment ? Eh bien, je vais vous rafraîchir la mémoire. Ingrid Prisby, domiciliée à Austin, Texas, est arrivée par avion à l'aéroport de Newark en provenance de Houston. Elle a dormi une nuit au Courtyard Marriott près de l'aéroport. Le lendemain, elle a loué une voiture pour se rendre à l'American Legion Hall à Cedarfield. Il y avait un homme avec elle. Cet homme vous a parlé dans la salle de l'American Legion Hall. Nous ignorons ce que vous vous êtes dit, mais nous savons que, quelques jours plus tard, vous avez payé le gardien du parking pour qu'il vous communique le numéro d'immatriculation de leur véhicule. Ce qui vous a permis sans doute de les identifier l'un et l'autre. Entre-temps, Ingrid est allée avec la même voiture jusqu'à Beachwood, Ohio, où elle s'est entretenue avec cette femme.

La main tremblante, en proie à ce qui semblait être une fureur à peine contenue, Johanna Griffin planta le doigt sur la photo d'Heidi Dann.

— Peu après, cette femme, Heidi Dann, a reçu une balle dans la rotule et une dans la tête. Sous son propre toit. Et, dans un laps de temps très court – on ne l'a pas encore établi avec précision, mais quelque part entre douze et vingt-quatre heures –, Ingrid Prisby a été mutilée et assassinée dans un motel à Columbia, New Jersey, juste à l'entrée du Delaware Water Gap.

Elle se cala dans sa chaise.

— Alors quel est votre rôle là-dedans, Adam ?

— Vous ne croyez tout de même pas…

Mais manifestement, si.

Il avait besoin de souffler, de reprendre ses esprits pour pouvoir réfléchir clairement.

— Y a-t-il un rapport quelconque avec votre vie de couple ? demanda Johanna.

Il leva les yeux.

— Comment ?

— Len m'a dit que Corinne et vous aviez eu des problèmes, il y a quelques années de ça.

Il tourna vivement la tête.

— Len ?

— Ce sont des rumeurs, Adam.

— La police travaille à partir de ragots maintenant ?

— Pas seulement des ragots, répondit Johanna. Qui est Kristin Hoy ?

— C'est une amie proche de ma femme.

— Et la vôtre aussi, n'est-ce pas ? Vous vous êtes beaucoup parlé dernièrement.

— C'est parce que…

Il s'interrompit.

— Parce que quoi ?

Ça allait trop vite pour lui. Il aurait bien voulu faire confiance à ces policiers, mais il n'y arrivait pas. Ils s'étaient déjà forgé une opinion, et il serait difficile, voire impossible, de leur exposer les faits sans qu'ils les déforment à leur convenance. D'ailleurs, le vieux Rinsky l'avait mis en garde. La donne avait changé depuis, mais renonçait-il pour autant à rechercher Corinne par ses propres moyens ?

Il ne savait plus.

— Adam ?

— C'était au sujet de ma femme.

— Vos conversations avec Kristin Hoy ?

— Oui. De son récent... voyage.

— Son... voyage. Je vois. Quand elle a quitté son travail en plein milieu de la journée et qu'elle n'a plus donné signe de vie, c'est bien ça ?

— Corinne m'a dit qu'elle avait besoin de temps. Je suppose, puisque vous avez visiblement épluché mes messages – je vous rappelle au passage que je suis avocat et que certaines des communications que vous avez interceptées pourraient entrer dans le cadre du secret professionnel –, que vous avez lu ce SMS aussi.

— C'est pratique.

— Quoi ?

— Le SMS que votre femme vous a adressé. Pour que vous lui laissiez du temps, que vous ne cherchiez pas à la joindre. Ça fait une bonne marge de manœuvre, non ?

— De quoi parlez-vous ?

— Ce message, n'importe qui aurait pu l'envoyer. Même vous.

— Pourquoi aurais-je... ?

Il se tut.

— L'homme qui accompagnait Ingrid Prisby, dit Johanna. Qui était-ce ?

— Il ne m'a pas dit son nom.

— Et que vous a-t-il raconté ?

— Ça n'a rien à voir avec votre affaire.

— Mais bien sûr que si. Vous a-t-il menacé ?

— Non.

— Vous et Corinne n'avez donc aucun problème de couple.

— Je n'ai pas dit ça. Mais ils n'ont rien…

— Parlez-nous un peu de votre rendez-vous avec Sally Perryman hier soir.

Silence.

— Elle aussi, c'est une amie de votre femme ?

Adam prit quelques grandes inspirations. D'un côté, il avait très envie de vider son sac. Franchement. Sauf que Johanna Griffin semblait bien décidée à leur faire porter le chapeau, à lui ou à Corinne, de la folie meurtrière en question. Il ne demandait pas mieux que de l'aider. Il voulait en savoir plus sur ces assassinats, mais il connaissait aussi la règle de base : on n'a pas à revenir sur des déclarations qu'on n'a pas faites. Et puis, il avait son plan. Aller chez Gabrielle Dunbar à Fair Lawn. Obtenir le nom de l'inconnu. Ça ne lui prendrait pas longtemps.

Mieux encore, ça lui laisserait le temps de réfléchir.

Adam se leva.

— Je dois y aller maintenant.

— C'est une plaisanterie ?

— Non. Si vous voulez mon aide, donnez-moi quelques heures.

— Nous avons deux meurtres sur les bras.

— J'entends bien, fit Adam en se dirigeant vers la porte. Mais vous ne vous y prenez pas comme il faut.

— Et comment devrait-on s'y prendre ?

— L'homme qui accompagnait Ingrid. Celui de l'American Legion Hall.

— Oui, eh bien ?

— Savez-vous qui il est ?

Elle jeta un coup d'œil en direction de Len Gilman, puis regarda Adam.

— Non.

— Pas la moindre idée ?

— Pas la moindre.

Adam hocha la tête.

— C'est lui qui détient la solution. Trouvez-le.

42

LA MAISON DE GABRIELLE DUNBAR avait dû avoir du cachet jadis, mais les extensions et rénovations successives, les touches architecturales récentes comme les tourelles ou les bow-windows l'avaient transformée en une villa de carton-pâte, surdimensionnée et sans âme.

Arrivé à la porte en bois sculpté, Adam appuya sur la sonnette, qui fit entendre une mélodie sophistiquée. Pour éviter d'attendre que la police le ramène chez lui, il avait utilisé l'application Uber sur son téléphone. Une voiture était venue le chercher, et Andy Gribbel était en route pour le récupérer et le ramener au bureau. Adam pensait qu'il n'en aurait pas pour longtemps.

Gabrielle vint lui ouvrir. Il la reconnut d'après ses photos sur Facebook. Ses cheveux d'un noir de jais étaient si raides qu'on aurait dit qu'elle les repassait. Elle avait un sourire avenant qui s'évanouit sitôt qu'elle aperçut Adam.

— Vous désirez ?

Sa voix tremblait légèrement. La porte moustiquaire était restée fermée.

Adam se jeta à l'eau.

— Désolé de vous déranger à l'improviste. Mon nom est Adam Price.

Il lui tendit sa carte professionnelle, mais, comme ils

étaient séparés par la moustiquaire, il glissa la carte entre le chambranle et le battant.

— Je suis avocat à Paramus.

La couleur déserta le visage de Gabrielle.

— Je suis actuellement sur une affaire d'héritage et…

Il leva son téléphone avec la capture d'écran et, à l'aide de deux doigts, agrandit l'image pour qu'elle puisse distinguer le visage de l'inconnu.

— Connaissez-vous cet homme ?

Gabrielle Dunbar retira sa carte de l'encadrement de la porte et l'examina longuement, avant de reporter son attention sur la photo. Quelques secondes passèrent. Finalement, elle fit non de la tête.

— Ça ressemble à une fête de bureau. Vous avez sûrement…

— Il faut que j'y aille.

Le tremblement frôlait la panique maintenant. Elle voulut refermer la porte.

— Madame Dunbar ?

Elle hésita.

Comment lui dire ça ? Elle avait peur, c'était évident. Donc, elle savait quelque chose.

— S'il vous plaît, fit-il. Je dois absolument retrouver cet homme.

— Je ne le connais pas, vous dis-je.

— Moi, je crois que si.

— Allez-vous-en.

— Ma femme a disparu.

— Quoi ?

— Ma femme est partie suite à une intervention de cet homme.

— J'ignore de quoi vous parlez. Je vous en prie, partez.

— Qui est-ce ? C'est tout ce que je veux savoir. Son nom.

— Je vous le répète, je ne vois pas qui c'est. S'il vous plaît, il faut que j'y aille. Je ne sais rien.

La porte était sur le point de se refermer.

— Je continuerai à chercher. Dites-le-lui. Je n'abandonnerai pas tant que je ne saurai pas la vérité.

— Allez-vous-en ou j'appelle la police.

Et elle lui claqua la porte au nez.

Gabrielle Dunbar fit les cent pas en chantant les mots *So Ham* encore et encore. Elle avait appris ce mantra sanskrit au yoga. À la fin du cours, la prof les faisait s'allonger sur le dos dans la posture du cadavre. Ils fermaient les yeux et répétaient *So Ham* pendant cinq bonnes minutes. La première fois, Gabrielle avait failli lever les yeux au ciel sous ses paupières closes. Mais, après une minute ou deux, elle avait senti son corps évacuer les toxines du stress.

— *So... Ham...*

Elle ouvrit les yeux. Ça ne marchait pas. Il y avait des choses plus urgentes à faire. Missy et Paul n'étaient pas près de rentrer de l'école. Tant mieux. Ça lui laissait le temps de faire les bagages. Elle attrapa le téléphone, fit défiler la liste des contacts et sélectionna celui qui portait le nom de PQ.

Au bout de deux sonneries, son ex répondit :

— Gabs ?

Ce surnom – qu'il était le seul à utiliser – lui donnait des boutons. Au début, lorsqu'ils s'étaient rencontrés et qu'il s'était mis à l'appeler « ma Gabs », elle l'avait trouvé craquant, chose normale quand on est amoureux, mais aujourd'hui ça lui donnait juste envie de vomir.

— Tu peux prendre les gosses ? lança-t-elle.

Il ne cacha pas son exaspération.

— Quand ?

— Je pensais te les déposer ce soir.

— Tu veux rire ? Je n'arrête pas de te demander d'élargir le droit de visite...

— Et aujourd'hui je te l'accorde. Tu peux les accueillir ce soir ?

— Je suis à Chicago pour affaires jusqu'à demain matin. Zut.

— Et Machinette ?

— Tu connais son nom, Gabs. Tami est ici avec moi.

Il n'avait jamais emmené Gabrielle en voyage d'affaires, sûrement parce qu'il avait un rencard avec Tami ou l'une de celles qui l'avaient précédée.

— Tami, répéta-t-elle. Est-ce qu'elle met un point ou un petit cœur sur le i ? J'ai oublié.

— Très drôle.

Non, ce n'était pas drôle. C'était stupide. Elle avait bien d'autres chats à fouetter qu'un mariage mort et enterré depuis des lustres.

— On rentre demain matin à la première heure.

— Je te les déposerai à ce moment-là.

— Pour combien de temps ?

— Quelques jours, dit-elle. Je te tiendrai au courant.

— Tout va bien, Gabs ?

— Ça baigne. Embrasse Tami pour moi.

Gabrielle raccrocha, regarda par la fenêtre. Elle avait toujours su que ce jour viendrait, depuis son premier contact avec Chris Taylor. Ce n'était qu'une question de temps. L'aventure lui avait paru très séduisante – tout à gagner, rien à perdre, dévoiler la vérité en se faisant de l'argent –, mais elle n'avait jamais oublié qu'ils jouaient avec le feu. Les gens étaient prêts à tout pour protéger leurs secrets.

Y compris à tuer.

— *So... Ham...*

291

Le mantra ne marchait toujours pas. Elle alla dans sa chambre. Même en se sachant seule dans la maison, Gabrielle ferma la porte, se coucha sur son lit en position fœtale et se mit à sucer son pouce. La honte. Mais quand les *So Ham* restaient sans effet, retomber en enfance faisait du bien. Elle remonta ses genoux sur sa poitrine et se laissa aller à verser quelques larmes. Puis elle prit son téléphone portable. Par mesure de discrétion, elle utilisa un VPN. Ce n'était pas cent pour cent sûr, mais, pour le moment, ça suffirait. Elle relut la carte.

ADAM PRICE, AVOCAT.

Il l'avait retrouvée. Et s'il l'avait retrouvée, il y avait des chances pour que ce soit lui qui ait trouvé Ingrid.

Pour paraphraser ce film avec Jack Nicholson, il y en a qui ne l'encaissent pas, la vérité.

Gabrielle fouilla dans le tiroir du bas, en sortit un Glock 19 Gen4 et le posa sur le lit. C'est Merton qui le lui avait donné : selon lui, l'arme de poing idéale pour une femme. Il l'avait emmenée sur un champ de tir à Randolph et lui avait appris à s'en servir. Le pistolet était chargé. Au début, elle n'avait pas été emballée à l'idée de le garder à la maison, avec deux jeunes enfants, mais le danger qui la menaçait l'avait emporté sur les considérations de sécurité domestique.

Et maintenant ?

Facile. Il suffisait de suivre le protocole. Elle prit en photo la carte d'Adam Price avec son iPhone et l'envoya par mail, accompagnée de ces deux mots :

IL SAIT

43

ADAM QUITTA SON TRAVAIL DE BONNE HEURE et se rendit sur le nouveau terrain de sport du lycée de Cedarfield. L'équipe de garçons était en train de s'entraîner au lacrosse. Il se gara dans la rue et observa Thomas de derrière les gradins. C'était la première fois qu'il venait assister à un entraînement ; lui-même ne savait pas très bien ce qu'il faisait là. Il voulait juste regarder son fils jouer. Adam se souvint des paroles de Tripp Evans à l'American Legion Hall, le soir où tout avait commencé : *Nous sommes en train de vivre un rêve, tu comprends.*

Tripp avait raison, mais c'est une curieuse façon de décrire son petit paradis. Car les rêves sont par définition fragiles. Les rêves ne durent pas. On se réveille un beau matin et pfuitt… le rêve s'est enfui. On se cramponne en vain à ses vestiges qui partent en fumée. Et là, en regardant son fils pratiquer son sport préféré, Adam eut l'impression que le réveil était proche.

L'entraîneur donna un coup de sifflet et ordonna à tout le monde de mettre le genou à terre. Les joueurs s'exécutèrent. Quelques minutes plus tard, ils retirèrent leurs casques et se dirigèrent d'un pas traînant vers les vestiaires. Adam émergea de derrière les gradins. En l'apercevant, Thomas s'arrêta net.

— Papa ?

— Tout va bien.

Il se rendit compte alors que sa présence inopinée risquait d'être interprétée comme un mauvais présage.

— Je veux dire, rien de nouveau, s'empressa-t-il d'ajouter.

— Qu'est-ce que tu fais là ?

— Comme je suis sorti tôt aujourd'hui, j'ai décidé de passer te prendre.

— Il faut que je me douche avant.

— Pas de problème. Je t'attends.

Thomas hocha la tête et disparut dans les vestiaires. Adam s'occupa ensuite de Ryan. Son cadet était allé chez Max directement après le collège. Adam lui envoya un texto, lui demandant s'il pouvait venir le chercher une fois que Thomas aurait fini, pour éviter à son vieux père de refaire un aller-retour. Ryan répondit « np », et Adam mit quelques secondes à comprendre que ça signifiait « no problemo ».

Dix minutes plus tard, dans la voiture, Thomas demanda ce que lui voulait la police.

— C'est un peu compliqué à expliquer, fit Adam. Je ne dis pas ça pour te cacher quoi que ce soit, mais, pour le moment, il faut que tu me laisses gérer ça.

— C'est en rapport avec maman ?

— Je ne sais pas.

Thomas n'insista pas. Ils s'arrêtèrent en chemin pour récupérer Ryan. Ce dernier grimpa sur le siège arrière en s'exclamant :

— Oh non, c'est quoi, cette odeur ?

— Mon équipement de lacrosse, répondit Thomas.

— Ça pue.

— Je confirme, dit Adam en baissant les vitres. Ça s'est bien passé, au collège ?

— Oui.

Puis :

— Tu as des nouvelles de maman ?

— Pas encore.

Adam hésita, puis décida qu'une part de vérité pourrait peut-être lui apporter du réconfort.

— Enfin, la bonne nouvelle, c'est que la police est maintenant sur le coup.

— Hein ?

— Ils vont chercher maman aussi.

— La police ? fit Ryan. Pourquoi ?

Adam eut un vague haussement d'épaules.

— C'est ce que Thomas m'a dit hier soir. Ce n'est pas le style de maman. Alors ils vont nous aider à la retrouver.

Il s'attendait à ce que les garçons le bombardent de questions, mais lorsque la voiture tourna dans leur rue, Ryan cria :

— Eh, regardez, qui c'est ?

Assise sur les marches du perron, Johanna Griffin se leva quand Adam s'engagea dans l'allée, époussetant le tailleur-pantalon vert administratif. Elle sourit et leur adressa un petit signe de la main, telle une voisine venue emprunter du sucre. Adam s'arrêta, et Johanna, toujours souriante, s'approcha d'un air décontracté.

— Salut, les gars.

Tout le monde descendit. Les garçons la toisèrent avec méfiance.

— Johanna, se présenta-t-elle en leur serrant la main.

Thomas et Ryan interrogèrent leur père du regard.

— Elle est de la police, expliqua-t-il.

— Mais pas à titre officiel, ici en tout cas, dit Johanna. À Beachwood dans l'Ohio, je suis chef de police. Mais hors de ma juridiction, je suis juste Johanna. Ravie de vous connaître, les gars.

Son sourire, c'était pour la galerie. Adam le savait, et les garçons probablement aussi.

— Je peux entrer ? s'enquit-elle.

— Allez-y.

Thomas ouvrit le coffre et en sortit son sac de lacrosse. Ryan enfila son sac à dos qui menaçait de craquer sous le poids des livres scolaires. Tandis qu'ils se dirigeaient vers la porte, Johanna s'attarda dans l'allée. Adam resta avec elle. Une fois les garçons hors de portée de voix, il demanda simplement :

— Vous êtes venue pour quoi ?

— On a retrouvé la voiture de votre femme.

44

ADAM ET JOHANNA S'ÉTAIENT INSTALLÉS AU SALON.

Les garçons étaient dans la cuisine. Thomas avait mis de l'eau à bouillir pour les pâtes. Ryan passa au micro-ondes un sachet de légumes surgelés. A priori, cela devrait faire l'affaire.

— Où l'avez-vous trouvée ? questionna Adam.

— Tout d'abord, je dois vous faire un aveu.

— C'est-à-dire ?

— Ce que je vous ai dit tout à l'heure, c'est la stricte vérité. Je ne suis pas flic dans le New Jersey. Je le suis tout juste chez moi, nom d'une pipe. Je ne m'occupe pas des homicides. C'est le comté qui gère ça. Et même si c'était mon rayon, je suis très loin de ma juridiction ici.

— Pourtant, on vous a envoyée ici pour m'interroger.

— Non, je suis venue par mes propres moyens. Je connais quelqu'un à Bergen qui connaît quelqu'un à Essex, et ils m'ont fait la fleur d'aller vous chercher pour un interrogatoire.

— Pourquoi me dites-vous tout ça ?

— Parce que les gars du comté l'ont su ; ça les a énervés, et on m'a dessaisie du dossier.

— Je ne vois pas très bien. Si vous n'êtes pas chargée de l'enquête, pourquoi être venue jusqu'ici ?

— L'une des victimes était une amie à moi.

Adam comprenait mieux à présent.

— Cette Heidi ?

— Oui.

— Je suis désolé.

— Merci.

— Et donc, la voiture de Corinne ?

— Jolie transition, dit-elle.

— Ce n'est pas pour ça que vous êtes venue ?

— Tout à fait.

— Alors ?

— Devant un hôtel d'aéroport à Newark.

Adam fit la moue.

— Ça n'a aucun sens, lâcha-t-il.

— Pourquoi ?

Il lui parla du traceur sur son iPhone qui avait localisé Corinne à Pittsburgh.

— Elle aurait pu prendre l'avion et louer une voiture ensuite, fit remarquer Johanna.

— Je ne vois pas trop où l'on peut atterrir pour traverser Pittsburgh en voiture. Et vous dites que c'était sur le parking d'un hôtel ?

— À côté de l'aéroport, oui. Nous l'avons localisée juste avant qu'elle ne se fasse embarquer par la fourrière. D'ailleurs, j'ai demandé à l'entreprise qui gère la fourrière de déposer la voiture chez vous. Elle devrait arriver d'ici à une heure.

— Il y a un truc qui m'échappe.

— Quoi ?

— Si elle avait pris l'avion, Corinne se serait garée sur le parking de l'aéroport. C'est ce qu'on fait d'habitude.

— Pas si elle ne voulait pas qu'on connaisse sa destination. Elle devait se douter que vous chercheriez par là.

Il secoua la tête.

— J'aurais cherché sa voiture sur un parking d'aéroport ? C'est absurde.

— Écoutez, Adam, je sais que vous n'avez aucune raison de me faire confiance. Mais parlons hors micro, ne serait-ce que deux minutes.

— Vous êtes dans la police, pas dans les médias. Le hors micro n'existe pas chez vous.

— Alors écoutez-moi, c'est tout. Deux femmes sont mortes. Je ne vais pas vous faire l'éloge d'Heidi, mais… bref, il faut que vous lâchiez le morceau. Dites-moi tout ce que vous savez.

Elle planta son regard dans le sien.

— Je vous le promets. Sur l'âme de mon amie décédée, je vous promets de ne pas utiliser ce que vous me direz contre vous ou votre femme. Je veux la justice pour Heidi, et rien d'autre. Vous comprenez ?

Adam se trémoussa dans son fauteuil.

— Ils peuvent vous obliger à témoigner.

— Ils peuvent toujours essayer.

Johanna se pencha en avant.

— S'il vous plaît, aidez-moi.

Il n'hésita pas longtemps. Elle avait raison. Deux femmes étaient mortes, et Corinne pourrait courir un grave danger. Et il n'avait plus de piste sérieuse, hormis Gabrielle Dunbar et le sentiment de malaise qu'elle lui avait inspiré.

— D'abord, répondit-il, dites-moi ce que vous savez.

— Je vous ai pratiquement tout dit.

— Expliquez-moi le lien entre Ingrid Prisby et votre amie.

— Facile, fit Johanna. Ingrid et l'autre gars l'ont accostée au Red Lobster. Le lendemain, Heidi était morte. Et le jour d'après, ç'a été le tour d'Ingrid.

— Vous suspectez le type qui l'accompagnait ?

299

— Je pense en tout cas qu'il pourrait nous aider à y voir clair. Ils vous ont parlé aussi, pas vrai ? À l'American Legion Hall.

— C'est lui qui m'a parlé.

— Et il ne vous a pas dit son nom ?

Adam secoua la tête.

— Il s'est présenté en tant qu'inconnu.

— Après leur départ, vous avez tenté de le retrouver. Lui ou les deux. Vous avez obtenu leur numéro d'immatriculation auprès du gardien du parking. Et vous avez réussi à identifier la femme.

— J'ai eu son nom, dit Adam. C'est tout.

— Et ce gars, cet inconnu, que vous a-t-il raconté à l'American Legion Hall ?

— Il m'a dit que ma femme avait fait semblant d'être enceinte.

Johanna cilla deux fois.

— Redites-moi ça ?

Adam s'exécuta. Une fois qu'il avait ouvert la bouche, il n'y eut plus moyen de l'arrêter. Lorsqu'il eut terminé, Johanna posa la question logique et en même temps surprenante :

— Vous croyez que c'est vrai ? Qu'elle a réellement fait semblant ?

— Oui.

Comme ça. Sans hésitation. Il l'avait su dès le début – dès son entrevue avec l'inconnu –, mais il lui avait fallu des preuves avant de l'affirmer tout haut.

— Pourquoi ? demanda Johanna.

— Pourquoi je crois que c'est vrai ?

— Non, pourquoi aurait-elle fait ça ?

— Par insécurité.

Elle hocha la tête.

— Sally Perryman ?

— En grande partie, j'imagine. Corinne et moi, on commençait à s'éloigner l'un de l'autre. Elle craignait de me perdre, de perdre tout ceci. Mais peu importe.

— Au contraire, dit Johanna.

— Comment ça ?

— Soyez gentil, décrivez-moi votre situation de couple quand elle est allée sur ce site de grossesse bidon.

Adam n'en voyait pas l'intérêt, mais au point où il en était…

— Comme je vous l'ai dit, il y avait une certaine distance entre nous. C'est toujours la même histoire. Notre vie tournait autour des garçons et des tâches quotidiennes : qui faisait les courses, qui s'occupait de la vaisselle, qui payait les factures. Enfin, la routine, quoi. Rien d'extraordinaire. En fait, je devais être en pleine crise de la quarantaine.

— Vous ne vous sentiez pas reconnu ?

— Je n'avais pas l'impression d'être un vrai homme. Je sais, ça paraît idiot. J'étais père, soutien de famille et…

— Et soudain, il y a eu cette Sally Perryman qui n'avait d'yeux que pour vous.

— Soudain, non, mais on a travaillé ensemble sur ce procès, et Sally était jolie, passionnée… Elle me regardait comme Corinne m'avait regardé autrefois. Je sais bien que ça paraît stupide.

— Pas stupide, normal, dit Johanna.

Adam se demanda si elle était sincère ou si elle cherchait à lui faire plaisir.

— Bref, à mon avis, Corinne craignait que je ne la quitte. Je ne m'en suis pas rendu compte sur le coup, ou alors ça m'était égal, je ne sais pas. Sauf qu'elle avait un traceur sur son iPhone.

— Le même qui vous a permis de la localiser à Pittsburgh ?

— C'est ça.

— Et vous n'étiez pas au courant ?

Il secoua la tête.

— C'est Thomas qui me l'a montré.

— Alors comme ça, votre femme vous espionnait ?

— Peut-être, je n'en sais rien. Moi, j'explique ça de la manière suivante. Je lui disais que je travaillais tard. Elle a dû consulter la carte et s'apercevoir que j'étais chez Sally plus souvent que de raison.

— Vous ne lui aviez pas dit où vous étiez ?

Il fit non de la tête.

— C'était pour le boulot.

— Alors pourquoi l'avoir caché ?

— Parce que, paradoxalement, je ne voulais pas l'alarmer. Je me doutais bien de sa réaction. Ou peut-être que, quelque part, je me sentais dans mon tort. On aurait pu rester bosser au bureau, mais j'aimais bien aller chez elle.

— Et donc, Corinne l'a découvert.

— Oui.

— Pourtant, il n'y a rien eu entre vous et Sally Perryman ?

— Non.

Puis, après un instant de réflexion :

— Mais on n'est pas passés loin.

— Qu'entendez-vous par là ?

— Je ne sais pas.

— Il y a eu contact physique ? Niveau un ? Niveau deux ?

— Hein ? Non.

— Vous ne l'avez pas embrassée ?

— Non.

— Alors pourquoi vous sentir coupable ?

— Parce que j'en avais envie.

— Et moi, j'ai envie de prendre un bain avec Vin

Diesel. On a bien le droit de rêver, non ? Vous êtes humain. Arrêtez de vous torturer.

Adam ne répondit pas.

— Votre femme est donc allée demander des comptes à Sally Perryman.

— Elle lui a téléphoné. J'ignore si c'était pour lui demander des comptes.

— Mais à vous, Corinne n'a rien dit.

— Rien du tout.

— Elle a cuisiné Sally, mais vous, vous y avez échappé. C'est bien ça ?

— Je crois.

— Et ensuite ?

— Ensuite, Corinne est tombée enceinte, fit Adam.

— Ou plutôt elle a fait semblant d'être enceinte ?

— Oui... si vous voulez. En tout cas, cette grossesse m'a pris au dépourvu. Mais dans le bon sens. Ça m'a ramené à la réalité. M'a rappelé mes priorités. Encore un paradoxe, tiens. Ç'a marché. Corinne a eu raison de le faire.

— Non, Adam, elle n'a pas eu raison.

— Elle m'a fait redescendre sur terre.

— Elle vous a manipulé. Vous seriez redescendu sur terre de toute façon. Désolée, mais Corinne a mal agi vis-à-vis de vous. Très mal.

— Elle se sentait peut-être au pied du mur.

— Ce n'est pas une excuse.

— Ceci est sa maison. Son univers. Toute sa vie. Elle a bataillé dur pour y arriver, et voici que ça menaçait de s'écrouler.

Johanna secoua la tête.

— Vous n'auriez pas fait ça, Adam. Vous le savez bien.

— Moi aussi, je suis fautif.

— Il ne s'agit pas de faute. Vous avez eu un moment de doute. On vous a tourné la tête. Vous vous êtes posé des questions. Vous n'êtes pas le premier à qui ça arrive. Soit on le surmonte, soit on plonge. Corinne ne vous a pas laissé le choix. Elle vous a piégé, elle a vécu dans le mensonge. Je ne cherche pas à vous défendre ni à vous condamner. Chaque couple a sa propre histoire. Seulement, vous n'avez pas vu la lumière. Mais plutôt la lampe torche qu'on vous a agitée sous les yeux.

— J'en avais sans doute besoin.

Johanna secoua la tête de plus belle.

— Pas comme ça. Elle a eu tort. Il faut que vous l'acceptiez.

Adam prit son temps pour répondre.

— J'aime Corinne. Et cette affaire de pseudo-grossesse n'y change pas grand-chose.

— Mais vous n'en aurez jamais la certitude.

— Faux, répliqua Adam. J'y ai beaucoup réfléchi.

— Et vous êtes sûr que vous seriez resté ?

— Oui.

— Pour les enfants ?

— En partie.

— Et pour quoi d'autre ?

Adam contempla le tapis d'Orient jaune et bleu que Corinne et lui avaient déniché chez un antiquaire à Warwick. Ils y étaient allés un jour d'octobre pour cueillir des pommes, et ils avaient fini par boire du cidre et acheter des pommes McIntosh avant d'atterrir chez l'antiquaire.

— Parce que, malgré toutes les embrouilles, commença-t-il, les frustrations, les déceptions ou les rancœurs, je n'imagine pas ma vie sans Corinne. Je n'imagine pas vieillir sans elle. Je ne m'imagine pas ne plus faire partie de son monde.

Johanna se frotta le menton.

— Je peux comprendre ça. Ricky, mon mari, ronfle si fort que j'ai l'impression de dormir avec un hélicoptère. Mais je ressens la même chose que vous.

Un long silence suivit ses paroles. Finalement, elle demanda :

— Pourquoi, d'après vous, l'inconnu vous a-t-il révélé cette histoire de fausse grossesse ?

— Aucune idée.

— Il n'a pas réclamé d'argent ?

— Non. Il a dit qu'il faisait ça pour mon bien. Il se comportait comme quelqu'un qui part en croisade. Et votre amie, Heidi ? Elle aussi a fait semblant d'être enceinte ?

— Non.

— Je ne comprends pas. Que lui a-t-il dit alors ?

— Je n'en sais rien, répondit Johanna. Mais c'est ça qui l'a tuée.

— Et vous n'avez même pas un début d'explication ?

— Non. Mais maintenant je crois savoir à qui m'adresser.

45

IL SAIT.

Chris Taylor relut le message et se demanda encore une fois où et quand ils s'étaient plantés. Les Price, cela avait été une commande. C'était peut-être ça, l'erreur, même si, la plupart du temps, les contrats sur commande – et il y en avait eu un paquet – étaient les plus sûrs. Le paiement avait été versé par un tiers, une grosse société d'investigation. En un sens, c'était plus réglo, car, en l'occurrence, il n'y avait pas eu recours au chantage.

Le protocole d'usage était simple. On déterre un secret inavouable sur un individu lambda par le biais du Net. La personne a le choix. Soit elle paie, soit elle refuse de payer, auquel cas son secret est dévoilé. Dans un cas comme dans l'autre, Chris était content. Le résultat final était ou bien lucratif (la personne payait), ou bien cathartique (elle avouait). Quelque part, ils avaient besoin des deux. D'argent pour faire tourner leur petite entreprise, et de vérité, car c'était le but de l'opération, leur raison d'exister.

Un secret révélé n'est plus un secret.

Là résidait sûrement, pensait Chris, le point faible des contrats commandités. Eduardo avait une nette préférence pour ceux-ci. Ils travailleraient, disait-il, avec des sociétés de surveillance haut de gamme, triées sur le volet. Une manière de s'assurer la sécurité, la facilité et un bénéfice net dans tous les cas de figure. La méthode même était d'une simplicité trompeuse : la société leur fournissait un nom. Eduardo cherchait sur leur base de données – dans le cas de Corinne Price, ce fut Grossesse-Bidon.com –, on leur réglait la note, et le secret était divulgué.

D'un autre côté, Corinne Price n'avait pas eu le choix. Oui, il avait dit la vérité au mari. Mais uniquement pour de l'argent. La détentrice du secret n'avait eu aucune chance de rédemption.

Ce n'était pas bien.

Le *secret* était un terme générique ; en réalité, c'étaient des mensonges et des trahisons, voire pire. Corinne Price avait menti à son mari sur sa prétendue grossesse. Kimberly Dann avait menti à ses parents, honnêtes travailleurs, sur sa façon d'arrondir ses fins de mois. Kenny Molino avait triché en se dopant aux stéroïdes. Marcus, le fiancé de Michaela, avait fait pire en piégeant son colocataire et sa future femme avec la fameuse vidéo.

Un secret, selon Chris, était comme un cancer. Ça prolifère. Ça vous mine de l'intérieur pour vous réduire à l'état de coquille vide. Il était bien placé pour le savoir. Quand il avait seize ans, son papa, l'homme qui lui avait appris à faire du vélo, qui l'accompagnait au lycée et entraînait son équipe de base-ball, avait exhumé un abominable secret qui métastasait depuis longtemps.

Il n'était pas son père biologique.

Quelques semaines avant leur mariage, la mère de Chris avait eu une dernière aventure avec un ex, à la suite de quoi elle était tombée enceinte. Elle s'en était toujours doutée, mais c'est seulement quand Chris avait eu un accident et que son père avait voulu lui donner son sang que la vérité avait éclaté au grand jour.

— Toute ma vie, lui avait dit son père, n'a été qu'un vaste mensonge.

Il avait essayé de faire au mieux. Se disant qu'un père n'est pas uniquement un donneur de sperme. Un père, c'est quelqu'un qui s'occupe d'un enfant, qui l'aime et l'élève. Mais le mensonge suppurait depuis bien trop longtemps.

Voilà trois ans que Chris n'avait pas vu son père. Voilà le genre de répercussion qu'un secret a sur la vie des gens.

Après ses études, Chris avait décroché un poste dans une start-up sur Internet appelée Downing Place. Il s'y plaisait bien. Il croyait avoir trouvé une seconde famille. Mais, malgré ses beaux discours, la société cultivait les secrets les plus innommables. Ainsi, on confia à Chris la gestion d'un site appelé Grossesse-Bidon.com. Ils mentaient, et se mentaient à eux-mêmes, en prétendant que les gens achetaient de faux ventres pour faire une blague ou se rendre à une soirée costumée. Mais personne n'était dupe. En théorie, on peut toujours aller à une fête déguisée en femme enceinte. Mais les fausses échographies ? Les faux tests de grossesse ? De qui se moquait-on ?

Ce n'était pas bien.

Chris avait vite compris qu'il ne servirait à rien de dénoncer ses employeurs. La tâche était trop ardue et, curieusement, Grossesse-Bidon avait des concurrents. Tous ces sites en avaient. Et si l'on s'attaquait à l'un, les autres n'en sortiraient que plus forts. Chris se rappela la leçon que son « père » lui avait apprise dans son enfance. On fait ce qu'on peut. On sauve le monde, une personne après l'autre.

Il se trouva des comparses dans le métier, bénéficiant du même accès aux secrets que lui. Certains étaient plus attirés par l'aspect pécuniaire de l'aventure. D'autres avaient conscience de faire le bien et, même si Chris ne tenait pas à transformer la raison sociale de l'entreprise en croisade religieuse, quelque part, sa nouvelle opération prenait les allures d'une quête morale.

Finalement, ils se retrouvèrent à cinq : Eduardo, Gabrielle, Merton, Ingrid et Chris. Eduardo voulait tout faire par Internet : formuler la menace, révéler le secret au moyen d'un mail dont la source serait indétectable. Dans l'anonymat le plus complet. Mais Chris n'était pas d'accord. Que cela plaise ou non, leur intervention chamboulait la vie des gens. Il fallait donc agir en direct. Avec compassion, avec une touche d'humanité. Les gardiens du secret étaient des sites Web sans visage, des robots, des machines.

Eux seraient différents.

Chris relut pour la énième fois la carte d'Adam Price et le bref message de Gabrielle : IL SAIT.

Le voici donc en position d'arroseur arrosé : lui aussi avait maintenant un secret. Sauf que ce n'était pas pareil. Son secret n'était pas pour tromper, mais pour protéger… ou était-ce une simple excuse pour justifier son comportement, comme chez la plupart des personnes qu'il rencontrait ?

Chris savait qu'ils flirtaient avec le danger, qu'ils se faisaient des ennemis, que certains ne comprendraient pas le bien-fondé de leurs agissements et riposteraient pour continuer à vivre dans leur bulle.

Et voilà qu'Ingrid était morte. Assassinée.

IL SAIT.

Chris ne voyait qu'une seule issue possible. Il fallait le neutraliser.

46

LA CHAMBRE D'ÉTUDIANTE DE KIMBERLY DANN se trouvait dans la partie ultra-hype de Greenwich Village. Pourtant, Beachwood n'était pas un trou perdu, loin de là. Bon nombre de ses habitants étaient des New-Yorkais qui avaient troqué l'agitation de la grande ville contre une vie financièrement plus confortable, puisque les impôts et les prix de l'immobilier y étaient beaucoup moins élevés. Mais Beachwood n'était pas Manhattan. Johanna était venue assez souvent ici – c'était sa sixième fois – pour savoir qu'il n'y avait pas d'autre endroit au monde semblable à cette île. La ville dormait et se reposait, certes, mais elle vous mettait les sens en éveil. On était comme branché sur une prise de courant. Ça pulsait et grésillait de tous les côtés.

La porte s'ouvrit au moment même où Johanna frappait, comme si Kimberly avait attendu derrière, la main sur la poignée.

— Oh, tatie Johanna !

Le visage trempé de larmes, Kimberly s'effondra contre elle en sanglotant. Johanna l'étreignit, la laissant pleurer tout son saoul. Elle lui caressa les cheveux comme Heidi l'avait fait des dizaines de fois… comme quand Kimberly était tombée lors d'une promenade et s'était écorché le genou, ou la fois où ce petit con de Frank Velle avait retiré son invitation au bal de fin d'année parce qu'il avait trouvé mieux en la personne de Nicola Shindler.

En serrant la fille de son amie dans ses bras, Johanna sentit son cœur saigner de plus belle. Elle ferma les yeux et lui murmura des mots apaisants. Mais pas du genre « ça va aller » ou autre formule hypocrite. Pour finir, elle pleura avec elle. Et pourquoi pas ? Pourquoi diable faire semblant, hein ?

Elle aurait bien le temps d'accomplir la mission qu'elle s'était fixée en venant ici.

Au bout d'un moment, Kimberly la lâcha et s'écarta d'elle.

— Mon sac est prêt, dit-elle. À quelle heure est notre vol ?

— Asseyons-nous d'abord pour bavarder, d'accord ?

Johanna regarda autour d'elle, mais comme c'était un foyer d'étudiants, elle se percha au bord du lit tandis que Kimberly s'affalait sur une espèce de pouf poire amélioré. Il est vrai que Johanna avait payé de sa poche pour venir interroger Adam Price, mais là, c'était encore différent. Elle avait promis à Marty de lui ramener sa fille pour l'enterrement d'Heidi.

— Kimmy est bouleversée, lui avait-il dit. Je ne veux pas qu'elle voyage seule, tu comprends ?

Johanna comprenait.

— J'ai quelque chose à te demander, commença-t-elle.

Kimberly s'essuya le visage.

— O.K.

— La veille de la mort de ta maman, vous vous êtes parlé au téléphone, pas vrai ?

Kimberly se remit à pleurer.

— Elle me manque trop.

311

— Je sais, ma puce. Elle nous manque à tous. Mais tâche de te concentrer deux secondes, tu veux bien ?

Kimberly acquiesça à travers ses larmes.

— De quoi avez-vous parlé, ta maman et toi ?

— Qu'est-ce que ça peut faire ?

— Je suis en train d'enquêter sur son assassinat.

Les pleurs redoublèrent.

— Kimberly ?

— Ce n'était pas un cambrioleur ?

Ça, c'était l'une des hypothèses des gars du comté. Des drogués entrés par effraction en quête désespérée d'argent. Heidi les aurait surpris, et ça lui avait coûté la vie.

— Non, ma puce, ce n'est pas comme ça que ça s'est passé.

— C'était quoi, alors ?

— C'est ce que je cherche à décrypter. Kimberly, écoute-moi. Une autre femme a été tuée par le même individu.

Kimberly cilla comme si on l'avait frappée avec une planche en bois.

— Quoi ?

— J'ai besoin de savoir ce que vous vous êtes dit au téléphone, ta maman et toi.

Le regard de Kimberly se mit à vagabonder à travers la pièce.

— Rien de spécial.

— Je ne te crois pas.

Nouvel accès de larmes.

— J'ai consulté les relevés téléphoniques. Ta maman et toi échangiez des quantités de SMS, mais vous vous êtes parlé seulement trois fois au cours du semestre. Le premier coup de fil a duré six minutes. Le deuxième, seulement quatre. Mais la veille de sa mort, vous avez discuté pendant plus de deux heures. Je peux savoir de quoi ?

— S'il te plaît, tatie Johanna, ça n'a plus aucune importance.

— Tu te fiches de moi ?

Une note d'acier résonna dans la voix de Johanna.

— Réponds-moi.

— Je ne peux pas…

Se laissant tomber du lit, Johanna s'agenouilla devant la jeune fille et prit son visage dans ses mains.

— Regarde-moi.

Cela prit du temps, mais Kimberly finit par obéir.

— Quoi qu'il soit arrivé à ta mère, ce n'est pas ta faute. Tu m'entends ? Elle t'aimait et elle aurait voulu que tu continues à vivre ta vie du mieux possible. Je serai toujours là pour toi. Tu comprends ?

Kimberly hocha la tête.

— Et maintenant, dit Johanna, il faut que tu me parles de son dernier coup de fil.

47

ADAM OBSERVAIT À DISTANCE – discrètement, espérait-il – Gabrielle Dunbar pendant qu'elle fourrait à la hâte une valise dans le coffre de sa voiture.

Une demi-heure plus tôt, il avait décidé de retenter sa chance avec elle avant d'aller travailler. Mais lorsqu'il arriva dans sa rue, il la vit charger une valise dans sa voiture. Ses deux enfants, qui devaient avoir dans les dix et douze ans, portaient des sacs plus petits. Adam se gara le long du trottoir et attendit.

La veille au soir, il avait essayé de joindre les trois autres protagonistes que Gribbel avait réussi à identifier sur la photo Facebook de Gabrielle. Aucun n'avait été capable de le renseigner sur l'inconnu. Rien d'étonnant à cela. Un « inconnu » – tiens, encore un – qui cherche à savoir sous un prétexte fumeux l'identité d'un homme, probablement collègue ou ami, sur une photo de groupe, c'était louche. Et aucun d'eux n'habitait assez près pour qu'Adam puisse aller le voir en personne, comme dans le cas de Gabrielle.

Du coup, il s'était rabattu sur elle.

Elle avait des choses à cacher, il en était convaincu depuis sa visite de la veille. Et voilà qu'elle faisait ses bagages, visiblement pressée de partir.

Était-ce une coïncidence ?

Certainement pas. Gabrielle jeta le troisième sac dans le coffre qu'elle referma non sans mal. Puis elle poussa ses enfants sur la banquette arrière et s'assura qu'ils étaient bien attachés. Elle ouvrit sa portière, marqua une pause et regarda pile dans sa direction.

Zut.

Adam se tassa précipitamment sur son siège. L'avait-elle repéré ? Pas sûr. Et même à supposer que oui, l'aurait-elle reconnu de loin ? Mais, au fait, où était le problème ? Il venait pour la voir, non ? Il se redressa lentement, mais Gabrielle ne le regardait déjà plus. Elle monta dans sa voiture et démarra.

Franchement, il n'était pas doué pour ces choses-là.

Adam n'hésita pas longtemps. Autant battre le fer pendant qu'il était chaud. Alors il la suivit.

Il ne savait quelle distance maintenir pour éviter de se faire remarquer et en même temps pour ne pas la perdre. Son expérience en la matière se limitait à ce qu'il en avait vu dans les séries télé. D'ailleurs, si on ne regardait pas la télévision, saurait-on seulement ce qu'est une filature ? Elle tourna à droite, direction la route 208. Adam jeta un œil sur la jauge d'essence. Le réservoir était quasi plein. Parfait. Mais, jusqu'où comptait-il la suivre ainsi ? Et que ferait-il une fois qu'il l'aurait rattrapée ?

Chaque chose en son temps.

Son portable sonna. Il baissa les yeux et vit le prénom JOHANNA s'afficher à l'écran.

Il avait enregistré son numéro dans son répertoire après leur entrevue de la veille. Adam pensait pouvoir lui faire confiance. Son objectif était simple : retrouver l'assassin de son amie. Du moment que ce n'était pas Corinne, Johanna pouvait lui apporter une aide précieuse. Et si l'assassin était Corinne, alors il était confronté à un problème autrement plus grave que de se fier à une femme flic de l'Ohio.

— Allô ?

— Je suis sur le point de monter dans un avion, annonça Johanna.

— Vous rentrez chez vous ?

— Je suis déjà chez moi.

— Dans l'Ohio ?

— À l'aéroport de Cleveland, oui. J'ai dû aller chercher la fille d'Heidi, mais là, je reprends un avion pour Newark. Et vous, quoi de neuf ?

— Je suis en train de filer Gabrielle Dunbar.

— Filer ?

— Ce n'est pas le terme que vous employez quand vous suivez quelqu'un ?

Il lui expliqua rapidement comment, arrivé chez Gabrielle, il l'avait vue mettre ses bagages dans le coffre de la voiture.

— Et c'est quoi, votre plan, Adam ?

— Je ne sais pas. Mais je ne peux pas rester sans rien faire.

— Je veux bien le croire.

— Vous m'appelez pour quoi ?

— J'ai appris quelque chose hier soir.

— Je vous écoute.

— Dans l'affaire qui nous intéresse, il ne s'agit pas d'un seul site Internet.

— Je ne comprends pas.

— Votre gars, le fameux inconnu. Il n'informe pas seulement les victimes de femmes faussement enceintes. Il a accès à d'autres sites. Ou, du moins, à un autre.

— Comment le savez-vous ?

— J'ai parlé à la fille d'Heidi.

— Et c'est quoi, son secret ?

— J'ai promis de ne rien dire… et mieux vaut que vous l'ignoriez, croyez-moi.

— Et que faut-il en conclure ? demanda Adam. Que lui et Ingrid choisissaient leurs victimes sur Internet ?

— Quelque chose comme ça, oui.

— Et ma femme, où est-elle ?

— Aucune idée.

— Et qui a tué votre amie ? Et Ingrid ?

— Encore une fois, aucune idée. Si ça se trouve, leur tentative de chantage a mal tourné. Heidi était coriace. Elle leur a peut-être tenu tête. L'inconnu et Ingrid se sont peut-être disputés.

Devant lui, Gabrielle avait pris l'embranchement vers la route 23. Adam mit son clignotant et suivit.

— Alors quel rapport entre ma femme et votre amie ?

— En dehors de l'inconnu, je ne vois pas.

— Attendez une minute, fit Adam.

— Quoi ?

— Gabrielle s'arrête devant une maison.

— Où ça ?

— Lockwood Avenue à Pequannock.

— C'est dans le New Jersey ?

— Oui.

Adam se demandait s'il devait piler ou bien la dépasser pour aller se garer plus loin. Il opta pour la seconde solution, passant devant une maison mitoyenne jaune, bardage en aluminium et volets rouges. Un homme ouvrit la porte, sourit et se dirigea vers la voiture de Gabrielle. Adam ne l'avait jamais vu. Les portières s'ouvrirent. La fille descendit la première. L'homme la serra maladroitement dans ses bras.

— Vous en êtes où ? s'enquit Johanna.

— Fausse alerte. On dirait qu'elle dépose ses gosses chez son ex.

317

— O.K., je dois embarquer maintenant. Je vous rappelle dès mon arrivée. Entre-temps, tâchez de ne pas faire de bêtises.

Johanna raccrocha. Les fils de Gabrielle émergèrent de la voiture. Nouvelles embrassades. L'homme qui devait être son ex salua Gabrielle d'un signe de la main. Une femme parut sur le pas de la porte. Une femme plus jeune. *Beaucoup* plus jeune. Le coup classique, pensa Adam. Gabrielle resta dans la voiture pendant que le supposé ex ouvrait le coffre. Il sortit une valise, le referma et, l'air perplexe, fit le tour pour aller lui parler.

Mais Gabrielle démarrait déjà. Avec le reste des bagages dans son coffre.

Où allait-elle ?

Autant battre le fer...

Adam n'avait aucune raison d'abandonner sa filature en cours de route.

48

LA VOITURE DE GABRIELLE GRIMPA la skyline drive menant dans les monts Ramapo. Manhattan n'était qu'à trois quarts d'heure, mais on avait l'impression d'être sur une autre planète. Nombre de légendes auréolaient les tribus qui vivaient encore dans la région. On les appelait les Indiens Ramapough, la nation Lenape ou la nation Lunaape Delaware. Certains les considéraient comme des indigènes, d'autres comme les descendants des colons hollandais. D'autres encore les prenaient pour les mercenaires hessois venus combattre aux côtés des Britanniques pendant la révolution américaine ou des esclaves affranchis ayant élu domicile dans les forêts du nord du New Jersey. On les avait affublés par ailleurs du sobriquet péjoratif de Jackson Whites. L'origine de ce surnom restait un mystère... peut-être était-ce en lien avec leur apparence multiraciale.

Et, comme toujours dans ces cas-là, les gens aimaient à se faire peur. Les ados montaient là-haut et se racontaient des horreurs, des histoires d'enlèvements, de disparitions, de fantômes revenus pour se venger.

Alors, que diable Gabrielle allait-elle faire là-dedans ?

Ils se dirigeaient vers la zone boisée de la montagne. Avec l'altitude, Adam eut les oreilles bouchées. Elle coupa pour reprendre la route 23. Il la suivit pendant près d'une heure, jusqu'à ce qu'elle traverse Dingman's Ferry Bridge, l'étroit pont à péage qui reliait le New Jersey à la Pennsylvanie. Les routes étaient moins fréquentées de l'autre côté. Adam hésita à nouveau sur la distance à conserver, puis décida de renoncer à la prudence : mieux valait se faire repérer et lui faire face que la perdre.

Il jeta un œil sur son téléphone. Il ne lui restait presque plus de batterie. Il le brancha sur le chargeur, qu'il sortit de la boîte à gants. Deux kilomètres plus loin, Gabrielle tourna à droite. La forêt devenait de plus en plus dense. Elle ralentit et s'engagea sur ce qui ressemblait à un chemin de terre. Sur une pierre, on lisait en lettres passées : LAC CHARMAINE – PROPRIÉTÉ PRIVÉE. Adam donna un coup de volant à droite et s'arrêta derrière un arbre à feuilles persistantes. Il ne pouvait pas la suivre comme ça sur ce chemin, à supposer que cela en soit un.

Que faire ?

Il ouvrit à nouveau la boîte à gants. Son portable n'avait pas vraiment eu le temps de se recharger, mais dix pour cent, cela devrait suffire. Il le glissa dans sa poche et descendit de voiture. Et maintenant ? Aller à pied jusqu'à ce lac et sonner à la porte ?

Il trouva un sentier envahi par la végétation qui serpentait parallèlement au chemin de terre. Le ciel au-dessus de sa tête était d'un beau bleu turquoise. Il écartait des branches pour pouvoir progresser. Tout était silencieux autour de lui. De temps à autre, Adam s'arrêtait et dressait l'oreille, mais il n'entendait même plus le bruit des voitures sur la route.

Il déboucha dans une clairière et tomba sur un daim en train de grignoter des feuilles sur un arbrisseau. L'animal le regarda, comprit qu'Adam ne lui voulait pas de mal et se remit à mastiquer. Il poursuivit son chemin, et bientôt le lac apparut devant lui. Dans d'autres circonstances, il n'aurait pas manqué d'admirer la beauté du lieu. Immobile comme un miroir, l'eau reflétait le vert du feuillage et le bleu turquoise du ciel. Quel bonheur ce serait de s'asseoir dans ce paysage enchanteur, et tellement paisible ! Corinne aimait les lacs. Pas l'océan. La violence et l'imprévisibilité des vagues lui faisaient peur. Alors qu'un lac était un paradis tranquille. Avant la naissance des garçons, ils avaient loué une maison en bord de lac, dans le comté de Passaic. Il se remémora les journées paresseuses, tous deux dans le même hamac : lui avec un journal, elle avec un livre. Corinne plissait les yeux en lisant, totalement concentrée sur sa page. Mais, parfois, elle le regardait et souriait. Alors il souriait aussi, et ils se perdaient dans la contemplation du lac.

Un lac comme celui-ci.

Il remarqua une maison sur la droite. Elle avait l'air abandonnée, à l'exception d'une voiture garée devant.

La voiture de Gabrielle.

La maison était soit une cabane en rondins, soit une de ces imitations en kit à monter soi-même, difficile à dire de là où il était. Adam se rapprocha avec précaution, se dissimulant derrière les arbres et les buissons. Il se sentait bête, comme un gamin jouant au paintball. La dernière fois où il avait fait ça – s'approcher en catimini pour essayer de surprendre l'autre –, ce devait être en colonie de vacances, quand il avait huit ans.

Adam ignorait ce qu'il ferait une fois devant la maison, et, pendant une fraction de seconde, il regretta de ne pas être armé. Il ne possédait pas d'arme chez lui. C'était peut-être un tort. Son oncle Greg l'avait emmené sur un champ de tir quand il avait une vingtaine d'années. Cela lui avait bien plu, et il se savait capable de manier une arme. À la réflexion, ç'aurait été plus malin. Il avait affaire à des individus dangereux. Des assassins, même. Adam tâta le téléphone dans sa poche. Fallait-il appeler quelqu'un ? Johanna devait encore être dans l'avion. Alors Andy Gribbel ou le vieux Rinsky, mais pour leur dire quoi ?

Déjà où tu es, pour commencer.

Il s'apprêtait à le faire quand il vit quelque chose qui le cloua sur place.

Seule dans la clairière, Gabrielle Dunbar regardait droit dans sa direction. Adam sentit la moutarde lui monter au nez. Il fit un pas vers elle, s'attendant à ce qu'elle réagisse ou prenne la fuite.

Mais elle se borna à le dévisager.

— Où est ma femme ? cria-t-il.

Gabrielle ne broncha pas.

Il fit un pas de plus.

— J'ai dit...

Le coup à l'arrière de sa tête fut si violent qu'il eut l'impression que son cerveau se décrochait. Adam tomba à genoux. Des étoiles dansaient devant ses yeux. Instinctivement, il réussit à se retourner. Une batte de base-ball s'approchait à toute vitesse de son crâne, telle une hache. Il voulut l'esquiver ou du moins lever le bras pour s'en protéger.

Trop tard.

La batte le percuta avec un bruit mat, et tout devint noir.

49

JOHANNA GRIFFIN ÉTAIT QUELQU'UN DE DISCIPLINÉ ; elle coupa donc le mode avion seulement lorsqu'ils se furent complètement immobilisés sur la piste. L'hôtesse psalmodia le traditionnel « Bienvenue à Newark ! La température au sol est de... », au moment où le téléphone de Johanna chargeait les mails et les SMS.

Pas de message d'Adam Price.

Ces vingt-quatre dernières heures avaient été éprouvantes. Extorquer des aveux sordides à une Kimberly hystérique lui avait pris un temps fou. Johanna avait essayé de se montrer compréhensive, mais, nom de Dieu, qu'est-ce qui lui avait pris, à la petite ? Pauvre Heidi. Comment avait-elle réagi à l'histoire de sa fille et de cet horrible site ? Johanna repensa à la vidéo d'Heidi sur le parking du Red Lobster. Tout devenait clair à présent. En un sens, elle avait visionné une agression. Ce gars, ce fichu inconnu, était en train d'assommer son amie avec ses révélations.

Se rendait-il compte des dégâts qu'il causait ?

Après ça, Heidi était rentrée chez elle. Elle avait appelé Kimberly et l'avait obligée à lui dire la vérité. Elle était restée calme et posée, tout en se recroquevillant intérieurement. Ou peut-être pas. Heidi était la dernière à juger les autres. Peut-être avait-elle encaissé le coup et préparait-elle la riposte. Allez savoir. Elle avait réconforté sa fille. Et cherché une solution pour la sortir du terrible pétrin dans lequel elle s'était fourrée.

C'était probablement ce qui l'avait tuée.

Johanna ne savait toujours pas ce qui était arrivé à Heidi, mais cela avait forcément un rapport avec le fait que sa fille se prostituait avec trois hommes différents. Laissons tomber les euphémismes comme *sugar baby*… Kimberly était devenue une pute. Elle ignorait les véritables noms de ses clients. Johanna avait parlé à la directrice du site des *sugar babies*, écouté ses justifications et, après avoir raccroché, avait eu envie de prendre une longue douche chaude. Eh oui, exquise touche féministe, le site était dirigé par une femme. Qui avait défendu les « arrangements professionnels » de sa société et le « droit à la vie privée » de ses clients. Bref, sauf ordre du juge, elle ne donnerait aucune information.

Dans la mesure où le siège de la société était dans le Massachusetts, cela risquait de prendre du temps.

Ensuite, les flics de la brigade criminelle du comté avaient exigé, agacés, le compte rendu complet de l'escapade illicite de Johanna dans le New Jersey. Pour elle, ce n'était pas une affaire d'ego. Elle voulait la peau du salopard qui avait tué son amie, alors elle leur avait tout dit, y compris ce que Kimberly venait de lui révéler, et ils s'occupaient maintenant d'obtenir un mandat et de mettre des hommes sur la piste de l'inconnu pour établir le lien entre lui et les deux meurtres.

Or Johanna, après avoir mis les mains dans le cambouis, n'entendait pas lâcher l'affaire pour autant.

Son portable sonna. Numéro inconnu ; l'indicatif, 216, venait de chez elle.

— Bonjour, ici Darrow Fontera.

— Comment ?

— Je suis chef de sécurité au Red Lobster. On s'est rencontrés quand vous m'avez demandé une vidéo de surveillance.

— Exact. Que puis-je faire pour vous ?

— Vous étiez censée me rendre le DVD une fois que vous auriez terminé.

Il plaisantait ou quoi ? Johanna allait l'envoyer bouler, puis elle se ravisa.

— L'enquête est toujours en cours.

— Dans ce cas, pourriez-vous faire une copie et nous rendre l'original ?

— Il est où, le problème ?

— C'est le règlement.

Le ton était purement bureaucratique.

— Nous fournissons un seul exemplaire du DVD. S'il vous en faut d'autres…

— Je n'en ai pris qu'un.

— Non, non, vous étiez la deuxième.

— Pardon ?

— L'autre officier de police est venu chercher un exemplaire avant vous.

— Attendez, quel autre officier de police ?

— Nous avons scanné sa plaque. C'est un ancien du NYPD, mais il a dit… ça y est, je l'ai. Il s'appelle Kuntz. John Kuntz.

D'ABORD, IL Y EUT LA DOULEUR.

Une douleur qui oblitéra tout le reste. Omniprésente, elle l'empêchait de comprendre où il se trouvait et ce qui lui était arrivé. Adam eut l'impression que son crâne avait explosé et que les éclats d'os s'enfonçaient dans son cerveau. Les yeux fermés, il essaya de reprendre ses esprits.

Ensuite vinrent les voix.

Quand est-ce qu'il va émerger ?… Tu n'étais pas obligé de frapper si fort… Je ne voulais pas prendre de risque… Tu as le flingue, hein ?… Et s'il ne revenait pas à lui ?… Eh, je te rappelle qu'il est venu ici pour nous tuer… Attends, je crois qu'il a bougé…

Péniblement, la conscience se fraya un passage à travers la douleur et l'étourdissement. Adam était allongé sur un sol dur et froid, la joue droite contre la surface rugueuse. Du ciment probablement. Il voulut ouvrir les yeux, mais ce fut comme si des araignées avaient tissé leur toile par-dessus. Il cilla, et la douleur redoubla, manquant lui arracher un cri.

Lorsque finalement il parvint à ouvrir les paupières, il aperçut une paire de baskets Adidas. Il tenta de se souvenir de ce qui s'était passé. Il avait suivi Gabrielle. Cela lui revenait à présent. Il l'avait suivie jusqu'au lac et…

— Adam ?

Il connaissait cette voix. Il ne l'avait entendue qu'une fois, mais depuis elle ne cessait de résonner dans sa tête. La joue toujours collée contre le ciment, il se força à lever les yeux.

L'inconnu.

— Pourquoi avez-vous fait ça ? lui demanda l'homme. Pourquoi avez-vous tué Ingrid ?

Thomas Price était en plein examen blanc d'anglais quand le téléphone sonna dans la salle de classe. Le professeur, M. Ronkowitz, décrocha, écouta en silence, puis annonça :

— Thomas Price, vous êtes attendu au bureau du proviseur.

Ses camarades, comme tous les lycéens du monde, se trémoussèrent, l'air de dire : « Oh, ça craint », pendant qu'il ramassait ses livres, les fourrait dans son sac à dos et quittait la salle. Le couloir était désert. Ça faisait un drôle d'effet, comme une ville fantôme ou une maison hantée. L'écho de ses pas ricocha sur les murs. Thomas n'avait pas la moindre idée de ce qui l'attendait. En général, quand on est convoqué chez le proviseur, ça ne présage rien de bon, surtout si votre mère a pris la tangente et que votre père est en train de péter les plombs.

Il n'arrivait toujours pas à comprendre ce qui clochait chez ses parents, mais il savait que c'était grave. Et que son père ne lui disait pas toute la vérité. Les parents cherchent à vous préserver coûte que coûte, même si, dans leur langage, « préserver » signifie « mentir ». Ils croient vous aider… au final, c'est pire. C'est comme le père Noël. Quand il avait compris que le père Noël n'existait pas, Thomas ne s'était pas dit : « Je suis en train de grandir. » Ou : « Ces trucs-là, c'est pour les bébés. » Non, son premier réflexe avait été plus primaire : « Mes parents m'ont menti. »

Comment voulez-vous faire confiance, après ça ?

De toute façon, cette histoire de père Noël, ça l'avait toujours super énervé. Pourquoi raconter aux mômes qu'un gros barbu qui vit au pôle Nord passe son temps à les fliquer ? C'est trop flippant à la fin. Il se souvenait, enfant, de s'être assis sur les genoux du père Noël dans un centre commercial ; le bonhomme sentait la pisse, et Thomas avait pensé : « C'est ce gars-là qui m'apporte des jouets ? » À quoi bon inventer des âneries pareilles ? Est-ce que ce ne serait pas mieux de savoir dès le début que ce sont vos parents qui vous offrent des cadeaux, plutôt qu'un inconnu bizarroïde ?

Aujourd'hui aussi, il aurait préféré que son père soit franc avec eux. Ça ne pouvait pas être pire que ce qu'ils s'étaient mis dans la tête, Ryan et lui. Ils n'étaient pas débiles. Thomas avait senti la tension dans l'air avant même le départ de sa mère. Depuis qu'elle était rentrée de son colloque, il y avait de l'eau dans le gaz. Leur maison était comme un organisme vivant, un de ces écosystèmes fragiles dont on leur parlait en cours de SVT, et voilà qu'un facteur étranger était en train de tout dérégler.

Thomas poussa la porte du bureau et vit la femme policier, Johanna, à côté du proviseur, M. Gorman, qui lui demanda :

— Vous connaissez cette personne, Thomas ?

Il hocha la tête.

— C'est une amie de papa. Elle est dans la police.

— Oui, elle m'a montré sa plaque. Mais je ne peux pas vous laisser seul avec elle.

— C'est O.K., dit Johanna, s'avançant vers lui. Thomas, tu sais où est ton père ?

— À son boulot, je suppose.

— Il n'est pas venu travailler. J'ai essayé de le joindre sur son portable, mais je tombe direct sur sa messagerie.

La boule de panique lovée dans son estomac se mit à enfler.

— Ça veut dire que le téléphone est coupé. Or papa ne l'éteint jamais.

Johanna Griffin se rapprocha encore, et il lut l'inquiétude dans son regard. Cela l'effraya, et pourtant, c'est bien ce qu'il voulait, non ? Qu'on soit honnête avec lui.

— Thomas, ton père m'a parlé d'un traceur que ta maman a installé sur son téléphone.

— Ça ne marchera pas si son portable est éteint.

— Mais ça nous indique où il se trouvait juste avant que son téléphone ne soit coupé, non ?

Thomas avait fini par comprendre.

— Exact.

— Tu as besoin d'un ordinateur pour accéder… ?

Il secoua la tête, glissa la main dans sa poche.

— Je peux regarder sur mon téléphone. Donnez-moi juste deux minutes.

51

— POURQUOI AVEZ-VOUS TUÉ INGRID ?

Lorsque Adam voulut s'asseoir, décoller au moins sa joue du ciment, sa tête protesta à cor et à cri. Il tenta de porter ses mains à son crâne : elles refusèrent d'obéir. Désorienté, il essaya à nouveau et entendit un cliquetis.

Ses poignets étaient entravés.

Par une chaîne de vélo fixée à un tuyau de canalisation vertical qui courait le long du mur. Il s'efforça alors de faire le point sur la situation. Il se trouvait dans un sous-sol. Juste en face de lui, coiffé de sa sempiternelle casquette de base-ball, il y avait l'inconnu. Avec Gabrielle, à sa droite, et un garçon, à peine plus âgé que Thomas, à sa gauche. Le garçon avait le crâne rasé, des tatouages et des piercings partout.

Et il était armé.

Derrière eux, Adam aperçut un autre type, la trentaine, cheveux longs et barbe naissante.

— Qui êtes-vous ? demanda-t-il.

Ce fut l'inconnu qui répondit.

— Je vous l'ai déjà dit, non ?

Malgré la douleur, Adam fit une nouvelle tentative pour se redresser. Il n'était pas question de se remettre debout. Entre sa tête et la chaîne autour des poignets, la marge de manœuvre était réduite au minimum. Il réussit néanmoins à s'asseoir et s'adossa au tuyau.

— Vous êtes l'inconnu, fit-il.

— C'est ça.

— Qu'est-ce que vous me voulez ?

Le jeune fit un pas en avant, pointant son arme sur lui. Il la tourna de côté, sûrement comme il l'avait vu faire dans un film de gangsters.

— Si tu parles pas, mec, je te fais sauter le caisson.

— Merton, dit l'inconnu.

— Non, mon pote. On n'a pas le temps. Faut qu'il parle.

Adam regarda le pistolet, puis Merton. *Il le ferait*, pensa-t-il. *Il tirerait sans la moindre hésitation.*

Gabrielle intervint à son tour :

— Range cette arme.

Merton l'ignora. Il ne quittait pas Adam des yeux.

— C'était une amie à moi.

Il braqua le pistolet sur son visage.

— Pourquoi tu as tué Ingrid ?

— Je n'ai tué personne.

— Tu te fous de moi !

La main de Merton se mit à trembler, Gabrielle s'écria :

— Merton, arrête !

Tout en continuant à tenir Adam en joue, Merton recula et lui assena un coup de pied, comme s'il voulait marquer un but du milieu du terrain. Sa chaussure à embout ferré atteignit Adam en pleine cage thoracique. L'air déserta ses poumons, et il s'affaissa sur le sol.

— Ça suffit, siffla l'inconnu.

— Faut qu'il nous dise ce qu'il sait !

— Ça va venir.

— Qu'est-ce qu'on va faire ? gémit Gabrielle, paniquée. C'était censé être de l'argent facile.

— Et ça l'est toujours. Tout va bien. Allez, calme-toi.

Le type aux cheveux longs ajouta :

— Je n'aime pas ça. Je n'aime pas ça du tout.

Gabrielle :

— Je n'ai pas signé pour des enlèvements avec séquestration.

— On se calme, tout le monde.

Mais même l'inconnu était à cran maintenant.

— Il faut qu'on sache ce qui est arrivé à Ingrid.

Adam grimaça.

— Je ne sais pas ce qui est arrivé à Ingrid.

Tous les regards se tournèrent vers lui.

— Tu mens, lâcha Merton.

— Écoutez un peu…

Merton l'interrompit d'un nouveau coup de pied dans les côtes. Adam atterrit le nez sur le ciment et tenta de se recroqueviller, de libérer ses mains pour protéger sa tête endolorie.

— Arrête, Merton !

— Je n'ai tué personne, hoqueta-t-il.

— Mais oui, c'est ça.

Merton, encore. Adam se roula en boule, au cas où il frapperait à nouveau.

— Et tu n'as pas cuisiné Gabrielle sur Chris non plus, hein ?

Il s'appelait donc Chris.

— Pousse-toi, lui ordonna Chris l'inconnu.

Puis, se rapprochant d'Adam :

— Vous avez fait des recherches sur Ingrid et moi, n'est-ce pas ?

Péniblement, Adam hocha la tête.

— Et vous avez retrouvé Ingrid en premier.

— Son nom seulement.

— Quoi ?

— J'ai trouvé son nom.

— Comment ?

— Où est ma femme ?

Chris fronça les sourcils.

— Pardon ?

— J'ai dit…

— Je vous ai entendu.

Il se retourna vers Gabrielle.

— Pourquoi devrions-nous savoir où est votre femme ?

— C'est vous qui êtes à l'origine de tout.

Adam se rassit avec effort. Sa vie était en danger, certes, mais il était clair qu'il avait affaire à une bande d'amateurs. Ils étaient morts de trouille. La chaîne de vélo commençait à céder. Il entreprit de libérer ses poignets. Cela pourrait servir, si Merton s'approchait de trop près avec son flingue.

— C'est vous qui êtes venu me trouver.

— Et vous vouliez quoi, vous venger ? C'est ça, l'histoire ?

— Non, dit Adam. Mais je sais maintenant ce que vous faites.

— Ah oui ?

— Vous recueillez des données compromettantes sur des gens, puis vous les faites chanter.

— Vous vous trompez, répondit Chris.

— Vous avez fait chanter Suzanne Hope sur sa prétendue grossesse. Et, puisqu'elle a refusé de payer, vous avez révélé toute l'histoire à son mari, exactement comme vous l'avez fait avec moi.

— Comment savez-vous, pour Suzanne Hope ?

Merton, le plus trouillard et donc le plus dangereux du quatuor, cria :

— Il nous espionnait !

— C'était une amie de ma femme, dit Adam.

— Ah, j'aurais dû m'en douter, acquiesça Chris. C'est donc Suzanne Hope qui a dirigé Corinne sur ce site ?

— Oui.

— Ce que Suzanne a fait, ce que votre femme a fait, est impardonnable, vous n'êtes pas d'accord ? Internet favorise le mensonge. Il permet de tricher tout en gardant l'anonymat et de cacher des secrets destructeurs à ses proches. Nous…

Il écarta les bras pour désigner ses comparses.

— … on ne fait que rétablir une certaine équité dans ce jeu.

Voilà qui fit presque sourire Adam.

— C'est ce que vous vous racontez ?

— C'est la vérité. Prenez l'exemple de votre femme. Grossesse-Bidon promet la discrétion totale à ses utilisateurs, et parce que c'est sur le Net, elle a cru bêtement que personne ne saurait rien. Mais pensez-vous que l'anonymat complet existe vraiment ? Je ne vous parle pas de services de renseignements avec leurs informations classées top secret. Je vous parle d'êtres humains. Croyez-vous que tout soit entièrement automatisé, que des employés ne puissent accéder à vos factures en ligne ou votre historique de navigation ?

Il sourit à Adam.

— Et croyez-vous qu'il soit possible de cacher quelque chose indéfiniment ?

— Je m'en moque complètement, Chris. Pour moi, la seule chose qui compte, c'est de retrouver ma femme.

— Nous vous ouvrons les yeux sur elle, et, au lieu de nous en être reconnaissant, vous nous traquez. Vous avez consulté le lien que je vous ai donné ?

— Oui.

— Vous avez regardé vos factures en ligne ? Vous savez que je vous ai dit la vérité, n'est-ce pas ?

— Oui.

— Et donc...

— Elle a disparu.

Chris fronça les sourcils.

— Qui ? Votre femme ?

— Oui.

— Vous lui avez demandé des explications après ce que je vous ai dit ?

Adam ne répondit pas.

— Et elle a pris la fuite ?

— Corinne n'a pas pris la fuite.

— On perd notre temps, déclara Merton. Il est en train de nous mener en bateau.

Chris le regarda.

— Tu as bien déplacé sa voiture ?

Merton hocha la tête.

— Et on a retiré la batterie de son téléphone. Détends-toi. On n'est pas aux pièces.

Il se tourna vers Adam.

— Vous ne comprenez pas, Adam ? Votre femme vous a menti. Vous aviez le droit d'être informé.

— Peut-être. Mais pas par vous.

Il sentit son poignet droit glisser à travers la chaîne.

— Votre amie Ingrid est morte à cause de vous.

— C'est toi qui as fait ça, glapit Merton.

— Non. Et celui qui l'a tuée ne s'est pas arrêté là.

— De quoi parlez-vous ?

— Celui qui a tué votre amie a également assassiné Heidi Dann.

Tout le monde se figea.

— Oh, mon Dieu, murmura Gabrielle.

Chris plissa les yeux.

— Vous n'étiez pas au courant, hein ? Ingrid n'est pas la seule victime dans l'affaire. Heidi Dann a été abattue d'une balle dans la tête, elle aussi.

— Chris ? fit Gabrielle.

— Laisse-moi réfléchir.

— Heidi a été assassinée la première, poursuivit Adam. Puis il y a eu Ingrid. Et, par-dessus le marché, ma femme a disparu. Voilà où ça vous a menés, votre chasse aux secrets.

— Taisez-vous, lui intima Chris. Il faut qu'on voie ça de près.

— Je pense qu'il dit la vérité, fit le type aux cheveux longs.

— Mon œil ! hurla Merton en braquant à nouveau son arme sur Adam. De toute façon, il est un danger pour nous. On n'a pas le choix. Il a fouiné partout pour nous retrouver.

Adam répondit aussi posément qu'il put :

— J'étais à la recherche de ma femme.

— Nous ne savons pas où elle est, dit Gabrielle.

— Alors comment expliquer sa disparition ?

Chris n'arrivait toujours pas à se remettre de sa stupeur.

— Heidi Dann est morte ?

— Oui. Et ma femme est peut-être la prochaine sur la liste. Dites-moi ce que vous lui avez fait.

— Rien, on n'a rien fait du tout, répliqua Chris.

Le poignet était presque libre.

— Commençons par le commencement. Quand vous avez approché ma femme, comment a-t-elle réagi ? A-t-elle accepté de payer ?

Chris regarda son acolyte aux cheveux longs. Puis il s'agenouilla à côté d'Adam, qui s'escrimait toujours à dégager son poignet. Il y était presque. D'un autre côté, s'il essayait de neutraliser Chris, Merton aurait tout le loisir de tirer.

— Adam, on n'a jamais fait chanter votre femme. On ne lui a même pas adressé la parole.

Adam ne comprenait plus rien.

— Pourtant vous avez fait chanter Suzanne Hope.

— Oui.

— Et Heidi.

— Oui. Mais, dans votre cas, c'était différent.

— En quoi était-ce différent ?

— On nous avait engagés.

Une fraction de seconde, le mal de tête céda la place à la confusion.

— Engagés ? Pour venir me raconter ça ?

— Pour découvrir des secrets ou des mensonges impliquant votre femme en vue de les divulguer.

— Et qui vous a engagés ?

— Je ne connais pas le nom du client, dit Chris. C'est une société d'investigation qui nous a contactés. Du nom de CBW.

Le sang d'Adam ne fit qu'un tour.

— Qu'est-ce qui vous arrive ? demanda Chris.

— Détachez-moi.

Merton s'avança.

— Pas question. Tu ne vas pas…

Une déflagration résonna dans la pièce. Et la tête de Merton explosa en une gerbe sanglante.

52

C'EST INGRID QUI AVAIT DONNÉ à Kuntz l'adresse du garage d'Eduardo.

Après, il n'eut plus qu'à patienter. Ce ne fut pas long. Eduardo avait pris la route des montagnes et traversé Dingman's Ferry Bridge. Kuntz l'avait suivi. Quand Eduardo arriva, le skinhead était déjà là. Ce devait être Merton Sules. Ensuite, une femme les rejoignit. Gabrielle Dunbar, sûrement.

Il n'en restait plus qu'un.

Tapi dans sa cachette, Kuntz vit soudain un autre homme se frayer un passage à travers la forêt. Celui-là ne figurait pas sur sa liste. Ingrid aurait-elle omis de le mentionner ? Hum, peu probable. Elle lui avait tout dit. Avant de le supplier d'en finir.

Alors qui était ce type ?

Retenant son souffle, Kuntz observa la scène. Merton se planqua derrière un arbre avec une batte de base-ball. Gabrielle sortit dans la clairière pour attirer l'homme hors du bois. Kuntz faillit lui crier un avertissement en voyant Merton s'approcher par-derrière, la batte en l'air. Mais il n'en fit rien. Il devait attendre. Pour s'assurer qu'ils étaient tous là.

Il regarda donc Merton assommer l'homme d'un coup

de batte sur la tête. Ce dernier chancela et tomba. Merton, sans raison apparente, le frappa à nouveau. Un instant, Kuntz crut qu'il voulait le tuer. Curieux… d'après Ingrid, leur groupe était totalement non violent.

Cet homme devait représenter une menace pour eux.

Ou bien… l'avaient-ils pris pour lui, Kuntz ?

Il réfléchit brièvement. Se savaient-ils en danger ? À l'heure qu'il était, ils avaient certainement appris la mort d'Ingrid. Il avait compté là-dessus pour les réunir. Et ç'avait marché. Des amateurs, tous autant qu'ils étaient, décidés à changer le monde en révélant les secrets des gens. Des imbéciles, quoi.

Mais peu importait. Kuntz menait le bal, et tout était une affaire de patience. Il les vit traîner l'homme dans la maison. Cinq minutes plus tard, une nouvelle voiture déboucha dans la clairière.

C'était Chris Taylor. Leur chef.

Tout le monde était là, enfin. Kuntz hésita à abattre Taylor sur place, ça risquait d'alerter les autres. Il préférait attendre encore un peu, au cas où ils auraient une nouvelle visite. Il voulait savoir aussi pourquoi ils avaient agressé cet homme et ce qu'ils allaient faire de lui.

Il fit le tour de la maison, lorgnant discrètement par les fenêtres. Bizarre. Ils étaient au moins cinq là-dedans. Étaient-ils montés à l'étage ou bien… ?

Il vit une fenêtre donnant sur un sous-sol.

Les voilà.

L'homme, inconscient, était allongé sur le sol. On lui avait passé une chaîne de vélo autour d'un poignet, puis on l'avait enroulée autour d'un tuyau avant de l'attacher à l'autre poignet. Les membres du groupe – Eduardo, Gabrielle, Merton et maintenant Chris – arpentaient la pièce, tels des fauves en cage en attendant la curée.

Une heure s'écoula. Puis deux.

Le type ne bougeait toujours pas. Kuntz se demandait si ce brave Merton n'avait pas occis le pauvre gars, quand ce dernier finit par donner des signes de vie. Kuntz vérifia son Sig Sauer P239. Il utilisait des balles de 9 mm, de sorte que le chargeur en contenait huit. Cela devrait suffire. De toute façon, il avait d'autres munitions dans ses poches, au cas où.

Le pistolet au poing, Kuntz s'approcha de l'entrée du bungalow. La porte n'était pas fermée à clé. Il la poussa et se dirigea sur la pointe des pieds vers le sous-sol.

En haut des marches, il s'arrêta et tendit l'oreille.

Ce qu'il entendit le rassura plutôt. Chris Taylor et ses comparses ne savaient pas qui avait tué leur amie Ingrid. Petit bémol, l'homme qu'ils avaient assommé avait déjà fait le rapprochement entre la mort d'Ingrid et celle d'Heidi. Rien de bien grave – Kuntz s'attendait à ce que ça arrive un jour –, mais la rapidité avec laquelle il y était parvenu le troublait un peu.

Tant pis, de toute façon ils allaient tous y passer, y compris le gars à terre. Pour se donner du courage, il repensa à Robby sur son lit d'hôpital. Tout était là. Fallait-il les laisser exercer leur chantage au mépris de la loi ? Ou allait-il remplir son rôle de père et faire son possible pour soulager les souffrances des siens ?

La question ne se posait même pas.

Accroupi en haut de l'escalier, Kuntz était en train de songer à Barbra et Robby quand Eduardo tourna la tête et l'aperçut.

Il n'hésita pas une seconde.

Puisque Merton était armé, la première balle fut pour lui. Eduardo leva la main comme pour se protéger.

Un réflexe bien dérisoire.

Gabrielle s'était mise à hurler. Kuntz pivota et tira une troisième fois.

Les hurlements cessèrent.

Plus que deux.

Il descendit les marches en courant pour finir le boulot.

Grâce au traceur, Thomas réussit à établir que son père se trouvait près du lac Charmaine à Dingman, Pennsylvanie, quand son portable avait été coupé. Johanna insista pour qu'il retourne en classe et qu'il ne s'inquiète pas ; elle fut en cela soutenue par le proviseur qui, de toute manière, ne l'aurait pas laissée emmener le garçon.

Après avoir passé quelques coups de fil, Johanna réussit à joindre le régulateur de la police municipale de Shohola. Dingman faisait partie de leur juridiction. Elle transmit les coordonnées de géolocalisation et essaya d'expliquer la situation. Mais le flic au standard n'eut pas l'air de saisir le caractère urgent de la situation.

— C'est quoi, le problème ?

— Je vous demande juste d'envoyer quelqu'un sur place.

— O.K., le shérif Lowell dit qu'il ira faire un saut.

Johanna sauta dans la voiture de location et appuya sur le champignon. Elle avait déjà préparé sa plaque, au cas où la police de la route voudrait l'intercepter. Elle leur ferait signe de rouler à sa hauteur et la leur montrerait par la vitre. Une demi-heure plus tard, le flic de Shohola la rappela. La voiture d'Adam avait disparu. Le géolocalisateur n'était pas assez précis pour indiquer la maison – il y en avait plusieurs au bord du lac –, et d'ailleurs qu'attendait-elle d'eux, au juste ?

— Faites du porte-à-porte.

— Je m'excuse, qui a donné l'ordre d'intervenir ?

— Moi. Vous. Peu importe. Deux femmes ont déjà été tuées. L'épouse de cet homme a disparu. Il est parti à sa recherche.

— On va faire de notre mieux.

53

C'EST INOUÏ, TOUT CE QUI PEUT ARRIVER en quelques
fractions de seconde.

Au premier coup de feu, le corps et l'esprit d'Adam
partirent dans dix directions différentes. Il avait déjà
libéré sa main droite, c'était le plus important. La
chaîne n'était plus fixée qu'à son poignet gauche. En
entendant la détonation, il oublia sa douleur à la tête
et aux côtes et roula sur le sol pour tenter de se mettre
à l'abri.

Quelque chose lui éclaboussa le visage : il se rendit
vaguement compte que c'était la cervelle de Merton.

Plusieurs hypothèses affleurèrent simultanément à la
surface de sa conscience. La première était positive : le
tireur était peut-être un flic venu à sa rescousse.

Hélas, l'espoir fut de courte durée : le type aux cheveux longs s'effondra comme une masse. L'instant
d'après, Gabrielle tombait à son tour.

C'était un carnage.

Bouge, vite…

Mais pour aller où ? Il n'y avait pas vraiment d'endroit où se cacher dans ce sous-sol. Adam rampa vers la
droite. Du coin de l'œil, il vit Chris Taylor bondir vers la
fenêtre. Le tireur dévala les marches. Un nouveau coup

de feu claqua. Avec une rapidité surprenante, Chris se hissa sur le rebord et se propulsa dehors.

Mais Adam l'entendit pousser un cri.

Avait-il été touché ?

Peut-être. Difficile à dire.

L'homme qui avait tiré était déjà presque en bas.

Le piège s'était refermé.

Adam pensa à se rendre. En un sens, ils étaient dans le même camp. Cet homme pouvait très bien être une victime de la bande à Chris. Mais ça ne signifiait pas qu'il laisserait des témoins derrière lui. *À tous les coups, c'est lui qui a assassiné Ingrid et Heidi.* Plus Merton maintenant et le gars aux cheveux longs. Gabrielle, se dit-il, était toujours en vie. Il l'entendait gémir à terre.

Il roula encore à droite et se retrouva précisément sous l'escalier que le tireur venait de descendre. L'homme se dirigea vers la fenêtre, sans doute pour voir où était Chris Taylor, mais les gémissements de Gabrielle l'arrêtèrent. Il baissa les yeux sur elle.

Gabrielle leva une main ensanglantée :

— S'il vous plaît…

Il l'abattit à bout portant.

Adam ravala un hurlement. Sans broncher, l'homme alla à la fenêtre.

C'est alors qu'Adam aperçut le pistolet de Merton.

À l'autre bout de la pièce, non loin de la fenêtre. Le tireur avait le dos tourné. Son plan était simple. Remonter en courant, mais ce serait lui offrir une cible trop facile. Ou alors essayer de s'emparer du pistolet, pendant que l'autre ne regardait pas…

Non, attendez, il y avait une troisième option. Ne pas bouger, rester planqué sous l'escalier.

Il ne savait peut-être même pas qu'Adam était là, ne l'ayant pas vu.

Oui, mais non. Il avait tiré sur Merton en premier, or celui-ci se tenait à côté d'Adam. Il n'aurait pas pu voir l'un sans voir l'autre. Il voulait juste s'assurer que personne ne lui échapperait. Il voulait les liquider tous.

La seule solution était de récupérer l'arme.

Ces calculs ne lui avaient pas pris une seconde. Même pas une nanoseconde. Toutes ces réflexions, ces supputations, ces décisions lui avaient traversé l'esprit simultanément, comme si le temps s'était figé pour lui permettre d'y voir plus clair.

Alors, pendant que l'homme lui tournait le dos, Adam sortit de sa cachette et, courbé en deux, traversa la pièce à pas de loup. Il y était presque, il tendait déjà la main quand une chaussure noire surgie de nulle part envoya valser le pistolet hors de sa portée.

Adam s'affala sur le ciment ; impuissant, il regarda le pistolet disparaître sous une commode dans le coin.

Le tireur baissa les yeux et, comme avec Gabrielle, le visa à la tête.

C'était fini.

Trop tard pour réagir, contre-attaquer ou ne serait-ce que l'agripper par la jambe. Adam grimaça et ferma les yeux.

Tout à coup, un pied jaillit par la fenêtre et frappa le tireur à la tête.

Le pied de Chris Taylor.

L'homme chancela, mais, recouvrant vite son équilibre, il pivota vers la fenêtre et tira à deux reprises. Puis il se retourna.

Seulement cette fois, Adam était prêt.

Il s'était relevé d'un bond et, la chaîne de vélo toujours fixée à son poignet gauche, s'en servit comme d'un fléau. L'homme la reçut en pleine figure et rugit de douleur.

Un hurlement de sirènes. Sirènes de police.

345

Adam n'en resta pas là. De l'autre main, il lui envoya un coup de poing, toujours au visage. Le nez en sang, l'autre tenta de le repousser.

Mais il pouvait toujours courir.

Adam l'enveloppa dans une étreinte de fer, et tous deux s'écroulèrent sur le ciment. L'homme en profita pour se dégager et assena à Adam un coup de coude à la tête.

Les étoiles revinrent. Ainsi que la douleur quasi paralysante.

Quasi paralysante.

Le tireur se contorsionna pour libérer sa main avec le semi-automatique...

Le pistolet. Concentre-toi sur le pistolet, Adam.

Les sirènes se rapprochaient.

S'il l'empêchait de se servir de son arme, il avait une chance de s'en sortir. Tant pis pour la douleur. Tant pis pour les élancements à la tête ou ailleurs. Son unique obsession fut de saisir l'autre par le poignet pour le neutraliser.

L'homme se débattit à coups de pied, l'obligeant à desserrer son étreinte. Il avait presque réussi à se libérer et rampait à plat ventre pour s'éloigner d'Adam.

Alors, sans prévenir, Adam lâcha tout. Se croyant libre, l'homme voulut filer. Mais Adam bondit et saisit son poignet à deux mains, plaquant son bras au sol.

L'homme le frappa aux reins. Adam en eut le souffle coupé. Une décharge électrique le parcourut de la tête aux pieds. Mais il ne céda pas. Ni au premier, ni au deuxième coup de poing, même s'il sentait son corps s'engourdir.

Un coup de plus, et il serait obligé de lâcher prise.

Il n'avait plus le choix.

Baissant la tête, il mordit l'intérieur du poignet et serra les dents, tel un chien enragé. L'homme hurla.

Le pistolet tomba par terre.

Adam plongea, refermant les doigts sur la crosse au moment même où l'homme cognait à nouveau.

Sauf que maintenant, l'arme était dans ses mains.

Le tireur lui sauta sur le dos. Adam roula en arrière. Le pistolet décrivit un grand arc de cercle. La crosse du Sig Sauer atterrit sur le nez déjà cassé.

Se relevant, Adam pointa le pistolet sur lui.

— Qu'avez-vous fait de ma femme ?

54

TRENTE SECONDES APRÈS, les flics étaient là.

C'étaient des gars du coin. Johanna arriva peu après. C'est elle qui les avait contactés, après l'avoir localisé avec l'aide de Thomas. Adam était fier de son fils. Il allait l'appeler pour le lui dire.

Mais pas tout de suite.

Il fallut d'abord qu'il s'explique avec la police. Cela prit du temps. Il répondit aux questions, posément, en avocat qu'il était. Et en suivant sa propre prescription : répondre seulement aux questions qu'on vous pose.

Pas plus, pas moins.

Johanna lui dit que le tireur s'appelait John Kuntz, un ancien flic qu'on avait poussé à la démission. Elle n'avait pas encore tous les éléments en main, mais, apparemment, Kuntz était chargé de la sécurité d'une start-up sur le point d'ouvrir son capital au public. Son mobile était d'ordre financier et lié à la maladie de son fils.

Adam accepta de se faire soigner par un infirmier du SAMU, mais refusa d'aller à l'hôpital. Une fois le calme revenu, Johanna posa la main sur son épaule.

— Vous devriez voir un médecin.

— Ça va, je vous assure.

— Les flics n'en ont pas fini avec vous.

— Je sais.

— Les médias vont rappliquer en force, ajouta-t-elle. Vous pensez bien, trois morts.

— Je m'en doute.

Adam consulta sa montre.

— Il faut que j'y aille. J'ai appelé les garçons, mais tant que je ne serai pas rentré, ils ne seront pas totalement rassurés.

— Je vous dépose, sauf si vous préférez vous faire raccompagner par la police.

— Ça ira, répondit Adam. J'ai ma voiture.

— Ils ne vous laisseront pas repartir avec, c'est devenu une pièce à conviction.

Il n'y avait pas réfléchi.

— Montez, fit Johanna. Je vous emmène.

Ils se turent pendant un moment. Adam tripota son téléphone, en profita pour rédiger un mail. Puis il se cala dans son siège. L'infirmier lui avait donné un cachet contre la douleur, et ça l'avait à moitié assommé. Il ferma les yeux.

— Reposez-vous, dit Johanna.

D'accord, mais pas tout de suite.

— Vous repartez quand ? lui demanda Adam.

— Je ne sais pas. Je vais peut-être rester encore quelques jours.

— Pour quoi faire ?

Il entrouvrit les yeux pour l'observer de profil.

— Vous l'avez, l'assassin de votre amie, non ?

— C'est vrai.

— Ça ne vous suffit pas ?

— En fait...

Johanna pencha la tête.

— Ce n'est pas tout à fait terminé, hein, Adam ?

— Il me semble que si.

— On a encore quelques questions qui n'ont pas trouvé de réponses.

— Ils vont arrêter l'inconnu.

— Je ne parlais pas de lui.

Il s'en doutait un peu.

— Vous êtes inquiète pour Corinne.

— Pas vous ?

— Pas autant, répliqua-t-il.

— Je peux savoir pourquoi ?

Adam prit son temps, choisissant les mots avec soin.

— Les médias, vous l'avez dit vous-même. Tout le monde va la chercher. Du coup, elle rentrera probablement toute seule. Mais plus j'y pense, plus la réponse me paraît évidente.

Johanna arqua un sourcil.

— Expliquez-moi.

— Je persiste à vouloir croire que je n'y suis pour rien. Au début, j'ai cru que son départ était lié à quelque chose de plus grave, un genre de complot fomenté par Chris Taylor et sa bande, quelque chose comme ça.

— Et maintenant ?

— Maintenant, je vois les choses autrement.

— Mais encore ?

— Chris Taylor a révélé le secret le mieux gardé et le plus douloureux de ma femme. Et on sait les dégâts que ça peut provoquer.

— C'est clair, acquiesça Johanna.

— Oui, mais surtout, ça vous met à nu. Ça vous démolit, vous et votre vision de la vie.

Adam referma les yeux.

— Après un séisme pareil, il faut du temps pour se reconstruire, pour envisager l'avenir.

— Vous pensez donc que Corinne... ?

— Le rasoir d'Occam, dit Adam. L'explication la plus simple est généralement la bonne. Corinne m'a écrit qu'il lui fallait un peu de temps. C'était il y a quelques jours à peine. Elle reviendra quand elle sera prête.

— Vous m'avez l'air bien sûr de vous.

Il ne répondit pas.

Elle mit le clignotant.

— Vous voulez faire un saut et vous débarbouiller avant de rentrer ? Vous avez du sang sur vous.

— Ça ira.

— Vous allez traumatiser les garçons.

— Mais non, ils sont plus résilients que vous ne le croyez.

Quelques minutes plus tard, elle le déposait devant chez lui. Adam lui adressa un signe de la main et attendit qu'elle redémarre. Il n'entra pas dans la maison. Les garçons n'étaient pas là, de toute façon. Durant un moment d'accalmie là-bas au bord du lac, il avait appelé Kristin Hoy pour lui demander d'aller chercher ses fils après la classe et de les garder chez elle pour la nuit.

— Bien sûr, avait dit Kristin. Ça va, Adam ?

— Impeccable. Merci, Kristin, tu me rends un grand service.

Le minivan de Corinne qu'on avait retrouvé sur le parking de l'hôtel était garé dans l'allée. Adam se glissa à l'intérieur. Le siège du conducteur était imprégné de l'odeur de Corinne. L'effet du médicament commençait à se dissiper, et la douleur était en train de se réveiller. Tant pis, il ferait avec. Un seul impératif, il devait pouvoir réagir au quart de tour. Il avait son iPhone à la main. La police l'avait autorisé à le récupérer. Il leur avait dit que Chris Taylor l'avait balancé sous la vieille commode, et ils l'avaient laissé fouiller dessous.

Sauf que ce n'était pas son iPhone qu'il voulait récupérer mais le pistolet de Merton.

Un autre agent était venu annoncer qu'il avait retrouvé le portable d'Adam en haut. La batterie avait été retirée. Adam l'avait remercié et avait remis la batterie en place. Le pistolet était déjà caché dans sa ceinture. Il lui était rentré dans les côtes pendant tout le trajet en voiture avec Johanna, mais il n'avait pas osé le changer d'endroit.

Ce pistolet, il en avait besoin.

Il expédia le mail écrit sur la route à Andy Gribbel. Dans le champ objet, il avait marqué :

NE PAS LIRE AVANT DEMAIN MATIN

Si par hasard ça tournait mal, Gribbel lirait son message dans la matinée et l'enverrait à Johanna et au vieux Rinsky. Adam avait hésité à leur en parler, mais il savait qu'ils feraient tout pour l'empêcher de passer à l'acte. La police se mêlerait de l'affaire ; les suspects feraient appel à des avocats comme lui pour les défendre, et la vérité ne sortirait jamais du puits.

Non, il devait régler ça à sa façon.

Il se rendit à l'église luthérienne, se gara à l'entrée du gymnase et attendit. Il pensait savoir ce qui s'était passé, mais quelque chose continuait à le tarauder… quelque chose le gênait, l'avait gêné depuis le début.

Il sortit son portable, relut le texto de Corinne.

ON DEVRAIT PEUT-ÊTRE FAIRE UN BREAK. PRENDS SOIN DES ENFANTS. N'ESSAIE PAS DE ME CONTAC-TER. TOUT IRA BIEN.

Juste à ce moment-là, Bob « Gaston » Baime sortit de son pas chaloupé habituel. Il prit congé des autres hommes en leur tapant dans la paume de la main. Il portait un short trop court et une serviette autour du cou. Adam lui laissa le temps d'arriver à sa voiture avant de descendre.

— Salut, Bob.

Bob fit volte-face.

— Salut, Adam. Tu m'as fait peur. Qu'est-ce qui… ?

Adam lui expédia un direct à la mâchoire. Le gros bonhomme s'affala sur le siège, les yeux écarquillés de stupeur. S'approchant de la portière, Adam lui planta le canon du pistolet au visage.

— Ne bouge pas.

Bob pressait la main sur sa bouche pour arrêter le flot de sang. Se glissant sur la banquette arrière, Adam pressa le pistolet contre son cou.

— Non, mais qu'est-ce qui te prend, Adam ?

— Où est ma femme ?

— Hein ?

Il enfonça le pistolet dans les replis de sa nuque.

— Donne-moi juste une raison.

— Je ne sais pas où est ta femme.

— CBW Inc., Bob.

Silence.

— C'est toi qui les as engagés ?

— Je ne vois pas de quoi…

Adam lui assena un coup de crosse sur l'épaule.

— Putain !

— Réponds-moi.

— Ça fait mal, bordel. Ça fait très mal.

— CBW est la société d'investigation de ton cousin Daz. Tu as fait appel à lui pour déterrer des saloperies sur Corinne.

Bob ferma les yeux et gémit.

— Vrai ou faux ?

Adam le frappa à nouveau.

— Réponds ou je te bute.

Bob baissa la tête.

— Je suis désolé, Adam.

— Explique-toi.

— Je ne voulais pas… C'est juste que… il me fallait quelque chose, tu comprends.

Adam lui enfonça de nouveau le pistolet dans le cou.

— Quoi ? Qu'est-ce qu'il te fallait ?

— Quelque chose sur Corinne.

— Pourquoi ?

Le gros bonhomme se tut.

— Pourquoi voulais-tu traîner ma femme dans la boue ?

— Vas-y, Adam.

— Quoi ?

Bob se retourna.

— Tire. C'est moi qui te le demande. Je n'ai plus rien. Je ne trouve pas de boulot. Notre maison a été saisie. Melanie va me quitter. Vas-y. S'il te plaît. J'ai souscrit une bonne assurance auprès de Cal. Ce sera mieux pour les garçons.

Les garçons…

Adam se figea, repensant au SMS de Corinne.

Les garçons…

— Fais-le, Adam. Appuie sur la détente.

Il secoua la tête.

— Pourquoi as-tu voulu nuire à ma femme ?

— Parce qu'elle voulait me nuire.

— Comment ça ?

— L'argent volé, Adam.

— Eh bien ?

— Corinne allait me faire porter le chapeau. C'était sa parole contre la mienne, et là, je n'avais aucune chance.

Imagine un peu. La gentille Corinne, professeur de lycée, appréciée de tous. Et moi, sans travail, bientôt sans domicile. Qui me croirait ?

— Du coup, tu as décidé de prendre les devants ?

— Je n'avais pas le choix. J'ai demandé à Daz de jeter un œil sur son passé, rien d'autre. Bien sûr, il n'a rien trouvé. Corinne, c'est Mme Propre. Alors il a donné son nom à l'une de ses sources aux méthodes… (Il esquissa des guillemets dans l'air.)… «peu orthodoxes».

— Cet argent, Bob, c'est toi qui l'as pris ?

— Non. Mais va le prouver. Quand Tripp m'a révélé que Corinne cherchait à me mettre ça sur le dos…

Ce fut comme si un voile se déchirait soudain devant ses yeux.

Les garçons…

— Tripp ? articula Adam, la gorge sèche. Tripp t'a raconté que Corinne t'accusait du vol ?

— Oui. Il m'a juste dit qu'il fallait qu'on trouve une solution, c'est tout.

Tripp Evans. Qui avait cinq enfants. Trois garçons. Deux filles.

Les enfants…

Les garçons…

Adam repensa au texto.

ON DEVRAIT PEUT-ÊTRE FAIRE UN BREAK.
PRENDS SOIN DES ENFANTS.

Corinne ne disait jamais « les enfants » en parlant de Thomas et Ryan.

Elle les appelait « les garçons ».

55

SON MAL DE CRÂNE PRENAIT des proportions insoutenables, monstrueuses.

À chaque pas, un éclair lui transperçait le cerveau. L'infirmier lui avait donné quelques cachets en plus, au cas où. Il fut tenté de les prendre, quitte à se retrouver dans les vapes.

Mais non, il fallait qu'il tienne bon.

Tout comme deux jours auparavant, il dépassa le Met-Life Stadium et se gara devant l'immeuble de bureaux bon marché. L'odeur putride de marécage monta à l'assaut de ses narines. Les dalles en PVC à l'assemblage incertain couinèrent sous ses pas. Il frappa à la même porte au rez-de-chaussée.

Comme deux jours plus tôt, Tripp Evans lui ouvrit.

— Adam ?

Et, comme deux jours plus tôt, Adam questionna :

— Pourquoi ma femme t'a téléphoné, l'autre matin ?

— Quoi ? Mon Dieu, tu es dans un état ! Qu'est-ce qui t'est arrivé ?

— Pourquoi Corinne t'a appelé ?

— Je te l'ai déjà dit.

Tripp s'écarta.

— Allez, entre et assieds-toi. C'est du sang sur ta chemise ?

Adam n'avait encore jamais mis les pieds dans son bureau. Tripp avait tout fait pour l'en empêcher, et pour cause. C'était un taudis. Une pièce unique, à la moquette usée. Le papier peint gondolait sur les murs. L'ordinateur était un vieux modèle.

Habiter une ville comme Cedarfield revenait cher. Comment Adam ne s'en était-il pas rendu compte plus tôt ?

— Je suis au courant, Tripp.

— Au courant de quoi ?

Tripp scruta son visage.

— Tu devrais aller voir un médecin.

— C'est toi qui as détourné l'argent de la ligue de lacrosse, pas Corinne.

— Mon Dieu, tu as du sang partout.

— En fait, c'est tout le contraire de ce que tu m'as raconté. Tu as demandé un délai à Corinne, pas l'inverse. Et tu en as profité pour la piéger. Je ne sais pas comment. J'imagine que tu as falsifié les comptes. Tu as planqué l'argent. Tu as dressé la ligue contre elle. Et tu es allé dire à Bob qu'elle avait l'intention de lui mettre ça sur le dos.

— Adam, écoute-moi. Assieds-toi, veux-tu ? Qu'on en discute au calme.

— Je n'arrête pas de penser à la réaction de Corinne quand je lui ai parlé de son histoire de grossesse bidon. Elle n'a pas nié. Ce qui la préoccupait, c'est comment je l'avais découvert. Elle s'est doutée que tu étais derrière tout ça. Que c'était une manière d'avertissement. C'est pour ça qu'elle t'a appelé. Pour te faire comprendre qu'elle en avait assez. Et toi, Tripp, que lui as-tu dit ?

Il ne prit pas la peine de répondre.

— L'as-tu suppliée de te laisser une dernière chance ? Lui as-tu donné rendez-vous pour tenter de t'expliquer ?

— Tu as une de ces imaginations, Adam.

Adam secoua la tête, s'efforçant de garder les idées claires.

— Et ces considérations philosophiques sur la petite vieille ou le membre de la ligue qui détourne de l'argent en toute bonne foi. Ça commence par de petites choses. Un plein d'essence. Une tasse de café.

Adam fit un pas en avant.

— C'est comme ça que ça s'est passé ?

— Je ne vois absolument pas de quoi tu veux parler.

Adam déglutit ; ses yeux s'emplirent de larmes.

— Elle est morte, n'est-ce pas ?

Silence.

— Tu as tué ma femme.

— Tu ne le penses pas sérieusement.

Adam tremblait de tout son corps maintenant.

— On vit un rêve, hein, Tripp ? C'est bien ton leitmotiv, non ? Cette chance qu'on a. On devrait être reconnaissants. Tu as épousé Becky, ton amour de jeunesse. Tu as cinq beaux enfants. Tu es prêt à tout pour eux, non ? Qu'adviendrait-il de ton rêve si on apprenait que tu n'es qu'un vulgaire escroc ?

Se redressant, Tripp Evans lui indiqua la porte.

— Sors de mon bureau.

— C'était toi ou Corinne. Pour toi, la situation se résumait à ça. C'est ta famille qui trinquait ou la mienne. Pour un type comme toi, il n'y avait pas photo.

— Sors d'ici, répéta Tripp froidement.

— Ce SMS que tu as envoyé en te faisant passer pour elle. J'aurais dû y voir clair depuis le début.

— Qu'est-ce que tu me chantes ?

— Tu l'as tuée. Puis, pour gagner du temps, tu m'as

envoyé ce SMS. Pour me faire croire qu'elle avait besoin de prendre l'air… et même si j'avais des doutes, si je commençais à m'inquiéter, la police ne m'écouterait pas. Ils n'auraient même pas enregistré ma plainte. Tu le savais, n'est-ce pas ?

Tripp secoua la tête.

— Tu interprètes tout de travers.

— Si seulement.

— Tu ne peux rien prouver.

— Prouver ? Peut-être pas. Mais je connais la vérité.

Adam brandit son portable.

— « Prends soin des enfants. »

— Comment ?

— C'est dans ton SMS. Prends soin des enfants.

— Oui, et alors ?

— Corinne n'appelait jamais Thomas et Ryan « les enfants ».

Il sourit malgré son cœur en lambeaux.

— Ils étaient « les garçons ». Ses garçons. Elle n'a pas pu écrire ce SMS.

— C'est ça, ta preuve ?

Tripp faillit éclater de rire.

— Et tu t'imagines que quelqu'un va croire ton histoire à dormir debout ?

— Oui.

Adam sortit le pistolet de sa poche et le mit en joue. Les yeux de Tripp s'agrandirent.

— Holà, calme-toi et écoute-moi une seconde.

— Je n'ai plus très envie d'entendre tes mensonges, Tripp.

— C'est que… j'attends Becky d'une minute à l'autre.

— Parfait.

Adam rapprocha l'arme de son visage.

— Et ton petit manuel de philosophie, il en dit quoi ? Œil pour œil peut-être ?

Pour la première fois, Tripp Evans tomba le masque, laissant entrevoir la noirceur en dessous.

— Tu ne lui feras pas de mal.

Ils se défièrent du regard. Aucun des deux ne bougea. Puis, imperceptiblement, Tripp changea d'attitude. Il hocha la tête comme en écho à ses propres pensées et, se penchant en arrière, attrapa les clés de sa voiture.

— Allons-y.

— Quoi ?

— Je ne veux pas que Becky te trouve ici. Viens, on y va.

— Et où ça ?

— Tu voulais la vérité, non ?

— Si c'est une ruse de ta part…

— Non, Adam. Tu verras la vérité de tes propres yeux. Et ensuite, tu feras ce que tu voudras. C'est un marché que je te propose. Mais dépêche-toi. Je ne tiens pas à ce que ça retombe sur Becky, tu comprends ?

Tripp ouvrit la marche. Adam lui emboîta le pas, le pistolet toujours braqué sur lui. Il pensa soudain à l'effet que ça ferait s'ils croisaient quelqu'un et le glissa dans la poche de sa veste. Mais il continuait à le pointer vers Tripp comme on le voit faire dans les mauvais films.

Ils sortirent au moment même où la Dodge Durango familière arrivait sur le parking. Les deux hommes s'immobilisèrent.

— Si tu touches à un de ses cheveux…, chuchota Tripp.

— Débarrasse-toi d'elle, rétorqua Adam, laconique.

Éternellement souriante, Becky Evans agita la main avec exubérance et s'arrêta à leur hauteur.

— Salut, Adam.

Rien ne semblait pouvoir entamer sa joie de vivre.

— Bonjour, Becky.

— Qu'est-ce que tu fais ici ?

Adam regarda Tripp. Qui répondit à sa place :

— On a un souci avec le match des classes de sixième.

— Je croyais que c'était demain soir.

— Justement. On risque de se faire éjecter du tournoi pour une histoire d'inscription. Alors Adam et moi, on va faire un saut là-bas pour essayer de régler ça.

— Oh non, on devait dîner ensemble !

— Mais ça tient toujours, chérie. On en a pour une heure ou deux maxi. À mon retour, on ira chez Baumgart's, O.K. ? Rien que toi et moi.

Becky hocha la tête, mais, pour la première fois, son sourire vacilla.

— Pas de problème.

Elle se tourna vers Adam.

— Fais attention à toi, Adam.

— Toi aussi.

— Embrasse Corinne pour moi. Il faudra qu'on sorte un de ces jours, tous les quatre.

Il parvint à articuler :

— Avec plaisir.

Becky les salua gaiement et repartit. Tripp la suivit du regard. Il avait les larmes aux yeux. Ils montèrent dans sa voiture ; Adam serrait toujours le pistolet dans sa main. Tripp semblait s'être calmé. Il accéléra et prit la route 3.

— Où va-t-on ? demanda Adam.

— Dans le parc naturel Mahlon Dickerson.

— Près du lac Hopatcong ?

— C'est ça.

— Les parents de Corinne avaient une maison là-bas. Quand elle était petite.

— Je sais. Becky y était allée avec elle quand elles

étaient à l'école primaire. C'est pour ça que j'ai choisi cet endroit.

Son taux d'adrénaline était en train de chuter. La douleur sourde qui lui vrillait les tempes revint avec une force renouvelée. Il se sentait étourdi, épuisé. Tripp bifurqua sur l'interstate 80. Adam cilla et resserra les doigts sur la crosse. Il connaissait le trajet : ils étaient environ à une demi-heure de leur destination. Le soleil commençait à descendre sur l'horizon, mais il devrait faire jour encore une bonne heure au moins.

Son portable sonna : Johanna Griffin. Il ne répondit pas. En empruntant la bretelle de sortie vers la route 15, Tripp rompit le silence :

— Adam ?

— Oui ?

— Ne refais plus jamais ça.

— Ça, quoi ?

— Ne t'avise pas de menacer ma famille.

— Elle est bien bonne, répondit Adam, venant de toi.

Tripp tourna la tête et, croisant son regard, répéta :

— Ne t'avise pas de menacer ma famille.

Le ton de sa voix fit courir un frisson le long de l'échine d'Adam.

La voiture s'engagea sur un chemin de terre dans les bois. Tripp se gara sous les arbres et coupa le contact. Adam leva le pistolet.

— Viens, lança Tripp en ouvrant sa portière. Finissons-en.

Adam descendit, toujours sur ses gardes. Si Tripp avait une idée derrière la tête, l'endroit était idéal pour y mettre son plan à exécution. Mais sans hésiter, Tripp s'enfonça dans les bois. Il n'y avait pas de sentier, néanmoins on pouvait passer facilement. Tripp marchait d'un pas énergique. Adam essayait de suivre, mais dans son état, cela lui était difficile. Il se demandait si ce n'était pas ça, son plan : le distancer pour mieux le semer ou bien l'attaquer par surprise en profitant du manque de lumière.

— Ralentis, lui dit-il.

— Tu veux la vérité, oui ou non ?

La voix de Tripp avait une intonation quasi chantante.

— Alors avance.

— Ton bureau, fit Adam.

— Quoi ? Oh, c'est un bouge, c'est ça que tu penses ?

— Je croyais que tu t'étais fait des couilles en or dans une grosse boîte de Madison Avenue.

— Ils ont dû me garder à peu près cinq minutes avant de me remercier. Vois-tu, j'étais sûr d'avoir toujours du boulot grâce au magasin de sport de papa. J'avais mis tous mes œufs dans le même panier. Du coup, quand ça a capoté, j'ai tout perdu. J'ai bien essayé de voler de mes propres ailes, mais bon, tu as vu le résultat.

— Tu étais fauché.

— Ouais.

— Et il y avait assez d'argent dans les caisses de la ligue de lacrosse.

— Largement plus qu'assez. Tu connais Sydney Gallonde ? Le gars friqué avec lequel j'étais au lycée ? Il était nul au lacrosse. Il passait sa vie sur le banc de touche. Eh bien, il nous a donné cent mille dollars parce que je l'avais travaillé au corps. Oui, moi. Il y a eu d'autres donateurs aussi. À mon arrivée, ils avaient à peine de quoi se payer un poteau de but. Maintenant, on a des terrains engazonnés, des tenues pour chaque équipe et...

Tripp s'interrompit.

— Tu vas encore dire que je cherche à me justifier.

— En effet.

— Peut-être. Mais, Adam, tu n'es pas naïf au point de voir le monde en noir et blanc ?

— Pas vraiment.

— C'est toujours eux ou nous. La vie se réduit à ça. Les guerres servent à ça. Chaque jour, nous prenons des décisions pour protéger nos proches, même si c'est au détriment des autres. Tu achètes à ton fils une nouvelle paire de crampons pour le lacrosse. Avec cet argent, tu pourrais peut-être sauver un enfant qui meurt de faim en Afrique. Mais non, tu préfères le laisser mourir. Eux ou nous. Tout le monde fait pareil.

— Tripp ?

— Quoi ?

— Le moment est mal choisi pour débiter ce genre de conneries.

— Tu as raison.

Tripp s'arrêta au milieu des arbres, s'agenouilla et se mit à tâter le sol. Sa main écarta brindilles et feuilles mortes. Reculant de deux pas, Adam leva le pistolet.

— Je n'ai pas l'intention de t'attaquer, Adam. Ce n'est pas utile.

— Qu'est-ce que tu fais ?

— Je cherche quelque chose… ah, ça y est.

Il se releva.

Avec une pelle.

Adam sentit ses jambes flageoler.

— Oh non…

Tripp ne broncha pas.

— Tu avais raison, tu sais. Au final, c'était ma famille ou la tienne. Une seule pouvait survivre. Alors dis-moi, Adam, qu'aurais-tu fait à ma place ?

Adam ne put que secouer la tête.

— Non…

— Tu as pratiquement tout compris. J'ai pris l'argent, mais j'étais bien décidé à le rendre. Je ne vais pas recommencer à me chercher des excuses. Corinne a tout découvert. Je l'ai suppliée de se taire, disant que ça allait me détruire. J'essayais de gagner du temps. En réalité, je n'avais aucun moyen de rendre cet argent. Pas dans un avenir proche. C'est vrai, je m'y connais en comptabilité. Je l'ai tenue au magasin pendant des années. J'ai donc modifié les écritures pour que les soupçons se portent sur elle. Sans qu'elle le sache, bien sûr. Il se trouve qu'elle m'a écouté et n'en a soufflé mot à personne. Pas même à toi, hein ?

— Non, répondit Adam. Elle ne m'a rien dit.

— Ensuite je suis allé voir Bob et Cal, et – prétendument à regret – Len. Pour les informer que Corinne avait détourné de l'argent. Curieusement, Bob était le moins convaincu des trois. Alors je lui ai dit que quand j'en ai parlé à Corinne, elle l'a accusé, lui.

— Là-dessus, Bob a fait appel à son cousin.

— Ça, je ne l'avais pas prévu.

— Où est Corinne maintenant ?

— Tu te tiens pile là où je l'ai enterrée.

Comme ça, de but en blanc.

Adam se força à regarder le sol. Pris de vertige, il n'essaya même pas de se retenir. La terre sous ses pieds avait été retournée récemment, ça se voyait. Il s'affaissa sur le côté et s'appuya contre un arbre, respirant convulsivement.

— Ça ne va pas, Adam ?

Il déglutit et leva le pistolet. *Reprends-toi, reprends-toi, reprends-toi...*

— Creuse, ordonna-t-il.

— À quoi bon ? Elle est là, je te dis.

Toujours étourdi, Adam se releva en titubant et lui enfonça le pistolet entre les mâchoires.

— Creuse.

Tripp haussa les épaules et le contourna. Adam le

gardait en joue, s'efforçant de ne pas ciller. Il enfonça la pelle, rejeta la terre sur le côté.

— Raconte-moi la suite, dit Adam.

— La suite, tu la connais déjà. Quand tu lui as ressorti son histoire de fausse grossesse, Corinne a piqué une colère. Elle en avait assez. Elle allait me dénoncer. J'ai dit O.K., je comprends, je vais tout avouer. J'ai suggéré qu'on se voie à l'heure du déjeuner pour accorder nos violons. Elle n'était pas très chaude, mais je sais me montrer persuasif.

Il continuait à creuser, pelletée après pelletée.

— Où l'as-tu retrouvée ? demanda Adam.

Tripp jeta de la terre sur le tas qui grossissait à vue d'œil.

— Chez vous. Je suis passé par le garage. Corinne est sortie à ma rencontre. Elle ne voulait pas que je mette les pieds dans la maison, figure-toi. Comme si c'était une place forte réservée à sa famille.

— Et alors, qu'as-tu fait ?

— À ton avis ?

Tripp regarda l'excavation et sourit. Puis il s'écarta pour qu'Adam puisse voir.

— J'ai tiré sur elle.

Adam jeta un œil dans le trou, et son cœur cessa de battre. Là, dans la poussière, gisait Corinne.

Ses genoux fléchirent. Se laissant tomber à côté d'elle, il se mit à balayer la terre de son visage. Elle avait les yeux clos, et elle était toujours aussi belle.

— Non... Corinne... Oh, mon Dieu... je vous en supplie...

Éperdu, il pressa sa joue contre la sienne, froide et sans vie, et éclata en sanglots.

Quelque part, très vaguement, il se souvint que Tripp était là, armé d'une pelle, et leva les yeux.

Mais ce dernier n'avait pas bougé.

Il restait immobile, un petit sourire aux lèvres.

— C'est bon, on y va, Adam ?

— Quoi ?

— On rentre.

— Qu'est-ce que tu racontes ?

— Je te l'ai dit dans mon bureau. Tu connais la vérité maintenant. C'est fini. Il faut qu'on l'enterre à nouveau.

— Tu as perdu la tête ? bégaya Adam, hagard.

— Non, mon ami, mais peut-être que toi, oui.

— Quoi ?

— Je regrette de l'avoir tuée, sincèrement. Mais je ne voyais pas d'autre issue. Encore une fois, on tue pour protéger les siens. Ta femme menaçait ma famille. Qu'aurais-tu fait, toi ?

— Je n'aurais pas volé dans la caisse.

— C'est fait, Adam.

Ce fut comme si une porte d'acier se refermait en claquant.

— Maintenant, il est temps de passer à autre chose.

— Tu es complètement cinglé.

— Et toi, tu n'y as pas vraiment réfléchi.

Le sourire revint sur ses lèvres.

— Les comptes de la ligue de lacrosse sont un inextricable fouillis. Une chatte n'y retrouverait pas ses petits. Mets-toi à la place de la police. Tu as découvert que Corinne t'avait piégé en feignant d'être enceinte. Vous vous êtes violemment disputés. Le lendemain, elle a été abattue dans votre garage. J'ai nettoyé un peu, mais il doit rester encore des traces de sang. J'ai utilisé le produit qui est sous l'évier. J'ai jeté les chiffons ensanglantés dans votre poubelle. Tu commences à piger, Adam ?

Son regard glissa sur le visage de Corinne.

— J'ai mis le corps dans le coffre de sa propre voiture.

Et cette pelle, elle ne te rappelle rien ? Elle devrait pourtant. Je l'ai prise dans votre garage.

Adam ne quittait pas sa femme des yeux.

— Si ça ne suffit pas, les caméras de vidéosurveillance dans le couloir de mon bureau montreront que tu m'as menacé avec une arme. Si on retrouve mon ADN sur le cadavre, ma foi, tu m'auras forcé à la déterrer. Tu l'as tuée, l'as enterrée ici, tu as garé sa voiture près de l'aéroport, mais pas sur le parking de l'aéroport même, car tout le monde sait que c'est bourré de caméras. Puis, pour te laisser le temps de te retourner, tu t'es envoyé un SMS de sa part. Et, pour brouiller un peu plus les pistes, tu as, mettons, balancé son portable à l'arrière d'un camion de livraison. Comme ça, si on cherchait à la localiser, on penserait qu'elle était partie en voiture, du moins tant que la batterie était chargée. Ça ne ferait qu'ajouter à la confusion.

Adam secoua la tête.

— Personne ne va gober une histoire pareille.

— Bien sûr que si. Regardons les choses en face. Tu es le mari. C'est beaucoup plus logique que de m'accuser moi, tu ne crois pas ?

Adam contempla sa femme. Ses lèvres étaient violacées. Corinne n'avait pas l'air paisible dans la mort. Elle paraissait perdue, effrayée et seule. Il lui caressa la joue. Tripp avait raison sur un point. C'était fini, quoi qu'il arrive désormais. Corinne était morte. La compagne de ses jours ne reviendrait plus. Ryan et Thomas, leurs garçons – *ses* garçons – ne connaîtraient plus jamais le réconfort et l'amour maternels.

— Ce qui est fait est fait, Adam. C'est repos maintenant. Ne jetons pas d'huile sur le feu.

Soudain, Adam remarqua quelque chose qui lui coupa la respiration une fois de plus.

Les lobes d'oreilles de Corinne.

Ses lobes d'oreilles étaient… nus. En un flash, il revit la bijouterie dans la 47e Rue, le restaurant chinois, le serveur les apportant sur un plat, le sourire de Corinne, le soin avec lequel elle les retirait chaque soir pour les poser sur la table de chevet.

Non content de l'avoir tuée, Tripp avait dépouillé le cadavre de ses dormeuses en diamant.

— Une dernière chose, fit ce dernier.

Adam se redressa.

— Si jamais tu t'approches des miens, dit Tripp, si tu les menaces… eh bien, j'ai déjà prouvé de quoi je suis capable.

— En effet.

Adam leva son arme, le visa à la poitrine et tira trois fois de suite.

56

SIX MOIS PLUS TARD

LE MATCH DE LACROSSE AVAIT LIEU sous une sorte de chapiteau gonflable au nom ronflant de Superdome. Thomas participait au championnat en salle dans le cadre de la saison d'hiver. Ryan était là aussi. Il surveillait son frère d'un œil, tout en jouant au ballon avec deux ou trois autres mômes dans un coin. Souvent aussi, il se tournait vers son père. C'était une habitude qu'il avait prise, de chercher Adam des yeux comme s'il risquait de se volatiliser d'un instant à l'autre. Adam comprenait et faisait de son mieux pour le rassurer, mais que pouvait-il faire de plus ?

Il n'avait pas envie de mentir aux garçons. Mais, en même temps, il voulait qu'ils soient heureux et bien dans leur peau.

Tous les parents jonglent avec ces impératifs-là. La mort de Corinne n'y avait rien changé. Sauf peut-être à se dire qu'un bonheur bâti sur le mensonge n'est pas fait pour durer.

Johanna Griffin poussa la porte en Plexiglas, contourna la cage de but et le rejoignit derrière la ligne de touche face au terrain.

— Thomas est le numéro onze, hein ?

— Oui, acquiesça Adam.

— Comment ça se passe pour lui ?

— Tout baigne. L'entraîneur de Bowdoin est prêt à le recruter.

— Super ! C'est un établissement réputé, non ? Il va y aller ?

Adam haussa les épaules.

— C'est à six heures de route. Avant tout ça, j'aurais dit oui. Mais maintenant…

— Il préfère ne pas trop s'éloigner de chez lui.

— Exactement. Nous pouvons toujours déménager, bien sûr. Il n'y a plus rien qui nous retient à Cedarfield.

— Pourquoi restez-vous, alors ?

— Je ne sais pas. Les garçons ont déjà beaucoup perdu. Ils ont grandi ici. Ils ont leur école, leurs amis.

Sur le terrain, Thomas récupéra une balle perdue et fonça en avant.

— Leur maman est ici aussi. Dans cette maison. Dans cette ville.

Johanna hocha la tête.

Adam se tourna vers elle.

— Je suis content de vous voir.

— Pareillement.

— Vous êtes là depuis quand ?

— Quelques heures. Le verdict sera prononcé demain.

— Vous savez déjà que Kuntz va prendre perpète.

— Oui, mais je tenais à être présente. Et je voulais aussi m'assurer que vous étiez officiellement blanchi.

— C'est fait. Je l'ai su la semaine dernière.

— Tout de même, je voulais l'entendre dire par le juge.

Johanna jeta un regard en direction des autres parents, dont Bob Baime, assis tous ensemble dans les gradins.

— Vous êtes toujours seul à suivre le match depuis la ligne de touche ?

— Maintenant, oui, répondit Adam. Mais je ne le prends pas personnellement. Souvenez-vous, je vous ai parlé de cette histoire de vivre un rêve.

— Exact.

— Je suis la preuve vivante que le rêve est quelque chose d'éphémère. Ils le savent tous, bien sûr, mais personne n'a envie qu'on le lui rappelle constamment.

Ils continuèrent à regarder le match.

— On n'a rien de nouveau sur Chris Taylor, reprit Johanna. Il est toujours en cavale. Mais bon, ce n'est pas non plus l'ennemi public numéro un. Son seul crime, c'est d'avoir fait chanter des gens qui ne veulent pas porter plainte pour ne pas dévoiler leurs secrets. Même si on l'arrête, au pire il écopera d'une peine de prison avec sursis. Ça vous irait ?

— Je passe mon temps à y réfléchir, répliqua Adam avec un haussement d'épaules.

— Comment ça ?

— S'il n'avait pas exhumé le secret de Corinne, tout cela ne serait peut-être jamais arrivé. Alors je me pose la question : est-ce l'inconnu qui a tué ma femme ? Ou sa propre décision de faire semblant de tomber enceinte ? Ou bien est-ce moi, pour n'avoir pas mesuré le sentiment d'insécurité que j'avais suscité chez elle ? Il y a de quoi devenir chèvre avec ce genre de raisonnement. On peut s'interroger sans fin sur le pourquoi du comment, mais, en définitive, il n'y a qu'un seul coupable. Et il est mort. Je l'ai abattu.

Thomas effectua une passe et gagna la zone que l'on nomme le X en jargon de lacrosse, située derrière la cage de but. D'après le rapport médical, la première balle avait suffi. Elle avait traversé le cœur de Tripp Evans, le tuant sur le coup. Adam sentait encore le poids du pistolet dans sa main, le recul lorsqu'il avait pressé la détente.

Il revoyait le corps de Tripp qui s'affaissait et entendait l'écho des coups de feu dans la forêt silencieuse.

Dans les premières secondes, il n'avait pas bronché. Il était comme pétrifié. Il n'avait pas songé aux conséquences. Il voulait juste rester à côté de sa femme. Il s'était penché sur Corinne, l'avait embrassée et avait libéré ses larmes.

Jusqu'à ce qu'il entende la voix de Johanna :

— Il faut faire vite, Adam.

Elle l'avait suivi. Lentement, elle avait retiré le pistolet de sa main pour le placer dans la main de Tripp. Puis, posant son doigt sur le sien, elle avait tiré trois fois afin de laisser un résidu de poudre sur sa peau. Elle avait pris l'autre main de Tripp et gratté Adam avec, de sorte qu'on retrouve son ADN sous les ongles de Tripp. Adam avait obéi à ses ordres tel un somnambule. Leur version fut celle de la légitime défense. Elle n'était pas parfaite. Il y avait des lacunes, ce qui avait généré beaucoup de scepticisme, mais, au final, les preuves matérielles associées au propre témoignage de Johanna, qui avait entendu les aveux de Tripp Evans, avaient coupé court à toute éventualité de poursuites.

Adam était libre.

Il n'en restait pas moins responsable de son acte. Il avait tué un homme. On ne vous délivre pas de dispense dans des cas pareils. Cette pensée hantait son sommeil, l'empêchant de fermer l'œil la nuit. Mais avait-il seulement eu le choix ? Vivant, Tripp Evans représentait un danger pour sa famille. Et, quelque part, l'être primitif en lui se réjouissait d'avoir pu venger sa femme et protéger ses garçons.

— Je peux vous poser une question ? demanda-t-il.

— Bien sûr.

— Vous dormez bien, vous ?

Johanna Griffin sourit.

— Non, pas vraiment.

— J'en suis désolé.

Elle haussa les épaules.

— Je dors peut-être mal, mais je dormirais plus mal encore si vous deviez passer le reste de votre vie en prison. J'ai fait un choix quand je vous ai vu dans ce bois. Un choix qui me permet de mieux dormir.

— Merci, dit Adam.

— Il n'y a pas de quoi.

Autre chose le tracassait, même s'il n'en parlait pas. Tripp pensait-il sérieusement que son plan allait fonctionner ? Croyait-il qu'Adam le laisserait s'en tirer comme ça ? Trouvait-il raisonnable de le menacer, lui et les siens, pendant qu'il était agenouillé devant le corps de sa femme, une arme à la main ?

Après sa mort, la famille de Tripp avait touché une somme confortable en termes de capital décès. Les Evans restèrent en ville. On les entoura. Même ceux qui croyaient à la culpabilité de Tripp firent bloc autour de Becky et de ses enfants.

Tripp avait-il prévu que ça finirait ainsi ?

S'était-il arrangé délibérément pour qu'Adam le tue ?

Les deux équipes étaient à égalité, et il ne restait plus qu'une minute avant la fin du match.

— C'est tout de même drôle, fit Johanna Griffin.

— Quoi donc ?

— Cette histoire de secrets. Tout est parti de Chris Taylor et de sa croisade. Mais c'est nous, vous et moi, qui détenons maintenant le plus grand de tous les secrets.

Le temps s'égrenait. Trente secondes avant la fin du jeu, Thomas marqua un but. Le public exulta. Adam ne sauta pas de joie, mais il sourit. Il se tourna vers Ryan

374

qui souriait aussi. Tout comme Thomas, sûrement, sous son casque.

— En fait, c'est peut-être pour ça que je suis venue, dit Johanna. Pour vous voir tous sourire.

— Peut-être, acquiesça-t-il.

— Vous êtes croyant, Adam ?

— Pas vraiment.

— Peu importe. Vous n'êtes pas obligé de croire qu'elle voit réellement ses garçons sourire.

Johanna l'embrassa sur la joue et tourna les talons.

— Il vous suffit de croire que c'est ce qu'elle aurait voulu.

Remerciements

L'auteur souhaite remercier les personnes suivantes, et pas spécialement dans l'ordre, car il ne se souvient plus très bien qui a fait quoi : Anthony Dellapelle, Tom Gorman, Kristi Szudlo, Joe et Nancy Scanlon, Ben Sevier, Brian Tart, Christine Ball, Jamie Knapp, Diane Discepolo, Lisa Erbach Vance et Rita Wilson. Comme d'habitude, s'il y a des erreurs, c'est leur faute. Ce sont eux, les experts. Pourquoi serais-je le seul à porter le chapeau ?

J'aimerais aussi saluer au passage John Bonner, Freddie Friednash, Leonard Gilman, Andy Gribbel, Johanna Griffin, Rick Gusherowski, Heather et Charles Howell III, Kristin Hoy, John Kuntz, Norbert Pendergast, Sally Perryman et Paul Williams Jr. Ces personnes (ou leurs proches) ont versé des contributions généreuses aux œuvres caritatives de mon choix, en échange de quoi j'ai fait figurer leurs noms dans ce roman. Si vous souhaitez participer à votre tour, allez sur le site HarlanCoben.com ou écrivez à l'adresse mail giving@harlancoben.com pour plus de précisions.

Du même auteur
Déjà parus

Tu me manques, Belfond, 2015 ; Pocket, 2016

Dix-huit ans que Kat a perdu son père, flic abattu dans une rue de New York. Et que son petit ami, Jeff, l'a quittée sans explication.

Aujourd'hui, Kat est flic à son tour. Toujours célibataire. Sa meilleure amie l'inscrit sur un site de rencontres. Là, un visage. Le sien. Jeff, son premier amour.
Un contact. Froid. Étrange.
Le doute s'installe. Qui est-il ?
Et puis, cet adolescent aux révélations troublantes.

Pour Kat, c'est le début de l'enquête la plus effroyable, la plus sordide, la plus risquée de sa carrière.

Des femmes piégées sur le Net ; un tueur sadique en liberté ; des événements sanglants déterrés du passé. Les mensonges qui nous lient peuvent-ils aussi nous tuer ?

Six ans déjà, Belfond, 2014 ; Pocket, 2015

Six ans ont passé depuis que Jake a vu Natalie, la femme de sa vie, en épouser un autre.
Six ans à lutter contre lui-même pour tenir sa promesse de ne pas chercher à la revoir.
Et puis un jour, une nécro : Natalie est veuve. Et soudain, l'espoir renaît. Mais aux funérailles, c'est une parfaite inconnue qui apparaît.

Où est Natalie ? Pourquoi s'est-elle évaporée six ans plus tôt ? Jusqu'où lui a-t-elle menti ?

Déterminé à retrouver celle qui lui a brisé le cœur, Jake va devenir la proie d'une machination meurtrière assassine. Et découvrir qu'en amour, il est des vérités qui tuent...

Ne t'éloigne pas, Belfond, 2013 ; Pocket, 2014

Un soir de février, Stewart, père et époux dévoué, sort d'une boîte d'Atlantic City en compagnie d'une ravissante strip-teaseuse. Personne ne les reverra.

Dix-sept ans plus tard, l'inspecteur Broome cherche toujours à percer le mystère. Et des éléments pourraient bien relancer l'enquête : des photos anonymes, une nouvelle disparition, même lieu, mêmes circonstances.

Coïncidences ? Rituels macabres ?

Et si Megan avait la réponse ? Car cette bonne mère de famille cache un passé sulfureux. Un passé qu'elle tente d'oublier depuis dix-sept ans…

Mensonges, vengeance, prostitution, meurtres et rédemption. Alors qu'un serial killer fait les *after* des clubs à la recherche d'une proie, des secrets soigneusement enterrés sortent des bois…

Sous haute tension, Belfond, 2012 ; Pocket, 2013

Une ancienne gloire du tennis harcelée sur le Net.
Un groupe de rock mythique aux abonnés absents.
Un couple en pleine crise.
De douloureux secrets de famille qui remontent à la surface…

Chantage, vengeance, meurtres, drogue et rock'n'roll. Et si de beaux mensonges valaient mieux qu'une monstrueuse vérité ?

Remède mortel, Belfond, 2011 ; Pocket, 2012

Une clinique new-yorkaise hautement sécurisée.
Un médecin qui se suicide.
Des patients sauvagement assassinés.
Coïncidences ? Complot ?
Et si l'annonce prochaine d'une extraordinaire découverte médicale avait déclenché cette vague meurtrière ?

Sara Lowell, jeune journaliste très en vue, mène l'enquête. Mais ses révélations pourraient bien faire d'elle la prochaine victime d'un mystérieux serial killer…

Guerre des lobbies pharmaceutiques, machination politique, pression des médias, mensonges… Au cœur d'un débat toujours aussi brûlant, un thriller angoissant et terriblement réaliste par celui qui allait devenir le maître de vos nuits blanches.

Faute de preuves, Belfond, 2011 ; Pocket, 2012

Pourriez-vous pardonner à ceux qui ont brisé votre vie ?

Journaliste dans une émission de télé-réalité, Wendy piège en direct les prédateurs sexuels. Sa dernière prise, Dan Mercer, un éducateur pour adolescentes : tout l'accable, on le soupçonne même de meurtre.
Mais les preuves font défaut. Wendy le sent bien, quelque chose ne tourne pas rond. Et si elle avait été manipulée ? Si Dan était innocent ?
La jeune femme va alors se pencher sur le passé de Dan, ses années d'étudiant à Princeton, ses quatre amis inséparables… Des amis avec qui il a tout partagé, même le pire…

Sans un adieu, Belfond, 2010 ; Pocket, 2011

Suspense magistral, intrigue machiavélique à souhait, tension psychologique à son comble. Des côtes australiennes aux parcs de Boston et aux banlieues new-yorkaises, le premier coup d'éclat de celui qui allait révolutionner le monde du thriller.

Laura Ayars et David Baskin, l'ancien top model devenue femme d'affaires et la superstar de l'équipe de basket des Celtics : un couple béni des dieux !
Mais, en pleine lune de miel, la tragédie frappe.
David part nager et disparaît.
Sans un adieu...

Accident ? Meurtre ? Suicide ? Laura se lance dans l'enquête et découvre bientôt des secrets vieux de trente ans, que ses proches ont tout fait pour enfouir...

Sans laisser d'adresse, Belfond, 2010 ; Pocket, 2011

De Paris à New York en passant par Londres et la Nouvelle-Angleterre, entre services secrets, réseaux terroristes et scientifiques corrompus, une machination infernale orchestrée par un Harlan Coben au sommet de son art.

Ancien sportif reconverti dans les relations publiques, Myron tombe des nues quand il reçoit l'appel de Terese, dont il est sans nouvelles depuis sept ans.
« Rejoins-moi. Fais vite... »

À peine arrivé à Paris, le cauchemar commence...

Qui en veut à la vie de Terese ? Quels secrets lui a-t-elle cachés ? Pourquoi le Mossad, Interpol et la CIA les traquent-ils sans relâche ?

Sans un mot, Belfond, 2009 ; Pocket, 2010

Jusqu'à quel point connaît-on vraiment son enfant ?
Mike et Tia ne cessent de se poser la question : leur fils
Adam, seize ans, a changé. Réfugié dans sa chambre, il
ne quitte plus son ordinateur.

Malgré leurs réticences, Mike et Tia se décident à
installer un logiciel de contrôle.

Un jour, un e-mail inquiétant.
Et Adam disparaît.
Sans un mot...

C'est alors que tout bascule...

Dans les bois, Belfond, 2008 ; Pocket, 2009

Été 1985 – New Jersey
Paul Copeland est animateur d'un camp de vacances à
la lisière des bois. Une nuit, entraîné par sa petite amie,
il abandonne la garde du campement. Quatre jeunes en
profitent pour s'éclipser, dont sa sœur, Camille.
On ne les reverra plus. Seuls deux corps seront retrouvés. On attribuera la mort des ados à un tueur en série
qui sévissait dans la région.

Vingt ans plus tard
Paul est devenu procureur. Alors qu'il plaide dans une
affaire de viol, il est appelé à identifier un corps. Stu-
péfait, il reconnaît formellement Gil Perez, un des dis-
parus. Pourquoi les parents de Gil s'obstinent-ils à nier
son identité ? Et si Gil a été en vie tout ce temps, se
pourrait-il que Camille le soit aujourd'hui ?
Bien décidé à faire la lumière sur le drame qui n'a jamais
cessé de le ronger, Paul va replonger dans les souvenirs
de cette terrible nuit...

Promets-moi, Belfond, 2007 ; Pocket, 2008

Six ans. Six ans déjà que Myron Bolitar, ex-champion de basket, ex-agent sportif, ex-détective de choc, n'a pas touché une arme à feu. Six ans qu'il s'est tenu loin des petites frappes et des gangsters de tout poil. Mais cette existence tranquille est sur le point de basculer...

Myron Bolitar a fait une promesse.

Celle d'être là pour Aimée, la fille d'une amie.

N'importe où, n'importe quand.

Quelques jours plus tard, la jeune fille disparaît. Myron est la dernière personne à l'avoir vue... Fugue ? Enlèvement ?

Myron mène l'enquête, pour prouver son innocence, mais aussi parce qu'il a promis aux parents d'Aimée de retrouver leur fille.

Et une promesse est une promesse...

Innocent, Belfond, 2006 ; Pocket, 2007

Un ami en danger.
Une bagarre qui dégénère.
Un accident.
À vingt ans, Matt Hunter est devenu un assassin.

Treize ans plus tard, il mène enfin une vie paisible avec la femme qu'il aime, Olivia, enceinte de leur premier enfant. Et puis, un jour, sur son portable, une vidéo d'Olivia dans une chambre d'hôtel en compagnie d'un inconnu.

Le cauchemar recommence.

Juste un regard, Belfond, 2005 ; Pocket, 2006

Et si votre vie n'était qu'un vaste mensonge ?
Si l'homme que vous avez épousé il y a dix ans n'était
pas celui que vous croyiez ?
Si tout votre univers s'effondrait brutalement ?

Pour Grace Lawson, il a suffi d'un seul regard.
Juste un regard sur une photo vieille de vingt ans pour
comprendre que son existence est une terrible impos-
ture.
Mais le cauchemar ne fait que commencer...

Une chance de trop, Belfond, 2004 ; Pocket, 2005

Deux coups de feu, le trou noir...
Douze jours de coma...
Marc se réveille : sa femme est morte et Tara, sa petite
fille de six mois, a disparu.

La demande de rançon est claire : deux millions de
dollars et Tara aura la vie sauve.

Avocats véreux, filières d'adoption douteuses, trafic de
bébés, enlèvements crapuleux, tueurs à gages, psycho-
pathes... La vie de Marc bascule dans le cauchemar
absolu.

Disparu à jamais, Belfond, 2003 ; Pocket, 2004

« Ken est vivant. » « Je t'aimerai toujours. »

À quelques jours d'intervalle, la vie de Will Klein va basculer quand il apprend que son frère Ken, le héros de son enfance qu'il croyait disparu à jamais, est en cavale depuis onze ans et que sa petite amie le quitte, sans explication.

Ken Klein et Sheila Rogers, les seules personnes que Will ait jamais aimées, toutes deux recherchées par les autorités et accusées de meurtre... Seul contre le FBI et la mafia, Will devra se battre pour prouver leur innocence. Mais les deux êtres qui lui sont le plus cher sont peut-être aussi ceux qu'il connaît le moins...

Ne le dis à personne..., Belfond, 2002 et 2006 ; Pocket, 2003

Imaginez...

Votre femme a été tuée par un serial killer.
Huit ans plus tard, vous recevez un e-mail anonyme.
Vous cliquez : une image...
C'est son visage, au milieu d'une foule, filmé en temps réel.
Impossible, pensez-vous ?
Et si vous lisiez *Ne le dis à personne...* ?

Composition et mise en pages
Nord Compo à Villeneuve-d'Ascq

Cet ouvrage a été imprimé au Canada
chez Marquis imprimeur inc.
en septembre 2016

MARQUIS

Québec, Canada

Dépôt légal : octobre 2016

Thể,
Lư 2019